戦争記念碑は物語る

第二次世界大戦の記憶に囚われて

Prisoners of History

What Monuments to The Second World War Tell Us about Our History and Ourselves

Keith Lowe
キース・ロウ
田中直◆訳

白水社

戦争記念碑は物語る——第二次世界大戦の記憶に囚われて

カバー写真:SIME/アフロ
アウシュヴィッツ・ビルケナウの入り口の建物に続く線路

クレオに

戦争記念碑は物語る——第二次世界大戦の記憶に囚われて◆目次

リトアニア
ロシア
スターリン像,
グルータス公園
「四人の
眠っている人」
記念碑,
ワルシャワ
ポーランド
アウシュヴィッツ
ウクライナ
「母なる祖国像」,
ヴォルゴグラード
ナチス・ドイツ
占領下における
犠牲者追悼記念碑,
ブダペスト
ガリー
地中海
レバノン
シリア
ヨルダン
ヤド・ヴァシェム,
エルサレム
エジプト
イスラエル

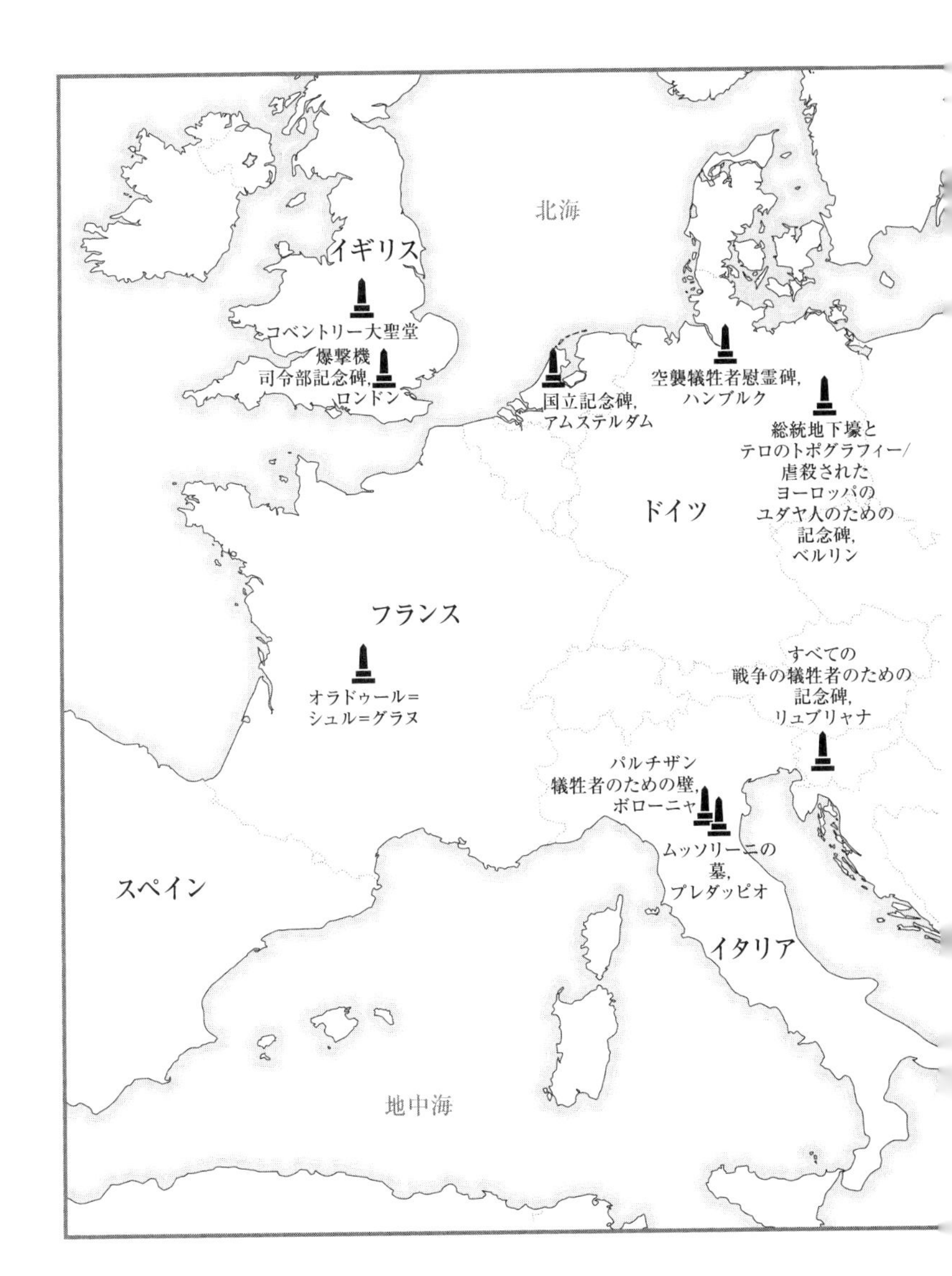
北海
イギリス
コベントリー大聖堂
爆撃機
司令部記念碑,
ロンドン
国立記念碑,
アムステルダム
空襲犠牲者慰霊碑,
ハンブルク
総統地下壕と
テロのトポグラフィー/
虐殺された
ヨーロッパの
ユダヤ人のための
記念碑,
ベルリン
ドイツ
フランス
オラドゥール=
シュル=グラヌ
すべての
戦争の犠牲者のための
記念碑,
リュブリャナ
パルチザン
犠牲者のための壁,
ボローニャ
ムッソリーニの
墓,
プレダッピオ
スペイン
イタリア
地中海

国連安全保障理事会会議場の壁画,
ニューヨーク
カチン記念碑,
ジャージーシティ
アメリカ合衆国
フィラデルフィア
ボルチモア
合衆国海兵隊
記念碑,
アーリントン
ワシントン
D.C.
大西洋

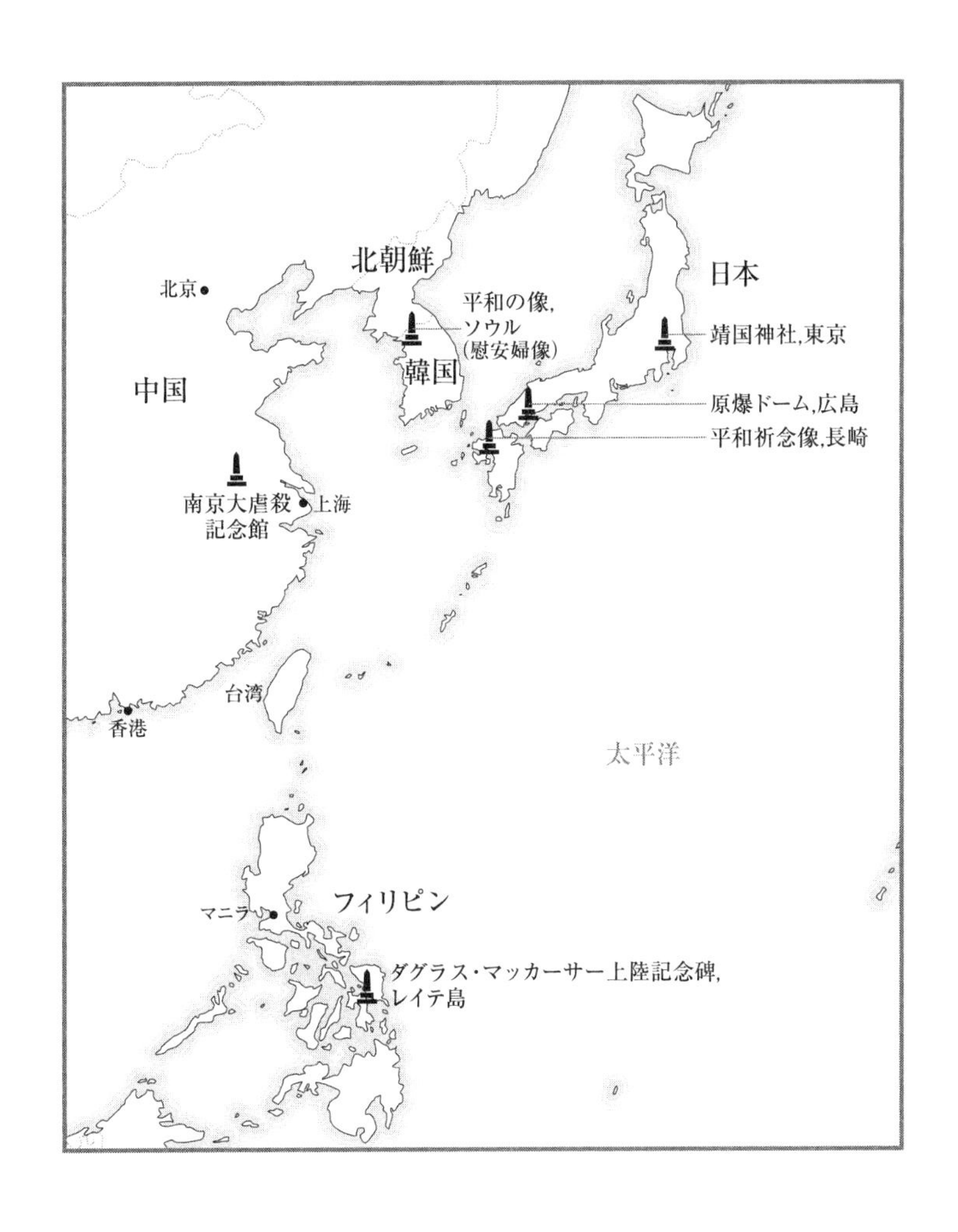
北朝鮮
日本
北京
平和の像,
ソウル
(慰安婦像)
靖国神社,東京
韓国
中国
原爆ドーム,広島
平和祈念像,長崎
南京大虐殺
記念館
上海
台湾
香港
太平洋
フィリピン
マニラ
ダグラス・マッカーサー上陸記念碑,
レイテ島

序章

二〇一七年の夏、アメリカの州議会議員たちは、公共施設の外の通りや広場から、南軍の英雄像を撤去し始めた。黒人奴隷を維持する権利を求めて戦ったロバート・E・リーやジェファーソン・デイヴィスのような一九世紀の人物は、もはや二一世紀のアメリカ人にとって適切な模範とは見なされなくなったのだ。こうして彼らの名誉は失墜し、彼らに対するアメリカ全土での抗議と反発の大合唱の中、このような記念碑は次々と撤去されていった。

アメリカで起こったことは、何も特別なことではない。他の場所でも、様々な記念碑が次々と取り壊されている。二〇一五年には、ケープタウン大学からセシル・ローズの像が撤去され、その後、南アフリカ全土においてすべての植民地主義的シンボルを撤廃するよう求める声があがった。この「ローズ・マスト・フォール（Rhodes Must Fall）」と呼ばれるキャンペーンは、イギリス、ドイツ、カナダなど、世界中の国々に瞬く間に広がった。同じ年、イスラム原理主義者たちは、偶像崇拝を理由に、シリアとイラクにおいて何百もの古代の像を破壊し始めた。また、ポーランドとウクライナの政府は、共産主義を顕彰する記念碑の全面撤去を発表するなど、偶像破壊の波は世界を席巻していたのである。

私はこれらの出来事を非常に魅力的なものと見ると同時に、何か、とても信じられないような気持ちでいる。私が育った一九七〇年代、八〇年代には、このような状況考えられないことであった。当時、いたるところにある記念碑は、ただの街路設備としてしか認識されておらず、そこは確かに、待ち合わせや、たむろするのに便利な場所ではあったが、それ自体に注意を払う人などほとんどいなかった。中には奇妙な帽子を被り、口ひげを生やし、もはや誰だか忘れられてしまった老人の像や、コンクリートやスチールなどで作られた抽象的な造形物もあったが、どちらにしても、私たちはそれらの持つ意味を本当に理解することはできなかった。このように多くの人々は街中の像のことなど気にも留めておらず、それらの撤去を求めることに何の意味も見出さなかったのである。しかし、ここ数年で、これまで目に見えていなかったものが、突然注目の的となった。どうやら何か重要なことに大きな変化が起こったようである。

私たちは古い記念碑を撤去すると同時に、新しいものも作り続けている。二〇〇三年のバグダッド中心部でのサダム・フセイン像の破壊と撤去は、イラク戦争の決定的なイメージの一つとなった。しかし、この像が撤去されてから二年の内に、ここにはイラク人家族が太陽と月を抱く姿の新しい記念碑が設置された。これを制作した芸術家たちにとってこの像は、平和と自由を特徴とする新しい社会へのイラクの希望——それは汚職、過激主義、暴力の再燃に直面し、すぐに打ち砕かれたが——を表していた。

今や、同じような変化が世界中で起きている。アメリカでは、ロバート・E・リーの像がローザ・パークスやマーティン・ルーサー・キングの像に置き換えられているし、南アフリカではセシル・ローズの像が撤去され、ネルソン・マンデラの像が建てられた。東ヨーロッパでは、レーニンとマルクスの像がトマーシュ・マサリクやヨゼフ・ピウスツキ、そしてその他の民族主義的な英雄の顕彰に道を譲っている。

最新のモニュメントの中には、特にアジアの一部の地域において、本当に規模の大きなものも見られる。例えば二〇一八年の末、インドは一九三〇年代から四〇年代にかけての独立運動において重要な役割を果たした、サルダール・ヴァッラブバーイー・パテルの新しい像をお披露目した。一八二メートルの高さを有するこの像は、現在、世界で最も高い像となっている。このような巨大な建造物を莫大な費用をかけて建設するという行為は、彼らの持つ驚くほどの自信の表れを意味している。これらは一時的な建造物としてではなく、今後、何百年も維持されるように設計されている。しかし、このような像が、レーニンやローズ、そしてその他のかつては恒久的な存在だと思われていた人物たちの像よりも、これから上手く存続していけるだろうと、いったい誰がいえるのだろうか。

ここでは一度にいくつかのことが起こっているように思える。記念碑は私たちの持つ価値を反映しており、一応どの社会もその価値が永遠のものであると胡麻化しながらも信じようとしている。だからこそ、私たちはそれらの価値を石に刻み、台座の上に設置するのだ。しかし、世界が変化しても、私たちの記念碑は、そして、それらが表象する価値観は、時の中で凍り付いたままなのである。今日の世界は、かつてない速さで変化しており、数十年、あるいは数百年前に建てられた記念碑は、もはや私たちが大切にしている価値観を表してはいない。

現在、私たちの記念碑を巡って行われている議論は、そのほとんどがアイデンティティに関するものである。世界がまだ、いわゆる年老いた白人に支配されていた時代には、彼らの名誉を称える銅像を建てることには意味があった。しかし、多文化主義や男女平等が進む今日の世界では、人々がそれらの像の存在に疑問を持ち始めても何ら不思議ではない。女性の像はいったいどこにあるのか。黒人が多数派を占める南アフリカのような国で、なぜ、白人の像がこんなにも多いのか。地球上、どの国にも負けず劣らず多様な人々を有するアメリカで、どうして公共空間にもっと多様性が見られないのか、といった具合にである。

しかし、これらの議論の下には、さらに根本的な何かが存在する。私たちは、自分たちの共同体の歴史が、自らの生活の中でどのような役割を果たすべきなのかということについて、未だ考えがまとまらずにいる。一方で、私たちは歴史を私たちの世界を構築するための強固な基盤であると考えている。そして、それを良心的な力として想像し、過去から学び、未来へと前進する機会を得ているのだ。歴史は、私たちのアイデンティティの根幹をなすものなのである。

しかしその一方で、私たちはそれを、何世紀にもわたる時代遅れの伝統への人質として私たちを無意味なものにする力であるとも考えている。歴史は私たちをかつてと同じ道に導き、同じ過ちを何度も繰り返させる。歴史に挑まず放っておくと、それは私たちを陥れてしまう。それは罠となり、そこから逃れることは不可能となるのだ。

これは私たちの社会の中に存在するパラドクスである。どの世代も歴史の圧制からの解放を望んではいるが、歴史とアイデンティティは非常に複雑に絡み合っているがゆえに、私たちは歴史なしでは、何者でもありえないということを本能的に知っているのだ。

本書は、私たちの記念碑について、そして、それらが私たちの歴史とアイデンティティについて本当に何を教えてくれるのかについて書かれている。私は世界中から二五の、それらを建造した社会について、特に何か重要なことを示唆している記念碑を選んだ。現在、これらの記念碑の中のいくつかは、大規模な観光名所にもなっており、毎年何百万人もの人々が訪れている。それぞれ議論の余地のある記念碑であり、それぞれがそれぞれの物語を伝えている。

いくつかの記念碑は、わざと、それらが想起することよりも多くのことを忘却しようとしている。しかし、そうすることで、それらが意図していた以上に自らの詳細を教えてくれる。私が実証したいのは、これらの記念碑のどれもが、真に過去についてのものではないということであり、それはむしろ、今日も生きている歴史の表現であり、好むと好まざるとにかかわらず、私たちの生活を支配し続けているものだ、ということである。

私がここで選んだ記念碑はすべて、私たちの共同体の過去のある期間、第二次世界大戦に捧げられている。これには多くの理由があるが、最も重要なのは、記念碑の中で、現在の偶像破壊の波にのまれていないように思われる唯一のものが、この第二次世界大戦をテーマとした記念碑だということである。換言すれば、これらの記念碑は、他の記念碑がもはやできない方法で、私たちが誰なのかということについて何かを表明し続けているのだ。

近年、撤去された戦争記念碑はほとんど例がない。実際、取り壊されるどころか、空前の勢いで新しい戦争記念碑が建造されている。この傾向は欧米だけでなく、フィリピンや中国などのアジア諸国でも同様である。なぜそうなるのか。私たちのかつての戦争指導者が、最近撤去された像の人物たちよりも、問題がないようには思えない。イギリスとフランスの指導者はセシル・ローズがそうであったように、植民地主義の擁護者であったし、アメリカの指導者も、人種差別的制度を有する軍隊を指揮していた。また、連合国軍の兵士たちは現在では戦争犯罪であるとみなされている行為にも従事していたし、彼らの女性への態度もまた、必ずしも啓発されたものではなかった。終戦を飾る最も有名なイメージの一つである『ライフ』誌掲載の象徴的な写真、ニューヨーク、タイムズ・スクエアで看護師にキスをする水兵の姿は、今や私たちが強制わいせつ罪であると認識する方法でこの勝利を祝っている。どうやら第二次世界大戦の集合的記憶は、他の時代の記憶では実現不可能な方法でこのような問題を飛び越えることができるようである。

これらの疑問の真相を解明するために、私は第二次世界大戦の記念碑を大きく五つのカテゴリーに分類した。本書の第1部では、戦争の英雄へと捧げられた最も有名な記念碑のいくつかを見ていくことにする。これらは第二次世界大戦の記念碑の中で最も脆弱なものであり、唯一、引き倒されたり、撤去されたりする可能性を持つものだと思われる。第2部では、戦没者へ捧げられた追悼記念碑を検討し、第3部では、戦争の主要な犯罪者を刻んだ追悼の場をいくつか見ていくことにする。これら三つのカテゴリー間の相互作用は各カテゴリーと同様に重要となる。英雄は悪役なしに存在できず、犠牲者もまた、それなしには存在できないからである。第4部では、終末論的な戦争の破壊に関する記念碑について述べ、そして、第5部では、その後の再生のための記念碑をいくつか取り上げる。これら五つのカテゴリーは相互に反映し、補強しあう存在であるといえる。それらは私たちの集合的記憶の別の一部分を荒々しく通過した偶像破壊の波から自らを保護するための、ある種の神話的枠組みを構築したのである。

私は過去の記憶を封じ込めるために使われてきた場所の多種多様性を指摘するために、様々な記念碑を取り上げることにした。そこでは彫像や抽象的な彫刻だけでなく、神社、墓、遺跡、壁画、公園、そして建築的特徴についても述べていく。これらの記念碑の中には戦後まもなく作られたものもあれば、最近完成したもの、そして、本書を書いている現在もなお建設中のものまで含まれている。また、極めて地域的、ローカルな意味合いを持つものもあれば、国家的、国際的に広範囲の意味を持つものもある。なるべく世界各地の記念碑を取り上げるようにし、例えば、イギリス、ロシア、そしてアメリカの記念碑だけでなく、イスラエル、中国、フィリピンなどの記念碑も含むこととした。

誰もが理解している、あるいは少なくとも、理解しているであろうと考える時代について書くことには大きな利点がある。第二次世界大戦は地球上のあらゆる場所に影響を及ぼし、世界中のほとんどの国が何らかの形でそれを記念している。それはまさに、偉大な文化の平等化装置といえよう。しかし、本書ですぐに明らかとなるように、戦争は国によって大きく異なる方法で記憶されてきた。自分たちの国と隣国との違いを理解するには、私たちが常に共有し、共通の経験だと思っていることに対して、他者からの相反する見解を聞いてみること以外に何か良い方法があるだろうか。

最後に、私が第二次世界大戦の記念碑に注目するのは、要するに、それが持つ性質の特徴ゆえである。通常、記念碑といえば固く、灰色で退屈なものだと考えがちだが、本書で取り上げる記念碑は、世界のどこにでもあるパブリック・アートの中でも最もドラマチックで、感情に訴える作品ばかりである。花崗岩とブロンズの下には、力、栄光、勇気、恐れ、抑圧、偉大さ、希望、愛、そして喪失といった、私たちが誰であるかを構成するすべてのものが混ざり合って存在している。

私たちは過去の圧制からの解放を期待して、これら本当に数多くの特性を記念している。しかし、それらを石の中で不滅のものにしたいという私たちの願望を通して、最後に、それらは必然的に私たちを歴史の囚人にし続ける、まさにその力を表すことになるのである。

第1部

英雄

私たちは今日、スキャンダルの時代に生きているといえよう。メディアは、政治家、ビジネスや宗教のリーダーたち、人気スポーツ選手、そして芸能人の間での堕落したゴッシプにもちきりで、もはや偉大な人たち、英雄なるものの存在を信じることが難しいと感じることがある。

しかし以前はそうだったわけではない。少なくとも、一般的な記憶によると、かつて私たちは英雄が誰であるのかを、正確に認識していた。一九四五年、私たちは第二次世界大戦で私たちのために戦った人々への記念碑を建て、また今日もそのような記念碑を作り続けている。これらの碑は、人々が善悪の区別を知り、より大きな善のために自分の義務を果たすことを厭わなかった、もっと純真な時代のことを物語っている。

しかし、これらの記憶はどの程度正確なのだろうか。私たちの英雄は、本当に誰よりも強く、勇敢で、また、より義務感にかられた人たちだったのだろうか。もし、今、彼らを今日の政治家や有名人と同じようにその実態を精査した時、それでもなお、私たちは彼らを英雄として見ることができるのだろうかということである。

第二次世界大戦世代への尊敬は、私たちが歴史をどのように認識しているのか、そして、その出来事が今日も影響を与え続けているのか、といった非常に多くのことを物語っている。

第1部では、世界各地の英雄に関する記念碑をいくつか見ていきたい。そして、過去のことだけでなく、それらが今日の価値や理想について何を教えてくれるのかについても問いたいと思う。また、それらの価値観が時間の経過とともに変化した時、いったいどういうことが起こるのかを探っていきたい。はたして英雄たちは私たちの期待に応えることができるのだろうか。そして、過去の居心地の良い記憶が、より冷静な歴史的現実と衝突した時、はたして何が起こるのだろうか。

第1章

ロシア「母なる祖国像」

◆ヴォルゴグラード

第二次世界大戦は、おそらく人類史上最大の惨事であった。歴史家は、その規模の大きさを垣間見ることのできる言葉を見つけるのに、いつも苦労を重ねてきた。一億人以上の兵士が動員され、六〇〇〇万人以上が殺され、一兆六〇〇〇億ドル以上が浪費されたといった数えきれないほどの統計があるが、そのような数字はあまりにも大きく、ほとんど意味をなさないでいる。

記念碑、記念施設、そして博物館はこのような統計に頼るのではなく、戦時下における出来事の規模を表す別の方法を見いだしてきた。多くの場合、厳選されたシンボルは、どんな言葉よりもはるかに優れたヒントを与えてくれるものである。例えば、アウシュヴィッツ・ビルケナウのホロコースト博物館に展示されている山のような靴を、それが奪われた持ち主たちの死体の数を想像せずに、誰が見ることができようか。また、たとえ小さなものであっても、時に、そこから巨大なものを思い浮かべることも可能である。広島の平和記念資料館には、原爆が投下され、炸裂した瞬間に止まったままの時計が展示されている。これはまるで、原爆が、時を止める力を持つほどに偉大であったと示唆しているかのようである。

しかし、戦時中の出来事の大きさを伝える最も効果的な方法は、最もシンプルに、それら記念碑の

大きさを通してである。本書で取り上げる記念碑の多くは、実際、とても大きく、中には、本当に驚くほど巨大なものも存在する。そこには、記念される出来事が大きければ大きいほど、記念碑も大きくなるという単純なルールが適応されているようである。

この章では、その中でも最も大きな記念碑の一つ、ロシアのヴォルゴグラード市、ママエフ・クルガンの頂上に立つ、巨大な像を取り上げる。その大きさは、第二次世界大戦だけでなく、ロシアの精神と、今もなお、それを囚われの身にし続ける一種の足かせといったものについて多くのことを教えてくれる。

ママエフ・クルガンに立つ記念碑は、一つだけではない。ここにはさまざまな碑が立ち並んでおり、それぞれが非常に巨大な建造物となっている。初めて私がここへ来た時、それはまるで巨人の国に迷い込んでしまったかのような気がしたものである。まず、丘のふもとには、片手に機関銃を、そしてもう片手には手榴弾を持った巨大な男の裸体彫刻が立っている。大きな岩の中から、上半身が波打つように飛び出す形で作られたこの像は、三階建ての建物と同じくらいの高さを有している。そして、この像の向こう、山頂へと続く階段の両側には、廃墟と化した壁から、まるで戦闘中であるかのように飛び出してくる巨大な兵士たちのレリーフ彫刻が置かれている。丘のさらに上には、私の家の倍以上もあろうかと思われる、悲嘆にくれる母親の巨大な姿がある。亡くなった息子の遺体を前に、「涙の湖」とよばれる大きな水溜りの中で身をかがめ、むせび泣く母親の姿である。

この記念公園に配置された数十体の英雄像はすべて巨大であり、高さ六メートル以下のものは一つも見あたらず、中には、その三、四倍もの大きさで表現されているものもあるのだ。しかし、この丘の頂上にそびえ立つ、とある像の存在は、これら周囲の像をも小さく見せてしまうほどである。ここ、ヴォルゴ川を見下ろすこの丘の上には、母なるロシアの巨大な彫刻像がそびえており、子供たちに母なる祖国のために戦うよういざなっている。彼女の口は戦いへの叫び声で開き、髪と衣服は風になびいている。そして右手には空に向けて大きな剣がにぎられている。足元から剣の先までの高さは八五メートル、これはニューヨークの自由の女神の約二倍の高さを誇り、その重さは四〇倍である。一九六七年に完成した際、これは世界最大の記念碑像であった。

「母なる祖国が叫ぶ!」と題されたこの記念碑は、ロシアで最も象徴的な像の一つとなっている。ソ連の彫刻家エヴゲーニイ・ヴチェーチチの作品で、設計と建造に何年もの歳月が費やされた。約二五〇〇トンの金属と五五〇〇トンのコンクリートが使用され、剣だけでも一四トンの重さがある。あまりにも巨大な像だったために、彼は構造設計士であるニコライ・ニキーチンと協力し、自重で倒壊しないように工夫を重ねた。例えば、風が剣にあたり、構造物全体が揺れるのを軽減するために、剣にいくつもの穴を開けねばならなかったのである。

この記念碑がイタリアやフランスにあったならば、それはとてつもなく仰々しいものに見えただろう。しかし、ここヴォルゴ川のほとり、かつてスターリングラードと呼ばれたこの街においては、これもなにか粛々とした、ふさわしいもののように感じる。一九四二年にここで行われた戦闘は、今まで西洋諸国で起こった何にも勝るとも劣らない凄惨なものであった。大戦中最大規模のドイツの砲撃に始まり、数十もの部隊による攻撃とそれへの反撃が繰り広げられた。街では、家屋が粉々になった風景の中で兵士たちが通りから通りへ、さらには部屋から部屋へと戦っていた。五ヶ月の間に約二〇〇万人の兵士が命や健康、そして自由を失った。この一戦での死傷者の数は、イギリスとアメリカがこの大戦中に被った死傷者の数よりも多いほどであった。

巨大な祖国の像の影にあるママエフ・クルガンの頂に立つと、この歴史の重さを感じることができる。外国人からすると、この場所には何やら圧迫感があるが、多くのロシア人にとって、ここは神聖な場となっている。ロシア語で「クルガン」とは古墳や埋葬塚を意味し、この丘はもともと一四世紀の武将に捧げられた古い遺跡であったが、この史上最大の戦闘の後、ここは新たな象徴性を持つこととなった。この場所は一九四二年の主要な戦場の一つであり、膨大な数の兵士や民間人が埋葬されている。現在も丘の上を歩くと、土に埋まった金属や骨の破片を見つけることができるほどであり、この祖国像は、比喩的にも文字通り、死体の山の上に立っているのだ。

ロシアにおける戦争の規模の大きさが、このママエフ・クルガンの記念碑が非常に巨大である理由の一つである。しかし理由はそれだけではなく、むしろ、それは主な理由ではない。筋骨隆々とした英雄像や泣き崩れる母親像はたしかに巨大ではあるが、それらをすべて支配しているのは、丘の上にそびえる巨大な母なる像なのである。これは戦争ではなく、祖国を表したものであることを忘れてはならない。そして、また、そのメッセージはとてもシンプルなものである。どんなに大きな戦いがあっても、どんなに大勢の敵がいたとしても、祖国はそれらより、もっと偉大であるということである。この像の大きさは、苦労している兵士や悲しむ母親たちの慰めとなり、たとえ彼らが犠牲を払っても、少なくとも力強く、壮大な何かの一部であることを想起させてくれるのだ。これぞ、ママエフ・クルガンの本当の意味なのである。

第二次世界大戦の後、ソ連の人々には慰めとなるものがほとんどなかった。喪失感がトラウマとなっただけでなく、不確実な未来にも直面していた。ロシア人はアメリカ人のように戦争から恩恵を受けることはできず、暴力によって、彼らの経済は荒廃していた。また、新たな自由をも手に入れることができなかった。一九四五年以降、政治的な雪解けが期待されていたにもかかわらず、スターリンの弾圧がすぐに再開された。このように戦後のロシアでの生活は厳しいものとなった。

ロシアをはじめとするソ連の人々に与えられた唯一の慰めは、自国がついに、真の偉大な国家になったことを証明することであった。一九四五年、ソ連は世界最大のかつて見たこともないような軍隊を組織していた。広大なユーラシア大陸だけでなく、バルト海や黒海をも支配していた。第二次世界大戦では、国境を回復させただけでなく、それを東西に大きく広げ、ソ連の影響力はヨーロッパ中心部にまで及んだ。戦前のソ連は国内の動乱によって弱体化した二級国家であったが、それは戦後、まぎれもない超大国となったのである。

ママエフ・クルガンの祖国像は、この事実をすべて証明するようにデザインされた。そしてこれは、ソ連の力が絶頂であった一九六〇年代に建てられた。この像は、ソ連を攻撃しようとする者への警告と同時に、国民を安心させるシンボルとしての役割を担い、常に皆を守ることを高らかに宣言したのであった。

祖国の像を背にしてこの丘に立ったロシア国民にとって、その眺めたるや、まぎれもなく壮大で果てしないものであった。西方約一六〇〇キロメートルはすべてソ連の領土であり、また東方へは一度も国を離れることなく、九つの時間帯を旅することができた。また最初に宇宙に行った人物は男女共にロシア人であり、その事実はもはや天界ですら彼らのものであるかのように思えたほどである。母なる祖国像を見上げるには、その頭上に広がる果てしない空をも見渡さずにはいられないのである。

この時期以降、ロシアは戦争記念碑の建設を一度も止めることなく続けている。その多くはヴォルゴグラードにあるものと同じような規模である。例えば一九七四年、ムルマンスクでは、一九四一年七月の北極圏のロシア防衛戦で命を落とした兵士を追悼して、高さ四二メートルのソ連軍兵士の像が建設された。また、ウクライナがソヴィエト連邦の一部だった一九八〇年代初頭には、キエフに第二の祖国像が建てられている。（ママエフ・クルガンの像と同様、ヴチェーチチの設計によるものであり、台座を含めた高さは一〇〇メートル以上である。）そして一九八五年には終戦四〇周年を記念して、ソヴィエト・ラトビアの首都リガに、高さ七九メートルの戦勝記念碑が建設された。

これらの像や記念碑はすべて、権力と自信の象徴としての意味を持っていた。しかし、ヴォルゴグラードの祖国像が落成してから一世代後、ソ連の権威は揺らぎ始めた。一九八〇年代にはポーランドや東ドイツなど、東ブロックの国々が続々とソ連の影響力から離れはじめ、一九八九年にはこれらの国で共産主義支配が崩壊したのである。その後、ソヴィエト連邦自体が分裂し始めた。一九九〇年三月、最初にリトアニアが、それに続き、バルト三国、東ヨーロッパ、コーカサス、中央アジアにおいて一三の国が相次いで誕生した。この大国はばらばらとなり、一九九一年一二月二六日、ついにソ連の解散が発表されたのであった。

この時期、多くのロシア人が感じていた絶望感は明白であった。一九九〇年代末にアメリカの国務長官を務めたマデレーン・オルブライトは、あるロシア人男性に会った時の話をしている。彼は、「昔は超大国であったが、今はミサイルを持ったバングラデッシュだ」と、不満を露わしていたという。何十年もの間、ソ連という国家の偉大さは、彼のような、二〇世紀を通して耐え忍んできた人にとっては、その被った損失に対する唯一の慰めであった。しかし、今や、それすらも奪われてしまったのである。このような雰囲気の中で、ロシアの巨大な戦争記念碑は、もはや権力の象徴というよりも、シェリーの有名な詩の中のオジマンディアス〔古代エジプトのファラオ、ラムセス二世〕のように見え始めた。過去の栄光の遺物は、ゆっくりと確実に時の砂に飲み込まれる運命にある。しかし、この状況はロシア当局が記念碑を建設することを止めはせず、それどころか、第二次世界大戦の栄光を祝うこともけして止めはしなかったのである。例えば、一九九五年には、モスクワに新しく「大祖国戦争博物館」が開館した。

その建物の前には、ママエフ・クルガンの像よりもさらに高い像が立っており、高さ一四一・八メートルで、世界で一番の高さを誇る第二次世界大戦記念碑となっている。そして、他にも建設が続いた。二〇〇七年四月には、ベルゴルド、クルスク、そしてオリョールの各都市が戦争中に果たした貢献のために「軍事栄光都市」と宣言され、それぞれの場所に新しくオベリスクが建てられた。翌年一〇月にはさらに五つの都市に称号が付与され、オベリスクが完成した。わずか五年の間に、ロシア全土で四〇以上の都市が同じように表彰され、ヴィヴォルグからウラジオストクまで新しい記念碑が次々と登場している。

ロシア人はなぜ、このような形で戦争を記念し続けるのだろうか。戦争終結の日から七五年以上が経過している。そろそろ終止符を打つ時ではないのだろうか。

第二次世界大戦の巨大な記念碑への国家の無限の中毒性にはいくつかの要因が見て取れる。第一は、戦争によるトラウマがあまりに大きかったために、ロシア人はそれを忘却することができないということである。トラウマを経験した人がフラッシュバックを起こすのと同じように、彼らは何度も何度も戦争の話をしなければならないと感じているのだ。これらの新しい記念碑は、それぞれが以前のものよりも大きく作られているように見えるが、それはロシアが過去と折り合いをつけるための方法なのである。

確かにその通りだと思うが、少し認識が単純化されすぎているのも事実である。例えば、なぜ今、以前よりも記念碑が増え、複製されているのか、という説明にはなっていないからである。今のロシアの生活には、このような具体的なフラッシュバックを引き起こす何かが存在するのだろうか。

私は、このようにロシア人が戦時中の英雄的行為をこれまで以上に主張するようになったのは、彼らの社会に新たな不安定さ、もしくは脆弱性が生まれているからではないかと感じずにはいられない。つまり、現在建設されている記念碑は、過去だけでなく現在にも関係しているということである。

あるいは、これは単に国家形成のためなのかもしれない。ロシアはかつてのような国家ではなく、その帝国性を失ってから、世界の中での自身の役割を未だ見いだせてはいない。多くのロシア人にとって、戦争記念碑の建設は、かつての自分たちの国の地位を思い起こさせるものであり、また、いつかロシアが再び台頭する日が来るかもしれないという希望を与えてくれるものでもある。記念碑が大きければ大きいほど誇りもノスタルジーも増してくる。戦争の賛美は、新しい国民的アイデンティティを築くためのウラジーミル・プーチンによるプログラムの中心的支柱となっている。

これはママエフ・クルガンにおいても感じることができる。ロシアの権力が崩壊していった一九九〇年代には、この祖国像も崩壊し始めていた。「涙の湖」の周りのパイプの傷みが激しく、像とその周囲に水が漏れ始め、土壌が不安定化していった。また、二〇〇〇年には、像の肩の部分に深い亀裂が入り始めた。その数年後には、像全体が片側二〇センチほど傾いているとの報告も入るようになった。資金繰りに窮していたロシア政府は、再建工事の支払いを約束し続けてはいたが、いっこうに用立てられなかった。この、公的に放っておかれた状況がロシアの新たな貧困のためなのか、それとも、ソ連の過去に対する新たなアンビバレンスな状態によるものなのか、誰にも分からなかった。

しかし、近年、この記念碑に、新たな息吹が吹き込まれた。二〇一八年に私が訪れた時、祖国像は修理されたばかりであった。ヴォルゴグラードの中心地にある他の記念碑も一新され、市内の戦勝記念公園全体が改装のため、閉鎖されていた。「戦没兵士広場」と名付けられた中央広場では、学校の生徒たちが、スターリングラードにおける死者を称える式典のための行進練習に励んでいた。

ここには誇りと悲しみが等しく混在している。今日も、この丘を登ると、ロシア全土からこの場所に敬意を払うために集った人々の姿を目にすることができる。家族が子供たちを連れてやってきて、この場所で曾祖父の勇姿を物語る。また、若い女性たちは祖国像の前で写真を撮るためにポーズをとり、赤いカーネーションの花を記念碑の足元に捧げもする。そして、軍人たちは正装姿で、この丘の階段を胸の勲章を鳴らしながら登ってくるのである。

これらの人々は、誰一人として自らを形成してきた歴史から、そして一九四五年以降、自らの国家意識に不可欠であった偉大さへの憧れからも逃れることはできずにいる。良くも悪くも、彼らは丘の上に立つ巨大な像の影の中で生き続けているのだ。

第2章 ロシアとポーランド「四人の眠っている人」記念碑

◆ワルシャワ

どの国も、それぞれの英雄を誇りに思うのは同じである。それら英雄に捧げられた記念碑は私たちの心の中に、特別な位置を占めている。それは、私たちが大切にしているすべての物を象徴し、私たちの最も魅力的な資質を表す最高の姿だからである。しかし、私たちが考える自分自身と、実際の自分とは必ずしも同じとは限らない。そして、それは、他の人が考える私たちとも同じではないのが現実である。私たちの記念碑は、私たちにとっては栄光に満ちたものであったとしても、他の人々、他の価値観を持つ人々にとっては、全く英雄的なものではなく、逆にグロテスクにさえ映るかもしれないのだ。

ロシアの人々は第二次世界大戦における彼らの英雄たちを誇りに思っているが、たとえロシアから遠く離れた場所へ行かなくとも、戦時中にロシアが果たした役割についての全く異なる物語を各地で見つけることができる。ウクライナやポーランドのような近隣諸国において、ロシア人はしばしば英雄としてではなく、植民地支配者とみなされる。このような見方は、ヨーロッパの記念碑における物語の中にも反映されている。そして、特にある記念碑は、私たちの様々な歴史解釈がいかに二極化したものであるのかを示している。

移設される前の「四人の眠っている人」記念碑、2010年。

「武装同志の記念碑」は一九四五年に作られ、その年の終わりにワルシャワに建立されたものである。設計はソ連軍の技術者、アレクサンドル・ニエンコ少佐が行い、施工はポーランドの彫刻家グループが担当した。六メートルの台座の上に、武器を持って前進する実物大よりも大きい三人の兵士の彫像が設置された。台座の四角には、さらに四体の像――二体のソ連兵と二体のポーランド兵――が頭を垂れ、沈黙する姿で彫刻されている。戦時中の物資不足のため、当初は塗装された石膏で作られていたが、二年後には残されたドイツ軍の砲弾を溶かして作ったブロンズ製の鋳造品に置き換えられた。そして台座には「ポーランド国民の自由と独立のために命を捧げたソヴィエト軍の英雄、同志たちに栄光を」と刻まれたのである。

この記念碑は、ポーランドとソヴィエト連邦の友好の新時代を象徴するものであった。両国は、ロシア帝政期にまで遡る非常に困難な歴史を共有していた。実際、彼らはこの戦争の初期においては敵同士であった。ソ連は当初、ヒトラーと同盟を結び、一九三九年のポーランド侵攻に参加したのである。しかし、その二年後、ナチスが反旗を翻すと、ソ連はポーランド人との新たな関係を築こうとした。ソ連はポーランド人捕虜や亡命者を解放し、軍隊の改革を認めたのであった。その結果、一九四五年には約二〇万人のポーランド軍がかつての敵と一緒に戦ったのである。ワルシャワの解放は、ポーランド兵とソ連兵が共に戦って行われたのであった。

そのため、「武装同志の記念碑」は、同時にいくつかの機能を果たすこととなった。まずは、赤軍の犠牲がなければ、ポーランドは一九四五年には存在していなかったであろうという、ポーランドのソ連に対する恩義を認めたこと。そして、「ポーランドとソ連が戦時に協力できるのならば、平時にも協力できるのでは」といった未来への期待をも込められたことである。しかし、それはもちろん、政治的なプロパガンダを表出する作品であった。台座の上がソ連兵で、その下にポーランド兵が立っているというこの構図は、ソ連が考える今後の、いわゆる正しい両国の力関係を表しているのだ。

これはワルシャワに建てられた戦後初の記念碑であったが、この後すぐに、他の記念碑もお目見えしている。そして国中に同じような意味を持つ、さまざまな形式の記念碑が建設されたのであった。ポーランドとソ連の友好を祝う彫刻、ナチスに対する共同勝利を記念するオベリスク、共通の戦没者に捧げられた銘板、墓碑、共同墓地、そして永遠の炎の設置などである。一九九四年に作成されたリストによると、戦死したソ連兵に捧げられたモニュメントは、戦後になってポーランド全土に約五七〇個建設されている。これは、ポーランドとソ連の戦時中の協力関係を基盤に、新たな共産主義的な未来を共に築くための公的な活動の一環であった。

残念なことに、これらの記念碑は、ソヴィエト連邦に建設された同様の記念碑と同じように、国民に愛と献身を感じさせるものではなかった。ポーランドからすると、これらはあくまで外国人の活躍や犠牲を称えるものであり、ポーランド人自身が誇りを持てるような記念碑ではなかった（せいぜい、感謝と友情を表す程度のものであった）。そして、その感謝の気持ちもなくなり、友情が失われた時、これらの記念碑は全く別の、負の意味を持ち始めたのである。

ほとんどのポーランド人は、自分たちがソ連との協力関係の中でどのような立場にあるのかを良く理解していた。彼らはこれらの権力と栄光の象徴を見て、ソ連の偉大なる車輪の下に押しつぶされたのはナチスだけではなかったのだと疑い始めた。すぐに、彼らはこれらのシンボルに不満をぶつけ始めた。ソ連の記念碑はしばしば破壊され、汚され、民族主義的な落書きで覆われたのである。そして、解放の時期にソ連の兵士たちがポーランドで行った様々な所業についての一般的な記憶に基づき、「略奪者の記念碑」や「無名の強姦魔の墓」といった、軽蔑的なあだ名が付けられた。そして、このワルシャワの「武装同志の記念碑」も例外ではなかった。人々は、この記念碑の四隅に置かれた彫像が頭を垂れているのは、喪に服した姿なのではなく、任務中に眠ってしまっただけなのだ、と冗談をいうようになった。その後、この記念碑は"Czterech Śpiących"、つまり「四人の眠っている人*」と呼ばれるようになったのである。

その後四〇年以上にわたり、この記念碑はワルシャワのプラガ地区の台座の上に置かれ続けた。ここは、戦争を追悼する場所として、またヨーロッパにおける共産主義の勝利を祝う場所としても使用された。例えば、一〇月革命の三五周年記念日には、ワルシャワ・フィルハーモニー管弦楽団がここで演奏し、関係者がこの記念碑の足元に花を供えた。

しかし、一九八九年にすべてが変化することとなった。その特別な年に、東ヨーロッパ中の共産主義政権が崩壊し始めたのである。ベルリンの壁が崩れ、独裁政権は崩壊し、いたるところでソ連の記念碑が取り壊され始めた。しばらくの間、世界中の新聞にはそれらの像が倒される写真が定期的に掲載されたものである。ルーマニアのペテル・グローザ、アルバニアのエンベル・ホッジャ、ポーランドのボレスワフ・ビェルト、そして何といっても、ヨーロッパ中でレーニン像が次々と倒されていく写真が、である。

驚くべきことに、ワルシャワの「四人の眠っている人」記念碑は、これらの期間を無傷で乗り越えたのであった。一九九二年、地元当局はこの記念碑の解体を検討したが、それは反対意見を引き起こした。特にこの制作に携わった芸術家の一人であるステファン・モモットが、この記念碑を擁護するために議会で立ち上がったことから、最終的にこの解体案は取り下げられた。

しかし、それから一五年後、今度は街の現実的な理由から、この記念碑の撤去案が検討されることとなった。交通行政の専門家が、この街全体の交通改善計画の一環として、この記念碑の場所に新しい路面電車の停留所を作ることを提案したのである。この路面電車計画は最終的には廃案となったが、それから四年後、別の交通改善計画において「四人の眠っている人」記念碑は、新しい地下鉄駅建設のために移動する必要性があると指摘されたのである。これを受けて当局は、新駅完成の後、すぐに再び元に戻すことを約束し、二〇一一年にこの記念碑をいったん撤去し、ミハウォビツェの保存工房に運び入れたのであった。

これこそ、この記念碑の反対派が待ち望んでいたチャンスだったようである。特に右派のポピュリスト運動を主導する政党「法と正義」のメンバーが声を上げ始めた。彼らは、四〇年以上にわたってポーランドを服従させてきた外国勢力を賛美しているという理由で、この記念碑を広場に戻すことはけして許されるべきではないと主張した。彼らはこの「四人の眠っている人」記念碑を、ポーランド国民をソ連の物語の受動的な傍観者として表象した恥ずべき記念碑だと呼んだのである。この記念碑や、これに類似するような記念碑はポーランドへの侮辱であり、ポーランドの歴史を捏造したものであると。

他にもこの記念碑への非難に同調する人々が見られた。様々な歴史家や元反体制派の人々は、「四人の眠っている人」記念碑が国家による人民への弾圧機関がひしめく地区の中心に立っていたことを指摘した。ワルシャワ公安局、地方拘置所、ＮＫＶＤ（秘密警察）の本部、市の刑務所などすべてが、この記念碑から一〇〇メートル以内にあったのだ。「これらの場所では、〝国家の敵〟が尋問され、拷問されていた」とポーランド国家記銘院のアンジェイ・ザヴィストフスキ博士は書き記している。そのような人々にとって、この記念碑は歴史の監獄だけでなく、実際の人々が迫害された、実際の監獄を表しているのだ。

それでも多くの人々は、この記念碑を擁護しようとした。社会主義者の政治家たちは、この記念碑はスターリン主義を称えたり、ポーランドを抑圧したソ連の指導者たちを称賛したりするものではなく、しばしば強制的に赤軍に徴兵された普通のソ連の兵士たちを記念しているものにすぎないと主張した。また、年老いた退役軍人たちは、これらの「サーシャとヴァーニャ」〔赤軍に徴兵された「普通のポーランド人」を表している〕のうち六〇万人がポーランドの地で亡くなったこと、そして記念碑にはポーランドの兵士も描かれていることを指摘した。

この論争は四年間にもわたって続き、数えきれないほどの新聞記事、嘆願書、メディアでの討論、デモ、破壊行為などが行われたのである。二〇一三年、地元当局はこの記念碑を残すべきかどうかについての世論調査を実施した。その結果、この記念碑の完全撤去を望む人は八パーセント、遠く離れた場所への移転を望む人が一二パーセントであったが、なんと七二パーセントもの人々がこの記念碑を元の広場に戻してほしいと回答したのであった。反対派は、サンプル数が一〇〇〇人に満たないことや、ほとんどの人がこの記念碑を残したいと思っているのは、ただ単にそれに慣れ親しんでいるからだと反論した。ポーランドが未来に目を向けるためには、この有害な歴史から解放される必要があるというのだ。

結局、勝利したのは民族主義派だった。二〇一五年、市議会は「四人の眠っている人」記念碑を結局、ヴィレンスキ広場には戻さないと決定した。そしてその三年後、今度は、この記念碑が市の北部に新しくできたポーランド歴史博物館に寄贈されたことが発表された。博物館のスタッフによると、元の場所から撤去されてから約一〇年後の二〇二一年に、ようやく展示公開されるとのことである。

英雄とは何か。何のための英雄なのだろうか。ロシアの人々は戦争の英雄像の解体を個人的な侮辱とみなしているが、英雄像とは単に実在の人物を表象するものではなく、思想を表すものでもある。

もし、多くの人々がその思想に賛同できなくなったのであれば、その英雄像は撤去されなければならないだろう。

ロシアの人々にとって、「四人の眠っている人」記念碑のような像は、勇敢さ、解放、兄弟愛、そしてもちろん偉大さを象徴している。しかし、ポーランド人をはじめとする東ヨーロッパの人々にとっては、征服、屈辱、抑圧といった全く異なるものを象徴するのだ。しかし、本来、この記念碑は、これら両方の考えを同時に表象しているのだが、この記念碑を取り巻く感情は非常に強く、多くの人々はその曖昧さを受け入れようとしないでいる。

「四人の眠っている人」の記念碑は、近年ポーランド全土を席巻している一九四五年の記憶をめぐる争いにおける一つの犠牲者であるといえよう。何十ものソ連の戦争記念碑が一九八九年の熱狂的な雰囲気の中で撤去されたり、破壊されたりしたが、その後の数年間でさらに数十もの記念碑が地方議会の決定によって撤去された。そして二〇一七年になって、ついに政府は、未だ残っているものを全て撤去する公的なプログラムに着手した。これは、一九九四年にロシアとポーランドの間で交わされた、互いの「記憶の場所」を尊重するという合意に反していた。しかし、ポピュリストである「法と正義」が政権与党に就いていたポーランド政府は、実際に行っているのは、外国勢力のシンボルを自分たちの町や都市から排除しているだけであると述べ、本物の埋葬地を示すような記念碑には手を付けないとしたのである。

このようなプログラムに着手したのはポーランドだけではなかった。例えば、二〇一五年にはウクライナ政府も国内の完全なる脱ソ連化を目的とした法律を可決した。この法律には、共産主義のシンボルや共産主義者の像をすべて撤去し、何千もの通りや町、村の名前を変更することなどが含まれていた。これはかなり迅速に実施され、ウクライナ国立記憶研究所の所長であるボロディミル・ヴィアトロヴィッチは、二〇一八年までに国家の脱共産化が達成されたと発表した。

同様の論争は、中東欧各地のソ連の戦争記念碑を直撃している。ウィーンの赤軍英雄記念碑はたびたび破壊の対象となっているし、また、ソフィアのソ連軍の記念碑は何度もペンキで塗られている。これは時に冗談であることもあれば、最近のロシア政府の行動に対する抗議の一環としてでもある。リガのソ連軍対独戦勝記念碑は一九九七年にラトビアの極右民族主義者グループによって爆破され、それ以来、第二次世界大戦の退役軍人たちはこの記念碑の撤去を繰り返し要求している。エストニアでは、二〇〇七年に「タリンの解放者」を称える青銅の兵士記念碑が市の中心部から撤去され、数キロ離れた軍用墓地に移設されたが、この時、タリンに住む少数ロシア系住民は二日間にわたる抗議活動を行った。

多くの東ヨーロッパの人々は、これらの記念碑撤去を共産主義の過去の重荷から自国を解き放つ唯一の方法だと考えている。彼らのこれまでの苦悩を考えれば、これは良く理解できることだが、しかし、心理学者なら誰でも指摘するように、歴史からはそう簡単には逃れられないものである。今後明らかになることだが、この人々は、一つの監獄を解体して、また別の監獄を建設しているだけのように思える。

一方で、多くの普通のロシア人たちは、なぜそれほど自分たちが東欧で嫌われなければならないのかを理解できないでいる。彼らは自分たちの戦争の英雄の記念碑が撤去されることを個人的な侮辱として見ている。しかし、もはや彼らに東欧の支配権はなく、これに関してはどうすることもできないのである。

＊このニックネームはその見た目以上に過激な意味を含んでいる。一般的な記憶によると、ソ連の赤軍はワルシャワ市民がナチスの占領軍に対して蜂起した一九四四年という比較的早い時期にこの街を解放することができたはずである。しかし、ソ連は、この蜂起が鎮圧されるのを待ち、自分たちの統治に対して将来起こりうる抵抗の可能性を排除した上で、最終的にヴィスワ川を渡り、既に廃墟となったこの街を解放したのであった。つまり、ワルシャワが燃えている間、彼らはまさに「眠って」いたというわけである。

第3章 アメリカ合衆国海兵隊記念碑

◆バージニア州アーリントン

ロシアの記念碑的英雄たちがその国の偉大さへの憧れを表象しているとするならば、戦後のもう一つの超大国ではどうだろうか。アメリカの人々は自分たちの英雄をどのように見ているのだろうか。

私は仕事柄、時々世界各地を訪れ、第二次世界大戦についての講演を行うことがある。とある講演では、アメリカの英雄神話についての話をした。これは私のようなヨーロッパ人にとって、非常に特異なものに見え、魅了されるテーマである。というのも、アメリカ人は戦争の英雄たちを、人間ではなく、あたかも伝説の人物、あるいは聖人であるかのようにみなす傾向にあるからである。かつてレーガン大統領は彼らを、「信仰に駆り立てられ、神の祝福を受けたキリスト教の軍隊」だと語ったことがある。またクリントン大統領は彼らを「自由の戦士」と呼び、「闇の力」と戦うことで自らを不滅の存在とした。テレビ・ジャーナリストのトム・ブロコウは彼らを、「社会がこれまでに生み出した中で最も偉大な世代」と宣言したことで有名である。実社会において、兵士や退役軍人は、いったいどのようにしてこのような期待に応えることができるのだろうか。

私は講演活動を行う中で、その地域や場所によって聴衆の反応が異なることに気がついた。アメリカではいつも、聴衆は黙って敬意を持って——もちろん私に同意してくれる人もいれば、そうでない

UNCOMMON
VALOR
WAS A COMMON
VIRTUE

人もいるが――私の話に耳を傾ける傾向がある。しかし、ヨーロッパでこの講演をすると、聴衆はニヤリと鼻で笑うことが多いのである。ある時、私がビル・クリントン大統領のヨーロッパ戦勝記念日・五〇周年記念スピーチから長めの引用をすると、彼らは時折大声で笑いだすのであった。多くのヨーロッパ人にとってアメリカのレトリックはどうやら馬鹿げたものに聞こえるようだ。

人が話をしている時に笑いが生まれることは常に良いことなのだが、この特定の笑いについては、気になる点がある。ヨーロッパ人はアメリカの偏狭な世界観をしばし揶揄することがあるが、彼ら自身も同じようにアメリカに対して無知であることが多いのだ。彼らは失礼なことをいっているのではなく、退役軍人についてこのように語る人が世の中に存在することを本気で信じられないのだ。しかし、アメリカ人は致命的なほどこれに対して真剣なのである。アメリカ人の意識の中では、第二次世界大戦中に軍人が果たした役割が、現在の自国の良さのすべてを象徴するものとなっているのだ。

ヨーロッパ人とアメリカ人の間にあるこの理解の溝は、彼らの戦争記念碑を見ればすぐに明らかとなる。アメリカでは英雄を称える記念碑が作られるが、ヨーロッパでは犠牲者を表象する記念碑が作られることが多い。アメリカの記念碑は勝ち誇ったものとなるが、ヨーロッパのものは憂鬱さが表現される。アメリカの記念碑は理想主義的であるが、ヨーロッパのものは、少なくとも時折、道徳的に曖昧となる可能性が高いのだ。

アメリカがヨーロッパを理解していないとしたら、それはアメリカがヨーロッパやアジアのように苦しんだことがないからである。大多数のアメリカ人は、軍の映像班や戦場カメラマンが持ち帰った映像を通してでしか戦争を経験していないが、これらの映像が必ずしも戦争の実態を正確に伝えているとは限らなかった。アメリカで最も有名な戦争記念碑のいくつかは、これらの写真に基づいて制作されているが、それらがかなり理想主義的な見方を描いているのも不思議ではない。

しかし、ヨーロッパがアメリカを理解していないとすれば、それはまったく別の理由によるものである。ヨーロッパ人はアメリカ人の戦争に対する感情の深さが、歴史的な観念からではなく、アイデンティティの観念から来ていることを把握できていないのである。戦争は、アメリカ人の心の奥底にある、もっと深い考えや感情を投影するスクリーンに過ぎない。換言すれば、アメリカの公人が戦争について叙情的に語る時、彼らは本当のところ、戦争について語っているわけではないのだ。このことは、後ほど説明するが、彼らの戦争記念碑を見ると一目瞭然である。

第二次世界大戦中のアメリカの英雄的行為を表象する記念碑として最も愛されているものの一つが、バージニア州アーリントンにある海兵隊記念碑である。この記念碑は、ペンタゴン・ビルからほど近く、ポトマック川を挟んでリンカーン記念碑、ワシントン記念碑、米国議会議事堂までも見渡すことができる、まさにアメリカの権力の中心的な重要な場所に置かれている。これは紛れもなく、この国で最も重要な記念碑の一つである。

厳密にいえば、これは第二次世界大戦の記念碑ではなく、一七七五年に海兵隊が結成されて以来、殉職したすべての海兵隊員に捧げられた記念碑である。しかし、これは第二次世界大戦の直後に建てられたものであり、その費用はこの戦争に従軍した海兵隊員たちからの寄付金で賄われた。さらにこれは、一九四五年の最も象徴的な写真の一つであるジョー・ローゼンタールが撮影した、硫黄島の戦いにおいて海兵隊員が摺鉢山に米国旗を掲げた瞬間の写真を基にしている。

この記念碑は、武器を肩に掛けた六人の兵士が、ギザギザとした厳しい条件の地面に立っている姿が描かれている。これまで見てきたすべての像と同様に彼らは巨大で、平均的な男性の五倍以上もの高さで建造されている。先頭の人物は体をほぼ水平にして前かがみになり、全体重を使って巨大な旗竿を地面に打ち込んでいる。彼の後方の兵士たちもまた、一緒に身をかがめ、彼に自分たちの体重を貸して手伝おうとしている。一番後ろの海兵隊員は旗に向かって身体を伸ばしてはいるが、彼の指はまだ旗竿には届いていない。彼らの足元、黒い御影石の台座には、硫黄島での海兵隊の活躍を端的に言い表したチェスター・ニミッツ元帥の言葉、"Uncommon valor was a common virtue"（並外れた勇気は共通の美徳だった）が刻まれている。

すべての良い記念碑がそうであるように、この記念碑も物語を語ってくれる。しかし、それは幾重にも重なった物語であり、それを正しく理解するためには、この戦争の始まりへと立ち返る必要がある。

アメリカの戦争は一九四一年一二月七日、日本軍が真珠湾のアメリカ太平洋艦隊に悪名高い攻撃を仕掛けた時に始まった。これは今でもアメリカの歴史の中で決定的な出来事の一つである。九〇分間にわたり数百機もの日本軍機がアメリカの艦船、飛行場、港湾施設を爆撃し、二四〇〇人以上が死亡、一二〇〇人以上が負傷した。二一隻の船が沈没し、一八八の軍用機が破壊された。アメリカの国務長官が宣戦布告を受けたのがこの攻撃の後であったため、これは全くの不意打ちであった。この攻撃がアメリカ社会に与えた衝撃は計り知れず、これに匹敵するのは、九・一一のテロだけである。

この軍事攻撃の背後にある論理は単純だった。日本は太平洋地域全体の支配権を握ろうとしており、そのためにはアメリカの介入を思いとどまらせねばならないことを知っていたからである。日本の指導者たちは、アメリカには太平洋での戦争を長く続ける気力はなく、迅速で決定的な勝利さえ収めれば、アメリカも和解交渉をせざるを得なくなるであろうという賭けにでたのである。換言すれば、真珠湾攻撃はアメリカとの戦争を始めるためのものではなく、戦争を防ぐためのものだったのだ。

アメリカの歴史を少しでも知っていれば、これが危険な戦略であることは誰にでも分かるはずだ。

アメリカは戦わずして諦めることなどけしてないからである。彼らがこの最初の不意打ちから立ち直ると、アメリカ軍は冷酷なまでの決意でこれに対応した。それから三年半の間、アメリカ軍は一歩一歩、太平洋を渡ってやってきたのだ。珊瑚海やミッドウェーでの大規模な海戦、日本の補給線に対する潜水艦攻撃、そして次々と島嶼部を解放していった。

海兵隊はしばしば戦闘の最前線にいた。ガダルカナル、タラワ、マーシャル諸島、マリアナ諸島、パラオ確保のための戦闘は、戦争全部を通してみても、最も残酷なものであった。当時、日本兵はその凶悪さと降伏を拒否することで悪名高く、戦争経験の少ないアメリカ人に多大な犠牲を強いていた。やがて、アメリカ海兵隊は日本兵に報復するようになり、ほとんど捕虜を取らず、時には数人の捕囚を連れ出し、武装解除した後に虐殺することもあった。このような双方の残虐行為の報告や写真がアメリカ本国に持ち帰られることはほとんどなかった。アメリカの検閲官は現実に起こっていることへの苦悩と恥を国民に負わせたくないと考えたからである。

最終的に、米軍は日本の沿岸にまで軍を進めた。彼らが最初に到達したのは硫黄島であった。四日間の激戦の末、海兵隊の一団は、島の最高地点である擂鉢山の頂上へとたどり着いた。この到達を示すために、彼らはアメリカ国旗をパイプに取り付けて掲げたのである。その日のうちに、別の海兵隊のグループがより大きな国旗を持ってきて、それと交換したが、戦争カメラマンのジョー・ローゼンタールはその瞬間を後世に残すため、その場所に同行したのである。

海兵隊記念碑のブロンズ像はこの二回目の国旗掲揚を記念したものである。この彫刻は、決意の作品である。旗を立てるために必要な努力は一目瞭然であり、六人の人物それぞれが、全身全霊で取り組んでいるのが見て取れる。この彫刻はまた、アメリカ人の一体感を象徴している。このアメリカ人たちは全員が同じ旗竿に手を添え、足を同じように平行に曲げて、調和して作業にあたっている。そして、この記念碑は、おそらく他のどのアメリカの戦争記念碑と比べても、その暴力性を表すものとなっている。ここで日本兵が殺されたわけではないが、六人の男たちが敵地に旗をねじ込む力は、少なくともアメリカの検閲官がアメリカ国民に見せることをけして許したくなかった、暗い何かを示唆している。

しかし、何よりもこれは復讐のための作品でもある。真珠湾から始まる物語は、アメリカ軍が日本の地で旗を掲げるところで終わる。その意味では、ヴォルゴグラードの母なる祖国像と同様に、「アメリカを攻撃しようとする者はこうなる」という厳しい警告なのだ。

一九五四年一一月の除幕式において、この記念碑の前に集った人々には、この碑の持つ性質が痛いほど感じられたことだろう。この像に刻まれた兵士のうちの三人と、ジョー・ローゼンタールの象徴的な写真が撮影された直後に殺された他の三人の母親もこの式典に出席していた。彼らを始めとする五〇〇〇人の参列者の多くが太平洋戦争を直接体験しており、この記念碑に触発された負の感情を育むのに十分な理由があったのだ。

しかし、アメリカ人の大多数がこの記念碑を敬愛しているのは、復讐心や冷酷な決意といった性質によるものからではない。記念碑を毎週訪れる人々や、夏の間に記念碑の前で行われるサンセットパレードを見にくる何千もの人々は、けして暴力といったものを祝うために来ているわけではない。明らかに何か他の事情が関係しているのだ。

それを理解するためには、この記念碑の前の人物から後ろの人物へと視線を移す必要がある。彼らは地中に旗竿を打ち込んでいるのではなく、天に向かって手を伸ばしている。そしてその上にはアメリカ国旗がたなびいている。右奥の人物は旗竿に触れようとしているが、彼の伸ばした指はまだ旗竿に届いてはいない。この視覚的効果は、ローマのシスティーナ礼拝堂の神に向かって手を伸ばすアダムの様子を描いたミケランジェロの有名な絵画を彷彿とさせる。

記念碑を制作した芸術家フェリックス・デ・ウェルドンは、一九五四年の式典でのスピーチにおいて、この彫刻のイメージを次のように説明した。「男たちの伸ばしている手は、自分の力では手の届かないところにあるものを求め、天上の力の助けを必要としていることを表している。それは逆境において誰もが必要とする力であり、その力の導きがなければ、私たちの努力は実を結ばないかもしれないのだ」と。この神の導きは、デ・ウェルドンが「私たちの団結、力、思考、そして国家としての目的の象徴」と呼んだ、彼らの頭上にたなびく国旗によって象徴されている。

換言すれば、この像の真の主題は、アメリカ海兵隊でもなく、日本軍に対する勝利でもなく、第二次世界大戦と関係のあるものでもないのだ。この記念碑に真の意味を与えているのは国旗である。神と国家が融合したこの象徴こそが、この記念碑がアメリカで愛されている本当の理由なのである。

第二次世界大戦の記憶をめぐって欧米人の間に理解の隔たりがあるとするならば、その根底にある問題の一つはこれである。ヨーロッパとアメリカは、この戦争から全く異なる教訓を学んだ。一九三〇年代のヨーロッパは旗を振ることのあらゆる危険性にさらされた。その後のすさまじい暴力を伴った数年間で、狂信的なナショナリズムが制御不能に陥った時、何が起こるのかを身をもって経験した。その結果、今日、国旗は細心の注意を払って取り扱われなければならない象徴となっている。戦後、そして植民地時代以後のヨーロッパでは、自国の国旗に対して過度の情熱を示す者は、一般的に疑いの目で見られる。異国の地に自らの国旗を立てることを称える記念碑を設けるという発想は、彼らにはけして考えられないことなのだ。

対照的にアメリカでは、裁判所の外、学校や政府の建物の外、公園、家の外、車の上、服へのプリントなど、いたるところに国旗が見られる。国旗への賛美歌としての国歌は、NFLのフットボールの試合の前には必ず歌われ、また子供たちは学校に通う年齢になった瞬間から国旗への忠誠の誓いを唱えている。これは第二次世界大戦以前からそうであったが、この戦争はアメリカ人と国旗との間の神聖な絆をより強固なものにした。

ヨーロッパの人々が理解できないのは、ほとんどのアメリカ人にとって、国旗が単なる国民性以上の意味を持っているということである。彼らにとって国旗とは、希望、自由、正義、民主主義といった普遍的な美徳の象徴なのだ。一九四一年から四五年までの間、アメリカ人はヨーロッパと太平洋を横断して拡散する自国の国旗の行方を見守り、その先々で広がる解放を目の当たりにし、自分たちが何か驚くべきことをしていることを実感した。戦後、彼らは敗戦国の人々に寛大な態度で接し、経済を健全な状態へと立て直し、すぐに主権回復を成し遂げる手助けした。これが硫黄島の慰霊碑の最終的な意味である。アメリカの兵士が外国の地に旗を掲げる時、それは支配の行為ではなく、解放の行為なのだ。

アメリカ人はこのことを本能的に理解している。だからこそ、一九四五年以降、アメリカは韓国、ベトナム、グレナダ、ソマリア、アフガニスタンで誇らしげに国旗を掲げてきた。二〇〇三年のバグダッド解放の際、現代の海兵隊員がフィルドス広場のサダム・フセイン像に登り、顔にアメリカ国旗を巻き付けたのもそのためである。アメリカの人々は自分たちが促進する価値観を、第二次世界大戦を戦った時の価値と何ら変わらず、熱烈に信じている。

しかし残念ながら、世界の他の地域では、物の見方はかなり異なるのだ。次に紹介するように、星条旗がアメリカ国内で掲げられている間はどんなに輝かしいものであったとしても、外国の地に掲げられた時、それは全く違ったものに見えてくるものなのである。

第4章　アメリカとフィリピン

ダグラス・マッカーサー上陸記念碑

◆レイテ島

ソ連が戦後、他の国に自分たちを称えるための記念碑を建てたのと同じように、アメリカ人も数々の記念碑を各地に建造している。西ヨーロッパにもいくつかの記念碑があるが、最も有名なのはDーデイに連合国軍が上陸したノルマンディーの海岸近くのものである。また、太平洋のガナルカナルやパプアニューギニアなど、太平洋戦争における激戦地にもいくつか見ることができる。

しかし、ソ連とは異なり、アメリカは解放した国々に自分たちの栄光のビジョンを押し付けることはしなかった。丘の上や町の広場に場所を確保し、モニュメントを作り、それが都市の景観を変えて支配するようなことはしなかったのである。全体として、彼らの記念碑は米軍兵士が埋葬されている墓地に限定されていた。その結果、アメリカの記念碑は、ソ連の記念碑のようにその土地の人々の反感を買うようなことはなかった。解放者が自らの死者たちに静かに敬意を払うことに異を唱える国があるだろうか。

しかし、時折、アメリカ人の英雄的行為を称えるような種類の記念碑が外国の地に建てられると、事態は突如として穏やかではなくなり、議論を引き起こすことになる。

フィリピンのレイテ島沿岸部にあるパロという街には、そのような記念碑を見ることができる。この記念碑は海岸近くの水溜りに立つ七体の像で構成されている。それらは、一九四四年に日本からの解放を主導したアメリカ軍の将校や側近たちを実物大で表現したものである。その中には、当時のフィリピン大統領セルヒオ・オスメニャの姿もあるが、彼が主役ではない。誰よりも背が高く、中央に位置しているのは、南西太平洋地域における連合国最高司令官のダグラス・マッカーサー元帥である。彼は真っすぐに立って胸をはり、肩を落とし、海岸に向かって堂々と歩を進めている。彼の目は黒いサングラスの奥に隠れてはいるが、その視線は彼が今から解放しようとしている土地に向けられていることは明らかである。

ダグラス・マッカーサー上陸記念碑は、一九四四年にこの海岸線で撮影された、解放者たちが初めて上陸する時の写真を基に作られている。アメリカ兵を称える多くの記念碑と同様に、この記念碑は忍耐、勇気、善意、救済、勝利といった、様々な英雄的美徳を表象している。しかし、他の多くの記念碑とは異なり、この碑は一般的な英雄やアメリカの人々ではなく、実在する歴史上の人物にその美徳を見出しているのである。しかも、ただの人物にではなく、この戦争で最も物議を醸した将軍の一人であるダグラス・マッカーサーに、である。

この記念碑をアメリカ人自身が建立していたら、世間は眉をひそめただろう。しかし、それがフィリピン政府によって依頼され、その費用も支払われたという事実は、さらに興味深いものである。この記念碑ほど、アメリカの英雄たちの誤謬性や、彼らが解放した国からどのように見られているかについて、語っているものは他にはないだろう。

ダグラス・マッカーサーは、フィリピンとアメリカ軍、双方の歴史の中で重要な役割を果たした人

「私は戻ってきた」：1944年、レイテ島に上陸したマッカーサーを撮影した
ガエタノ・フェレスの有名な写真。

物であった。彼の父親は、フィリピンがアメリカの植民地となった当初、在フィリピンの米軍司令官を務めており、マッカーサー自身も最初は、下級将校として、そして後に司令官として、何度かフィリピンに赴任した。また一九三〇年代半ばにはフィリピン陸軍の元帥にも任命され、この地位についた最初で唯一のアメリカ人となった。しかし、彼を真に有名に、そして悪名高くしたのは、第二次世界大戦中から戦後にかけて、フィリピンやアジア地域で果たした役割によるものである。

マッカーサーの戦争は一九四一年一二月八日の朝、日本軍が真珠湾攻撃を行ってから数時間後のフィリピン攻撃によって始まった。極東における米軍の総指揮を任されたばかりのマッカーサーは、完全に不意を突かれたのである。彼の飛行機の大半は、離陸する前に地上において破壊されてしまった。そしてすぐにルソン島の沿岸防衛も破られ、彼の軍隊は混乱の内に後退することを余儀なくされたのである。

彼らはマニラ湾対岸のバターン半島へと退避し、ジャングルの山のような場所で、米海軍の助けが来るまで持ちこたえようとした。しかし、その助けが来ることはなかった。三ヶ月半の間、マッカーサーの部下たちは、食糧や物資がほとんどない中で、日本軍との間で必死の小競り合いを繰り返し、戦い続けたのである。最終的に彼らは持ちこたえられなかった。一九四二年の四月の初め、約八万人の飢えた兵士たちが日本軍に身を投じた。その後の二週間の間に、少なくとも五〇〇〇人が、島の北部にある収容所への悪名高い「死の行進」で命を落とした。さらに何千人もの兵士が、捕虜となって戦争終結を待つ間、劣悪な環境の中で死ぬこととなった。

マッカーサー自身は、土壇場でこの運命を免れた。深夜、彼と数人の側近たちは、コレヒドール島で数隻の巡視魚雷艇に乗り込み、ミンダナオ島へ南下した。そしてフィリピンから安全な場所へと飛行する最終便の一つに乗り込み、オーストラリアへと向かったのである。

マッカーサーは、オーストラリアに到着するやいなや、自身の汚名返上の決意を表明した。南オーストラリアのテロウィでの列車の乗り換えの際、駅のホームで記者団に向かって、「私は必ず戻ってくる」と語ったのだ。それからの二年半、マッカーサーはこの約束を果たすことに全力を尽くした。アメリカ軍の一八個師団を増強し、パプアニューギニアとアドミラルティ諸島で壮絶な戦いを繰り広げた。そして、彼は徐々に北へ、フィリピンに向かって進軍したのだ。

彼の帰還はかつての脱出と同様に劇的なものであった。一九四四年一〇月二〇日、アメリカ第七艦隊の武力を背景に、マッカーサーはレイテ島への二〇万人以上に及ぶ兵士の上陸作戦を開始した。激しい戦闘がまだ続く中、マッカーサー自身も上陸船に乗り込み、海岸へと向かった。海岸線から数メートルのところで船が海底に着くと、マッカーサーと部下たちは海へと降り立ち、波をかき分けて前進したのである。周囲では小火器の銃声が響き渡っていたが、マッカーサーはこれを恐れることなく浜辺まで歩き続けたのだ。

それから数日のうちに、波間を縫うように闊歩する彼の写真は世界中の新聞の一面を飾り、彼を称賛する記事が次々と掲載された。オーストラリアのある新聞は、「フィリピン侵攻の成功は、軍事的大勝利だけにとどまらず、マッカーサーの個人的な勝利でもある」と伝えている。「彼は、十字軍兵士のような熱意と滅多に見られない一途な目的意識を持って、フィリピン国民やバターン、コレヒドールで蹂躙され、犠牲となったアメリカ人への誓いを果たすためにすべてをかけた」のである。

マッカーサー自身も、この瞬間の持つ、大きな歴史的重要性を感じていたようだ。上陸後、彼はラジオに向かって宗教的なイメージに満ちた異例の演説をしたのである。「フィリピンの人々へ」と彼は話しかけた。「私は戻ってきた……あなた方への贖罪の時が来たのだ……私に集え！……神の導きが、道を指し示している。神の名の下に正義の勝利の聖杯へと続くのだ！」
これが、今日、海岸に建つこの記念碑が語る物語である。ここには、思いやりがありながらも頑強で、酷く困難な目標をも諦めず、人々を解放するために自らの手を汚したり、靴を濡らしたりすることを恐れない、アメリカの英雄の姿が描かれている。象徴的にいえば、マッカーサー自身がアメリカなのである。彼は、アメリカの英雄の姿が描かれている。象徴的にいえば、マッカーサー自身がアメリカなのである。彼は、アメリカが提供した最も貴重な贈り物、「自由」という贈り物をフィリピンに付与したのだ。しかし、彼はアメリカ以上の存在でもある。彼は子供たちを救うために戻ってきた父親であり、群れを救うために戻ってきた羊飼いでもあるのだ。また、この記念碑を見ていると，彼と部下たちが水の中に立っている姿には，メサイアの雰囲気が感じられるほどである。彼らは水の中を歩いているというよりも，水の上を歩いているように見える。そして彼らの背後には海と空だけが広がっていて、まるで上陸船からではなく天から降りてきたかのようである。

ほとんどの記念碑は、過去の出来事にある種の神話的な力を与えるものであり、それを目的としている。しかし、実際の歴史上の人物にそのような資質を持たせることは危険なゲームだといわざるを得ない。ましてや、ダグラス・マッカーサーのような欠点の多い人物が、そのような理想に沿うことはできないだろう。

マッカーサーにはお世辞にも良いとはいえない話がいくつもある。そして、多くの歴史家は、彼のリーダーシップ、特に開戦時におけるリーダーシップについても過大評価されていると考えている。なぜ彼の部下たちは戦闘準備ができていなかったのか。なぜバターン島への撤退はあんなにも大混乱を伴ったのか。また、フィリピンへの帰還を可能にしたのは、他の軍部、特に米海軍司令官たちの勝利によるものであったのにもかかわらず、なぜ彼はそれを自分の手柄にしたのか。

マッカーサーは、現代の報道記事で語られるような無私で道徳的な模範的人物ではなく、部下に対する不注意をしばしば非難されている。開戦当初、バターン島で兵士たちが飢えに苦しんでいた時、マッカーサーは物資が豊富で、要塞化されたコレヒドール島に司令部を設置した。記録によると、彼がバターン島で苦境下にある部下たちを訪ねたのは一度だけだった。彼の不在に憤慨した部下たちは彼を「Dugout Doug（ダッグアウト・ダグ）」〔防空壕のダグラス〕と呼び、「The Battle Hymn of the Republic（共和国の戦いの賛歌）」という曲に合わせて彼を軽蔑する歌を作った。

Dugout Doug, come out from hiding
Dugout Doug, come out from hiding
give to Franklin the glad tidings
that his troops go starving on!

ダッグアウト・ダグ、隠れた場所から出てこい
ダッグアウト・ダグ、隠れた場所から出てこい
フランクリン〔ローズヴェルト大統領〕に晴れやかな知らせを伝えておくれ
兵士たちが餓死寸前だと！

彼の民間人へ配慮も必ずしも模範的なものではなかった。パロ上陸作戦では、そこに住む民間人を無視して、無慈悲にも海岸線に砲弾を撃ち込んだ。この砲撃の始まる前に、ここの住民が避難できた

のは、チャールズ・パーソンズというアメリカ人スパイのおかげだった。その後、マッカーサーの軍隊はマニラに大規模な砲撃を加え、最終的には解放するものさえ、ほとんど何もなくなってしまったほどである。約一〇万人のフィリピン人が犠牲になったといわれ、歴史的なこの街の中心地は瓦礫と化したのである。このような観点から考えるに、マッカーサーの記録は、一見するとそれほど称賛に値するものではない。

マッカーサーが卓越した指揮官であったとするならば、彼は同時に非常にナルシストな指揮官でもあった。あのマッカーサーが上陸している写真が有名になったのは、単なる偶然ではなく、マッカーサー自身がそれに協力したからである。この写真は、彼の個人的な写真家であるガエタノ・フェレスによって撮影され、彼の個人的な広報チームによって宣伝された。このチームは、将軍を良く見せるために、真実を誇張することで知られていた。彼らはしばしば、マッカーサーが部下と一緒に前線にいるかのように見せかけたが、実際は何百キロも離れたオーストラリアの安全な場所にいたのである。また、彼らが他人の手柄をもマッカーサーのものにするために、アメリカ海軍や海兵隊、そしてマッカーサーの部下さえも困惑するほどであった。マッカーサーの空軍参謀ジョージ・ケニーいわく、「公式報道が、聖輪を頂く将軍像を描き出し、彼をこの世界で最も高い台座に座らせることができないのであれば、そのような報道は削除されるべきである」とのことである。

彼の死後、マッカーサーの道徳的性格についても疑問が生じ始めた。歴史家のキャロル・ペティロは、『パシフィック・ヒストリカル・レビュー』誌に掲載した画期的な記事において、マッカーサーが戦前のフィリピン大統領マヌエル・ケソンから五〇万ドルという謎の支払いを受けていたことを明らかにした。この支払いは、ケソンのようなフィリピンの指導者たちが、日本軍に捕まるのを回避しようと、必死になっていた一九四二年初頭の壮絶な日々の中で行われたものであった。マッカーサーは既にケソンを救出する気はないとワシントンに伝えていたが、彼がお金を受け取ると、ケソンは確かに避難させられたのである。ほとんどの歴史家は、このお金がマッカーサーを心変わりをさせるための賄賂だったとはいわないが、戦争の最も先行きの暗い時期に、しかもわずか数キロ離れたバターン半島で自分の部下たちが飢餓に苦しんでいる時に、アメリカの指揮官がこのような大金を受け取ることに、何か嫌な感情を抱かずにはいられないことは、誰もが認めるところである。

ダグラス・マッカーサーについてこのようなことを知った後でも、これまでと同じようにこの記念碑を見ることができるだろうか。この碑は、勇気、忍耐、道徳といった美徳を称えるものとされていたが、それが不注意にも、虚栄心、傲慢さ、腐敗といった別のものを称えていたとしたらどうだろうか。そして、これらが、マッカーサーを介してアメリカと同一視されることになったとしたらどうだろうか。

この記念碑を制作した芸術家が、このような疑問を自問自答したとは思えない。フィリピンの彫刻家アナスタシオ・カエドがこの記念碑の彫刻を依頼されたのは、フィリピンではまだ戦争の記憶が鮮明で、マッカーサーも世界的に高い評価を受けていた一九七〇年代半ばのことだった。マッカーサーは常に記念碑の中心人物であった。カエドが認めるに、自分はこの彫刻をしている男たちの正体を知らず、ただ、フェレスの有名な写真を立像化しただけとのことである。

カエドはこの彫刻をブロンズで作りたかったが、除幕式に間に合わせるためには、時間も資金も十分になかった。そこで彼は、鉄筋コンクリートで彫像し、メタリックなオリーブ色の塗料で塗装を施した（現在のブロンズ像はその後、作り直されたものである）。除幕式は一九七七年の一〇月に行われる予定であったが、その前に、政治的なハードルがあった。大統領夫人のイメルダ・マルコスが、土壇場で記念碑の大幅な変更を命じたのだ。カエドの彫刻には、戦時中の写真と同じように、七体の像の背景に巨大な上陸用舟艇も配置されていたが、大統領夫人は、「記念碑は船ではなく男たちを称えるべきだ」といって、背景を取り壊すように命じたのであった。これを八ヶ月かけて制作したカエドは、船の撤去において涙したといわれている。

この記念碑に直接関心を持ったのはイメルダ・マルコスだけではなかった。彼女の夫であるフェルディナンド・マルコス大統領もまた、この記念碑の計画や除幕式に大きく関与していた。彼は除幕式の演説で、この記念碑が何を象徴するものであるかを明確に述べたのである。「この上陸記念碑を……帰還の約束を果たして広大な太平洋を横断したアメリカ人戦闘員への賛辞としよう」と。さらに、「この記念碑をフィリピンの人々とアメリカ合衆国の人々との友情の絆の刷新としよう」とも述べたのである。

当時の他の政治家からも同様の声明が出された。フィリピンの外務大臣カルロス・ロムロは、マッカーサーの記憶がフィリピンとアメリカの関係にとっていかに重要であるかを強調した。彼は、「私たちはマッカーサーに忘れられない恩義がある」と、一九八一年のインタビューで語っている。「彼の名前はフィリピンで尊敬され、偶像化されている」と。

このような発言には、ある種の国家的な利権が絡んでいた。一九七〇年代のフィリピンはアメリカの投資、アメリカの金融・軍事援助、アメリカの信用によって支えられていた。また、フィリピンには多数の米軍基地があり、彼らはそこから西太平洋と南シナ海を支配していた。このような状況の中で、マッカーサーのような「アメリカの闘士」に敬意を表することは確かに意味のあることだった。腐敗したフィリピンの政府関係者たちにもまた、アメリカを賛美する負の理由があった。マルコス大統領を始めとする彼らの多くは、アメリカ企業からの賄賂や、国内に入ってくる開発援助を横領することで財を成していた。時折見せるアメリカへの大げさな態度は、おそらく彼らにとって健全な投資と考えられていたのだ。

しかし、このような皮肉な動機とは別に、一方では多くの誠実さもあった。腐敗していようがいまいが、マルコスと彼の政権は記念碑を一方的に国に押し付けたわけではなく、常に国民の感情に支えられていた。また個人的な感情もあったことだろう。政府首脳部が、マッカーサーをこのような形で顕彰したいという私情があったのではないかという疑念はぬぐえない。何といっても、マルコス大統領は戦時中、マッカーサーに仕えており、彼から個人的に勲章を受けたと主張していた（ただし、この主張は後に少なからず誇張されたものであることが判明した）。マルコスはマッカーサーに負けず劣らずのナルシストで、何度もマッカーサーの栄光にあやかろうとした。妻のイメルダもまた、この記念碑に個人的な興味を抱いていた。彼女はレイテ島で育ち、上陸作戦が行われた場所のすぐ近くで直接、解放を目の当たりにしていたからである。また、カルロス・ロムロはマッカーサーとさらに親密な関係であった。実際、彼自身もこの記念碑に登場するほどの関係性である（彼はグループの後方に立つヘルメットを被った人物である）。

この記念碑を依頼し、そのデザインに干渉し、心を込めて記念碑の除幕を祝った政府中枢の人々は、フィリピンの歴史における重要な瞬間を称えただけでなく、単に重要な軍事的、政治的、経済的同盟関係を認めただけでもなかった。彼らはまた、自分たちの人生の中で最も重要な瞬間の一つをドラマ化していたのだ。

時は変わって、私が初めてフィリピンを訪れた一九九〇年には、すでに新しい風が吹き始めていた。マルコスは一九八六年の民衆蜂起によって失脚し、彼の政府は戦後最も酷い腐敗と暴力的な政権の一つであることが明らかとなり、コリー・アキノ率いる民主的な新政権が彼の犯罪調査を始めていた。国全体がその直近の過去と折り合いをつけるのに苦労していた。

同時に、アメリカへの反発も強く、特に島々にある米軍基地の存在が大きかった。もはや米兵は英雄とはみなされず、主権国家に対する屈辱的な押し付けとみなされていた。フィリピンのマスコミは、アンヘルス市やスービック・ベイの巨大な空軍基地や海軍基地周辺での女性の搾取について報道していた。国民の間では、巨大な新植民地主義国家から支配権を奪い返すことが話題となっていた。

反米主義は学術界にも浸透した。著名なレナート・コンスタンティーノをはじめとする何人かの歴史家たちは、第二次世界大戦末期の一連の解放に関する一般的な見解に異議を唱え始めた。彼らは、フィリピンが外部の人間に助けてもらわずとも、フィリピンのレジスタンスが自らの力で日本軍を倒す寸前にあったと主張した。マッカーサーは、かつてのように明らかな英雄ではなくなり、ある面ではフィリピンを解放するためではなく、フィリピンを自らの手に取り戻すためにレイテに上陸したアメリカ帝国主義の象徴とみなされるようになった。

その後、どの政府も、よりフィリピン人に焦点を当てた歴史を記念するようになった。新たな記念碑も建てられ、特にフィリピン英雄記念碑（一九九二年）やマニラ解放の犠牲者のための記念碑（一九九五年）が有名である。近年では、戦時中、日本軍にだけでなく、アメリカ軍の帰還にも抵抗して戦ったゲリラ活動である「フクバラハップ」〔フク団〕の記念碑も建てられている。

フィリピンが他の国と同じパターンをたどるとしたら、次のステップは明らかである。植民地時代の歴史を振り払い、マッカーサーの記念碑を取り壊すよう政治家に求める声が上がるだろう。アジアの他の国では、すでに似たようなことが起こっている。例えば韓国では、マッカーサーは朝鮮戦争の流れを変えた司令官として長い間崇められてきたが、仁川にある彼の像は、国内におけるアメリカの影響力に反対するデモの焦点となってきた。二〇〇五年には像の周辺で暴動が発生し、デモの参加者たちは像を撤去することを求めた。

しかし、これまでのところ、少なくともマッカーサー上陸記念碑に対して、フィリピンの人々はそのような動きを見せていない。当局は今でもこの記念碑を大切に扱っている。二〇一三年に七体ある像のうちの一体（カルロス・ロムロの像）が台風で倒壊した際には、すぐに政府が修復し、元の位置に復元した。また毎年一〇月二〇日には、マニラ、ワシントン、キャンベラ、東京から大使館員が随行し、退役軍人とその家族が慰霊碑を訪問している。浜辺では定期的に戦闘の再現が行われ、近くのタクロバン市では毎年、解放記念日にパレードが行われている。

彼の欠点や歴史家の間での長い論争にもかかわらず、マッカーサーはレイテ島に足を踏み入れた、そのたった一瞬の行為のおかげでフィリピンの英雄であり続けている。今日、パロにあるマッカーサーと彼の側近たちの像は、風化と腐食で少し色あせてきている。時折飛来する鳥によっても汚されている。しかし、彼らの視線はフィリピンの海岸に向けられ、その顔には厳しい決意が見て取れるのだ。

第5章

イギリス
爆撃機司令部記念碑

◆ロンドン

第二次世界大戦の主要な戦勝国はソ連とアメリカだけではなく、イギリスもまた、この英雄たちのエリート・クラブに含まれていた。いわゆる「ビッグ・スリー」の中で、イギリスは唯一、戦争初期から参戦していた国である。そのため、イギリスは連合国の歴史の中で特別な位置を占めている。

イギリスの首都ロンドンは、長年にわたり連合国軍の戦争を遂行する上での中心地であった。その結果、ロンドンには様々な種類の人々や国籍の人々に捧げられた数多くの戦争記念碑が存在する。ロンドン大空襲（ザ・ブリッツ）で亡くなった民間人、消防士、鉄道員、空襲監視員などの記念碑である。また、イギリスのために戦ったカナダ人兵士、オーストラリア人兵士、ニュージーランド人兵士、インドやその他の大英帝国の兵士たちに捧げられた大規模な施設も存在する。戦闘機のパイロットや戦車の乗組員からグルカ兵やチンディット部隊に至るまで、各軍の各部隊にもそれぞれの記念碑があるようである。もちろん将軍や提督、航空司令官の像もあれば、戦争に従軍した動物たちの記念碑も建てられている。

しかし、ロンドンにあるこの記念碑は、他のすべてのものと比べてもひときわ際立っている。グリーン・パークにあるイギリス空軍爆撃機司令部記念碑は、ロンドンで最も新しいものの一つであり、

他の多くの施設が建設されてからずっと後、二〇一二年に落成したばかりである。高さ八メートル、奥行き八〇メートルを超えるこの記念碑は、市内に存在する中でも最も大きなものであり、おそらく最も手身近な同じような記念碑施設の二倍の大きさを誇っている。しかし、この記念碑を本当に特徴づけているのは、そのデザインである。ロンドンの他の戦没者慰霊碑などは、どれもたいてい野外に建っているのに対し、この記念碑は半屋内型となっている。古代ギリシア・ドーリア様式の円柱と古典的な手すりを巧妙に組み合わせたな構造の中にメッセージが隠されており、それは戦争記念碑というよりは、むしろギリシア神殿のように見える。中には、マールス神やアポロ神の代わりに、七人のパイロットの像が、まるで今、任務から戻ってきたかのように一団となって立っている。彼らの大きさや姿勢、そして自信に満ちた眼差しから、彼らが英雄であることは明らかである。神殿のような建物に入ると、まるで礼拝の対象であるかのように彼らの像を見上げることになる。頭上の屋根は開いており、彼らと天との間には何も隔てるものはない。イギリスの英雄のための神殿があるとすれば、それは間違いなくここである。

爆撃機司令部記念碑はロンドンで最も重要な記念碑の一つであるが、同時に最も問題を含んだ記念碑の一つでもある。像のとる英雄的なポーズにもかかわらず、なぜ彼らが英雄とみなされるべきなのかについては全く明らかにされていないのだ。戦争に捧げられた他の多くの像とは異なり、彼らは国旗を掲げているわけでも、剣を振るうわけでも、そして国を解放するために海岸に足を踏み入れているわけでもない。実際、彼らは特にダイナミックなポーズをとっているわけでもなく、ただそこに立っているだけなのだ。壁には深く刻まれた碑文があり、戦争中に五万五五七三人の同じような男たちが亡くなったことを教えてくれている。しかし、これでは彼らの英雄性を説明することはできないままである。このように多くの人が死ぬということは、ある種の被害者意識を意味するのであり、英雄主義的なそれではない。反対側の壁には、「爆撃機だけが勝利の手段を提供する」と主張するウィンストン・チャーチルの言葉が引用されている。しかし、どのように。そして、なぜなのか。彼らは私たちからの賞賛を得るためのどんなことをしたというのだろうか。

この記念碑が何を表象しているのかを理解するためには、爆撃機による戦いと、第二次世界大戦中にイギリスがこの種の戦闘で主導的な役割を果たしたことを知る必要がある。しかし、なぜこの記念碑がこのような形をしているのか、なぜイギリスに存在する他のどの戦争記念碑よりもはるかに大きいのか、そして何を本当は伝えようとしているのかを理解するためには、二一世紀初頭のイギリスにおける政治的な事情と、そもそもこの記念碑を建てるに至った経緯を理解しなければならない。

イギリスの爆撃機による空襲は英国近現代史の中で最も物議を醸したエピソードの一つである。その始まりは善意からであった。英国政府は、可能な限り民間人に被害が及ばないようにすることを厳に約束し、特定の軍事施設だけを攻撃するために爆撃機を派遣した。しかし、当時の特定の標的への爆撃は、接近して白昼堂々と行うことを意味していた。しかし、そのような状況において、低速爆撃機は敵の対空砲や戦闘機の格好の標的となり、英国の航空乗組員に多大な死傷者が出たのである。そこでイギリス空軍は戦術を変更した。夜間に、より高い高度から爆撃するようになったのである。これにより英国の飛行機と乗組員の安全性は確保されたが、爆撃の精度は格段に落ちることとなった。一九四二年の政府報告書によると、英国の投下した爆弾の内、目標から八キロメートル以内に着弾したものは三つに一つしかなかったのである。

したがって、この爆撃はチャーチルのいう「勝利の手段」とは程遠い、コストのかかる大失敗であることが判明したのであった。イギリス空軍は二つの選択肢に直面していたが、どちらも同じように考えるに絶望的な問題であった。昼間に攻撃して撃墜されるか、それとも夜に攻撃して目標を外すかである。

この時、爆撃機司令部に新しい司令官――無愛想で妥協を許さないアーサー・ハリスという男――が就任した。彼は、軍事目標を個々に選ぶのではなく、代わりに都市全体を爆撃するという、これまでとは異なる爆撃方法を提案したのである。そこにはある種の残忍な論理があった。もし爆撃が効果を発揮するとすれば、それが鈍器であることを認めなければならない。広大な地域を爆撃することで、イギリス空軍はドイツに武器を供給している工場や施設だけでなく、そこで働く労働者の家も破壊することが可能となった。総力戦では、工場で働く労働者もまた、兵士と同じように正当な標的とみなされるからである。

しかし、ハリスはさらに踏み込んだ作戦にでた。都市全体を破壊することで、ドイツ経済だけでなく、戦争を続行しようというドイツ国民の戦意をも喪失させることができると考えたのである。そのためには、商店やレストラン、学校や病院なども正当な撃対象とされた。その目的はドイツを徹底的に絶望へと追い込むことにあった。このようにして、一般市民はもはや巻き添えではなく、彼ら自身が標的となったのである。

ハリスは自分が道徳的な一線を越えていることを十分に承知していたが、「目的は手段を正当化する」という言葉を信じたのであった。もしこれによって、戦争を早期に終結させることができれば、この残酷な作戦は、結果的にこれまで犠牲になった人々よりも多くの命を救うことになるかもしれないと考えたのであった。彼はこのことを率直に語り、イギリス国民の支持を得ようとしていた。しかし、彼が公にその作戦を説明しなかったのは、政府がそれを止めさせたからである。チャーチルと彼の内閣は全面的にこの作戦を支持したが、彼らは爆撃機司令部の目標は常に厳密に軍事的な施設だけであるというふりをし続けておきたかったのである。

残念ながら、ドイツの戦意はハリスが期待したようには喪失しなかった。戦争は長引き、ドイツの都市は次々に壊滅的な被害を受けた。軍事史家のリチャード・オーバリーによると、ドイツだけでなく、連合国が解放していった国々において、約六〇万人の民間人が連合軍の爆弾の下、命を落としたという。この数はドイツ軍の爆撃によって犠牲となった英国人の数を一〇倍近くも上回る恐ろしい死者数であった。しかし、当時のイギリス国民はあまり気にしていなかったようである。爆撃が成功するたびに、新聞では勝利の喜びをもって報じられていた。爆撃機の乗組員はイギリスの工場の宣伝ツアーに出かけもしたが、そこで彼らが労働者に語った話は必ず歓声でもって迎えられた。ドイツの民間人の命が失われることは、支払う価値のある代償とみなされていたのである。

しかし、戦争末期になると、その雰囲気は一変する。転機となったのは、一九四五年二月のドレスデン空襲である。爆撃後の記者会見で、ある将校が「ドイツの士気を削ぐため」に空襲を行ったと明かしたのである。その後、イギリスが〝テロ爆撃〟を行っているとの記事が出始めた。このことについては英国議会下院でも質問がだされた。そして、この話がアメリカの報道機関に伝わると、英国空軍は、国際的な圧力の下にその説明を求められるようになったのだ。

それからイギリス政府が爆撃機司令部に背を向けるまで、そう時間はかからなかった。チャーチルは参謀たちが「テロと無謀な破壊行為」に耽っていることを非難するメモを作成した（メモの最終版ではその表現はずいぶん和らいだものとなっているが）。このメモの偽善性は、実に見事なものである。チャーチルは、ハリスがどのような作戦をとっているかを常に知っていたが、これまで、それについて懸念を表明したことはあまりなかったのだ。一九四五年五月に連合国が勝利した後、チャーチルはその勝利演説の中で軍の各部門を賞賛したが、英国爆撃機司令部についてはほとんど言及しなかった。戦後出版されたベストセラーの回顧録の中でも、チャーチルはドレスデン空襲については省略している。それはまるで、このエピソードに口をつぐむことで、世間の記憶からも消えることを願っているかのようであった。

当然のことながら、爆撃機を操縦していた者たちは、この突然の世間の心変わりにかなり混乱していた。爆撃機による空襲研究の第一人者である歴史家、ノーブル・フランクランドの言葉を借りれば、「戦時中、自らの陣営の勝利を確信するまで、ほとんどの人が爆撃機司令部の活躍に対し歓喜していたが、その後、一転して人々は〝あれは戦争の方法としてはあまりよくなかった〟というようになった」のである。

このことがその後の数年間に引き起こした憤りには、計り知れないものがある。私はこれまで、何十人もの英国の爆撃機乗組員たちと知り合い、インタビューをしてきたが、彼らの多くは、一九四五年以降、政府側から疎まれたことを苦々しく語っている。多くが、自分たちに対して特別な勲章が与えられることなく、代わりに空軍であれば誰にでも与えられるようなごく一般的な従軍記章を使わざるを得なかったことに、憤慨していた。彼らはこれを、自分たちの戦争への貢献が、これまた目立たないように隠されているのだと考えた。さらに悪いことに、一般の人々の彼らへの態度もその心情に大きく影響した。戦時中、軍服を着てパブに入った爆撃機の乗組員は自分で飲み物を買う必要などほとんどなかったが、一九四五年以降は、戦時中の自分の行為について、よくよく考えて行動しなければならなかった。特に一九六〇年代、新しい世代が親世代の戦時中の行動に疑問を抱くようになった時、学生たちは、爆撃機の退役軍人たちの「命令に従っただけ」という主張をあざ笑うこともあった。デイヴィッド・アーヴィングのような右翼の歴史家もまた、ナチスの残虐行為と英国空軍の行動との間に、疑わしいとはいえ、意図的な類似点を見出していた。かつて英雄であった爆撃機司令部の隊員たちは、突然、悪者として扱われるようになったのである。

やがて、爆撃作戦に参加した退役軍人に対するこのような反発は収まり、これまでとは異なる見方が定着し始めた。一九七〇年代後半には、マーティン・ミドルブルックやマックス・ヘイスティングスのような歴史家が、爆撃機司令部の隊員たちを世間の人々の心の中に蘇らせるための道を切り開いた。それ以来、ロビン・ニーランズ、メル・ロルフ、ケビン・ウィルソンなどの著者による一般向けの歴史書が何十冊も出版されている。私が軍事関連出版の仕事をしていた頃は、これらの著者の多くと協力し、実際に自分でも何冊かの本を依頼したものである。

一九九〇年代から二〇〇〇年代にかけて、爆撃機作戦を題材にしたイギリスのテレビドラマやドキュメンタリーが相次いで放映され、このような今までとは異なる歴史観が主流になった。BBCのドラマ「Bomber Harris（ボンバー・ハリス）」やチャンネル4のドキュメンタリー「Reaping the Whirlwind（旋風を刈る）」の視聴者は、道徳的な判断を下す前に、乗組員の立場になって考えてみることが求められた。イギリスの人々は徐々に、この不快な歴史と折り合いをつけることを学んでいったのである。

国民が隊員たちを支持する基盤ができてきたと感じた爆撃機司令部協会は、二〇〇九年に記念碑建設のためのキャンペーンを開始した。それから三年後の二〇一二年の夏、念願かなって、ついにこの爆撃機司令部記念碑が落成したのであった。

もし、これがこの物語のすべてであったのならば、この爆撃機司令部記念碑は特に今日いわれているような興味深いものでも、そして問題をはらんだものでもなかっただろう。それは、イギリスやドイツの各地にある空襲の記念碑と似たものになっていたかもしれない。例えば、コベントリー大聖堂の「釘の十字架」（第24章参照）のような和解の記念碑になっていたかもしれない。また、ハンブルクの中心地にあるダムトルダム記念碑のような反戦のための彫刻像であったかもしれない。そして、少なくとも、戦争のためにイギリスが強いられた負の道徳的選択を示唆するものであったかもしれない。しかし、その後、新たな民衆感情の波がこの問題に押し寄せ、そのようなニュアンスを持つことはほとんど不可能となった。

その問題は新聞社が関与し始めた頃から始まった。この爆撃機司令部記念碑は民間の資金で建設されることになっていたため、『デイリー・テレグラフ』紙、『デイリー・メール』紙、『デイリー・エクスプレス』紙の三つの日刊紙が資金調達のためのキャンペーンを展開した。これらはいずれも政治的に右派の立場を取る新聞であったため、記念碑は右派の寄付者、特に一〇〇万ポンドを寄付した保守党の元副議長であるアッシュクロフト卿によって大きく支援された。対照的に政界の左派の人々は、ほとんど発言を求められなかったし、また恥ずかしながら、彼らも特にこれに関して発言権を欲しているようには見えなかった。このようにして、政治の枠を超えて人々を結びつけるプロジェクトであったはずのものが、結局は非常に党派的なものになってしまったのである。

記念碑への支援を集めるために、三つの新聞、特に『デイリー・メール』紙は、爆撃機司令部の隊員がいかに戦後、軽視されていたかについて、非常に感情的な記事を掲載し始めた。彼らはもはや、忘れられてもおらず、そして「持て余し者」ともみなされていないにもかかわらず、「忘れられた英雄」、あるいは「第二次世界大戦における英国民の記憶の持て余し者」と呼ばれているといった記事が掲載されるようになったのである。ネット上では、「地元議会がイギリス爆撃機の乗組員たちを恥じて、この記念碑の建設を妨害している」だとか、「ドイツがイギリス政府に拒否権を行使するように圧力をかけている」など、根拠のない噂が広まった。

歴史家たちが少なくとも爆撃の論争の的となっている原因について何らかの言及をすべきだと主張すると、彼らは国家の誇りを持たない腰抜けどもだと嘲笑された。コラムニストたちは、爆撃機司令部の隊員たちがまたしても、今度は政治的な正しさの力によって攻撃を受けていると主張した。(結局、記念碑の建設者は、「一九三九年から四五年の爆撃で命を落としたすべての国の人々」という碑文を追加することに同意した。しかし、その碑文は屋根近くの高い位置にあり、像によって視界に入らないという場所に位置していた。それは明らかに後付けされたものであった。)

私はこの出来事をある種の面白さをもって眺めていたが、同時に信じられない気持ちも募らせていた。というのも、私は長年の研究で、ここでいわれていることの大半が全くのナンセンスであることを知っていたからである。特に印象的だったのは爆撃機司令部の退役軍人たちがどのように表象されるかということであった。英国のマスコミは彼らを「英雄」と呼んでいたが、実際には「犠牲者」として描かれていた。私が何年にもわたってインタビューをしてきた男性たちの中には、新聞がいうような、自分たち自身を哀れに思っている人などいなかった。彼らは全体的に良識ある人たちであり、自分たちが戦争を戦ってきたことと、ずっと前に折り合いをつけていたし、イギリス社会が遅ればせながら彼らを受け入れるようになったことにも概ね満足していた。では、この憤りはどこから来ていたのだろうか。

実際のところ、この爆撃機司令部記念碑もまた、本書に掲載されている他の記念碑と同様に、少なくともそれを建設した社会やそれが記念しているとされる人々について、多くのことを語っているということである。この近くに建つ他の多くの最近の記念碑と同様に、この記念碑の建物には近代的なものや現代的なものは何もなく、ノスタルジックな記念碑となっている。その古典的な柱や手すりは、英国がまだ植民地帝国であった時代を彷彿とさせる。建築家のリアム・オコナーは、この記念碑の様式が、イギリス帝国主義の最盛期に建てられた近くの家々のファサードとよく似ていることを強調して指摘している。この記念碑の大きさと存在感は、かつてイギリスがネルソン提督やヴィクトリア女王の時代に行っていたように、物理的に印象的なものを作ろうとする意図的な試みの成果なのだ。

そしてその彫像もまた、ノスタルジーの産物である。彼らの姿勢や態度は、一九五〇年代のイギリスの戦争映画、『殴り込み戦闘機隊』や『暁の出撃』に出てくるようなストイックなヒーローを想起させる。彼らは聴衆にドラマチックなことをするところを見せる必要のないヒーローなのであり、そのドラマはすべて、彼らの強く、静かな外見の下に隠れて存在している。私たちにはもうこのようなヒーローを作ることはできないだろう。

イギリス人は今でも第二次世界大戦を「最高の時期」だというが、心の底では、これが何かの終わりであったことを理解している。第二次世界大戦によってイギリスは、その帝国や威信、そして世界経済における卓越した地位を失った。一九四五年以降、イギリスはもはや世界の工場ではなくなり、それまでの二世紀の間に行っていたように世界の出来事を決定づけるようなことは二度と不可能となった。イギリスはこの戦争によって国家財政が事実上破綻し、戦後、何年もの間、アメリカからの財政援助に頼らざるを得なくなった。イギリス人が憤りを感じ、侮辱され、歴史に騙されたと思うのは当然である。また、自分たちが英雄なのか、それとも犠牲者なのか、心の整理がつかないのも無理はなかったのである。

これは戦後イギリスでの生活における大きなテーマの一つであり、そして国民が未だ受け入れられないテーマの一つでもある。戦時中、政府関係者はアメリカ、ソ連、イギリスは「ビッグ・スリー」ではなく、「ビッグ・ツー&ハーフ」だと冗談をいっていた。一九六〇年代には、アメリカの元国務長官ディーン・アチソンが、「イギリスは帝国を失い、それからまだ役割を見つけていない」との有名な言葉を残している。サッチャリズムと「クール・ブリタニア」の時代である一九八〇年代と九〇年代になって、英国はようやく誇りを取り戻したが、二一世紀に入り、再びアメリカや中国、そして欧州連合（EU）といった国々の影に隠れてしまっているのではと感じている。

古代ギリシアのドーリア様式の柱の間から、まるで檻の中の囚人のように英雄たちがこちらを見つめている。これこそがこの爆撃機司令部記念碑の持つ真の意味である。彼らは英雄的なことを何もしていないように見える英雄の一団なのだ。使命を果たしたにもかかわらず、その栄光を騙し取られた彼らは、今はただそこに立って、ロンドンのグリーン・パークを眺めながら、この先、どんな新しい失望が待ち受けているのか、それをストイックに見守っているのである。

第6章 イタリア　パルチザン犠牲者のための壁

◆ボローニャ

ロンドンの爆撃機司令部記念碑で表象されているテーマは、英国だけでなく現在、世界中で見られるより大きな型の一部といえる。二一世紀になっても、どの国も自分たちを英雄の国家だと信じたがっているが、実は心の底では、ほとんどの国が自分たちを犠牲者だと思い始めている。

この過程はここ何十年にもわたって形成されてきた。第二次世界大戦の直後には、まだまだ英雄主義への大きな需要があった。しかし、それから数年の間に、多くの国が英雄主義にはそれ相応の責任が伴うことを認識するようになったのだ。例えば、誰もが認める戦争の勝者たるアメリカは、それ以来、世界の警察として行動する義務を感じている。イギリスもまた、一九四五年以降、世界の平和を維持する義務を感じてはいたが、彼らにそのような余裕はもはやなかった。

他にも危険が存在する。英雄は常に、自分たちが本当は欠点を持つ人間であることを暴露される危険にさらされている。そして実際、ひとたびそれが暴かれると、例えば近年、東欧において、旧ソ連の英雄たちの評価が落ちたように、すぐに失脚の憂き目にあうのだ。この傾向を食い止めるために、いくつかの国では第二次世界大戦の英雄を狂信的な勢いで擁護する施策をとっている。アメリカが「最も偉大な世代」を神話化したり、イギリスがウィンストン・チャーチルを神話化し続けたりして

いるのを見れば、英雄の地位を維持するためにどれほどの努力が必要であるかが分かるだろう。

しかし、他の国では、自分たちを英雄として表象することを完全に諦めてしまった。その代わりに、彼らは英雄と同じように力強く、同じように純粋な、「殉教」という別のモチーフを記念碑に選択するようになった。これによって、彼らのアイデンティティの維持ははるかに簡単なものとなった。これは、国家が平和を維持するための任務や責任を負わずとも、道徳的な優位に立つことを可能にし、さらに批判をそらすことのできる簡単な方法なのである。本書の第2部では、欠点や危険性を孕みながらも国民的モチーフとして被害者意識が高まっていく様子について論じる。

しかし、まず初めに、英雄主義の最後の記念碑の一つを探ってみたい。そこには、英雄とは何かということについて、全く異なる側面を見て取ることができる。

イタリアのボローニャにある「パルチザン犠牲者のための壁」は、これまで紹介してきたものよりもはるかに親しみやすい記念碑である。最もシンプルなアイデアに基づいたこの作品は、街の中心部にあるネットゥーノ広場の市庁舎の壁に、約二〇〇〇枚もの地元抵抗運動家の肖像画と名前を貼り付けたものである。ここは、戦争中、捕らえられたパルチザンが公開処刑された場所である。一九四五年以降、ここで亡くなった人たちだけでなく、この地域全体でナチスやイタリアのファシストと戦って命を落とした人々のための記念の場となっている。

本書に掲載されている他の記念碑とは異なり、この記念碑は国や博物館、そして各種追悼団体によって建てられたものではない。これは事前に計画されたものではなく、自然発生的な感情の高まりによって生みだされた。地元の人々が知り、そして愛した人々の生と死を記念して作ったものなのである。ここでは国家が主導するような大規模な記念碑では伝わらない、戦争についての何かが浮き彫りとなっている。第二次世界大戦は、戦場での巨大な軍隊同士の大規模な戦闘だけでなく、戦線から遠く離れた丘や森、町の各所で繰り広げられた極めて地域性の強い戦争でもあった。この戦争は、イタリアではポーランドやフランスのそれとは違った特色を持っていたし、またボローニャではナポリやミラノのそれとは違った特色があった。この戦没者のための記念の場は、国家的な美徳や野心を表象するために作られたのではなく、単に地元の誇りと地元の喪失感を表象するためのものなのだ。それは、私たちが自宅の居間に大切な人の写真を飾っている様子を彷彿とさせる。これは私たちが誰であるかをいい表している。そして、この人々は私たちの家族なのだ。

イタリアにおける戦争は、ヨーロッパの他の地域と比べてはるかに複雑なものであった。イタリアはドイツの同盟国として戦争を始めたが、一九四三年に連合国へと陣営を変えようとして、ドイツ軍に占領された。連合国がイタリア南部に侵攻した後、ドイツ軍は北にベニート・ムッソリーニを首班とする傀儡政権を樹立、これによりこの国は事実上二分されてしまったのである。この激動の中で、抵抗運動が開始された。このパルチザン活動にはさまざまなグループが参加したが、その原動力となったのはイタリア共産党であった。彼らはドイツからの解放だけでなく、一九二〇年代からイタリアを支配してきたファシストの打倒と、その過程での広範な社会変革を目指していた。

抵抗運動の中心地として、ボローニャはイタリアの他の地域よりも多くの被害を受けた。戦争末期には、この地域は陰謀と暴力に満ち満ちていた。近くのマルザボットでは、地元の抵抗運動への報復として、村全体がドイツの武装親衛隊によって虐殺され、少なくとも七七〇人の男女と子供が冷酷に射殺されたり、家ごと焼き払われたりした。ボローニャ市の中心部では、約一四〇人の男女を巻き込んでの銃撃戦が四〇件以上も発生している。ネットゥーノ広場は、ナチスとイタリア・ファシストの双方にとって、これらの処刑を実行するためのお気に入りの場所だった。一九四四年七月から終戦までの間に、少なくとも一八人がここで射殺されている。彼らの遺体は地元住民への警告として晒され、それを強調するために、壁には「パルチザンの安らぎの場」との皮肉の文言も壁に貼られていた。

しかし、このような暴力は抵抗運動への参加の抑止力にはならなかった。戦争が終わる頃には、ボローニャの人々はもうこの状況に飽き飽きしていた。四月一九日、ついに彼らは蜂起し、二日後にはこの街を制圧したのだった。公式発表によると、この時点で一万四〇〇〇人以上の地元の人々がパルチザンとして積極的に戦っていたが、そのうち二二〇〇人以上が女性であった。ボローニャでの蜂起は全国的な抵抗運動の先駆けとなり、それから数日後の四月二五日にはこの種の運動が北イタリア全域へと広がったのである。

ドイツ軍とその傀儡であるファシストたちが街から逃げ出すと、ボローニャの人々はようやく自らの犠牲者たちを公に追悼することができるようになった。処刑された人々の家族はネットゥーノ広場に集まり、愛する人々のために記念の場を作ったのである。誰かが古い緑のテーブルを壁に寄せ、その上に小さな思い出の品や花、亡くなった人の写真を額に入れて置くようになった。壁にはイタリアの国旗が掲げられ、その上にさらに多くの写真が貼られるようになったのだ。

日が経つにつれ、この記念の場はどんどん大きくなっていった。数ヶ月もしないうちに、何百枚もの写真が壁に沿って二〇メートルに渡り広がっていた。それはすぐに、この場所で殺された人々を追悼するだけでなく、自由の名の下に死んでいったすべての人々に敬意を表す場所となった。抵抗運動のために処刑された一〇代の少年たち、戦闘で英雄的な死を遂げた六〇代の女性たち、訓練中の事故で命を落としたり、当局に拷問されて死んだりした働き盛りの男性たちなど、ありとあらゆる人々の写真や賛辞で埋め尽くされていた。この場所には、パルチザンの経験のすべてが詰まっていた。

市の新しい当局が、この記念の場の装飾をアックルシオ宮殿の中世から続く城壁に恒久的に設置することを決めたのは、それから間もなくのことであった。一九五五年、紙の写真は取り除かれ、耐候性のあるタイルに取り替えられた。そして、それぞれのタイルには一人ずつ、名前や肖像がプリントされたのだ。現在、この壁には二〇〇〇枚以上のタイルと、当時の写真を再現した一六枚の大きなタイルが貼られている。これは、ボローニャの人々の苦しみと勇気を永久に想起するものなのだ。

諺にもあるように、すべては政治的なものである。犠牲者のための記念の場は、確かに単純な追悼の象徴として始まったかもしれないが、しかし常にそれ以上のものがそこにはあった。この記念の場は自分たちの信念のために命を落とした人々を追悼するために設けられたのであり、そこに多少なりとも政治的な意味合いが含まれることは必然であった。そのため、この記念の場には政治的なテーマが最初から付与されており、その後の数十年にわたって、この場を特徴づけ続けるものとなった。

一九四五年四月のボローニャ解放は、混沌とした暴力的な出来事であった。この街の解放を目撃したアメリカの戦争画家エドワード・リープによると、一九四五年四月にネットゥーノ広場で最初に行われたことは、追悼ではなく復讐であったという。記念の場が設けられる前に、ファシストの協力者がここで射殺され、その鮮血がまだ壁に残ったままであった。換言すれば、戦時中に特徴的だった政治的暴力はまだ終わってはおらず、その立場が逆転したのである。このように、戦争の長い余波の中で、イタリアのあちこちで同様の暴力が時折繰り返されることになった。

リープによると、この記念の場が形になった当初から、そこには政治的なシンボルが取り入れられていたという。

数分もたたないうちに、血痕の上と左の壁にイタリアの国旗が掛けられた……旗の中央の白い部分からサヴォイ家の紋章が剝ぎ取られ、代わりにそこには喪に服すための硬く黒いリボンが留められた。これは、王政とファシズムの終焉を意味すると同時に、解放のための長い闘争に命を捧げた人々への追悼の意味も込められていた。

追悼に訪れた人が最初に犠牲者の写真を貼り付けたのも、この旗の上にであった。*その後、この記念の場はパルチザンに捧げられたボローニャにある多くの記念碑の一つとなった。一九四六年には、馬に乗ったムッソリーニのブロンズ像が溶かされ、そこから新たにイタリア抵抗運動闘士の像が二体作られた。この像は現在、市の中心から北西に位置するポルタ・ラメで見ることができる。一九五九年には、建築家ピエロ・ボットーニの手によって、パルチザン犠牲者のための納骨堂がチェルトーザ墓地に、また一九七〇年代にはさらに二つの記念碑が、ヴィラ・スパダと街のすぐ南に位置するサッビウーノに建てられた。さらに、戦後、いくつかの通りや広場が改名された。例えば、ウンベルト一世にちなんで名付けられた広場は「一九四三―一九四五年の犠牲者広場」となった。

これらはすべて、戦後の都市の道徳的・社会的再生を示すだけでなく、街のアイデンティティを再定義するための意図的な試みの一環であった。君主制やファシストのシンボルは取り除かれ、その代わりにその場所には抵抗運動のシンボルが掲げられたのである。ボローニャが英雄の街になるためには、旧来のエリート主義的な英雄を持ち上げているようでは駄目であった。これからは労働者や学生など、ネットゥーノ広場に展示されているような普通の人々が讃えられることになった。

ボローニャの人々は死んでいった英雄たちに見守られながら、戦時中の闘争の記憶に基づいて形作られた未来に、多かれ少なかれ、従わざるを得なかった。一九四六年三月に行われた戦後初の市政選

1945年の壁の様子。

挙では、かつての抵抗運動闘士の一員であった人物が市長に選ばれた。ジュゼッペ・ドッツァはその後二〇年にわたって市議会を率い、彼の所属するイタリア共産党は、その後、この世紀のほとんどの間を、ボローニャの政治における主要な勢力であり続けた。

一九七〇年代から八〇年代にかけて、ボローニャの街は再び攻撃を受けることになった。この"anni di piombo（鉛の時代）"と呼ばれた時期、イタリア全土が政治的暴力に巻き込まれた。多くの都市では極左グループ「赤い旅団」の手によるテロ攻撃に苦しんだが、ボローニャはネオファシストの攻撃を受けることになった。一九八〇年には、主要鉄道駅に爆弾が仕掛けられ、八五人が死亡、二〇〇人以上が負傷した。また、一九七四年と八四年にも、十数名の犠牲者を出す小規模なテロが起きている。ボローニャが狙われたのは、ここが左派勢力の強い都市であったためである。

これらの事件を記念して、死者の名前を記した新しいプレートがネットゥーノ広場に設置された。しかし、知らず知らずのうちに、この新しいプレートは街の追悼の景観に微妙な変化をもたらしていた。当初のパルチザン犠牲者のための壁は、戦争中に受けた残虐行為にもかかわらず、自分たちを哀れに思う人々といった印象は与えていなかった。この記念の場の上に掲げられた文言には、戦時中のパルチザンが正義のために命を落とした英雄であることが、金属製の大きな文字ではっきりと記されている。「自由と正義のために、そして名誉と祖国の独立のために」である。しかし、新しいプレートにはそのようなメッセージはなかった。ここでは、死者は単に「ファシストのテロの犠牲者」とされた。彼らは大義のために命を落としたのではなかった。そしてそこには、英雄性の面影は少しもなかったのである。この二つの記念碑を一緒に見ると、英雄と犠牲者の間の線引きは、もはやそれほど明確ではないように思えてくる。一九八〇年代の無意味な暴力は、戦時中の同じく無意味な暴力へと時間を遡って反映され、パルチザンでさえも英雄というよりは犠牲者のように見え始めるのだ。

近年、さらにこの街のアイデンティティに大きな変化が起きている。ボローニャの政治における古い常識はとっくの昔に崩壊している。共産主義は、冷戦の終結とともに、ヨーロッパ中でそうであったように、ここでも消滅した。今世紀に入ってからは、戦時中のこの都市の過去と現在との間にもほとんど連続性がなくなり、共産党もより穏健な社会民主党へと取って替わられている。グローバル化の波は、イタリア国内、そして世界各国からの学生を受け入れてきた大学だけでなく、一般の人々の間にも見られる。今日、ボローニャに住む人々の一〇パーセント以上は他の国から来ており、その割合は常に増加している。

そのような社会にあって、ネットゥーノ広場にある二〇〇〇枚もの肖像画には、もはやかつてのような影響力はない。それらは明らかに過去の時代のものである。彼らの顔の表情は硬く、畏まっていて、今の世代が日々ソーシャルメディアに投稿している笑顔の自撮り写真とは似ても似つかない。なぜこのような古い肖像画が、今さら関係あるのだろうか。なぜ今日の都市が、彼らの歴史や思想に囚われなければならないのだろうか。

しかし、それでも、それらは未だ、中世からのこの広場の壁を支配したままである。役所に出入りする地元の政治家たちは毎日この肖像画の前を通らなければならない。公立図書館の階段に集う学生たちは、皆、その肖像画の影の中に座っている。ボローニャ市内の家々にある亡くなった叔父や叔母の写真のように、彼らはこの左派的な街の住人を見下ろし、自分たちが何者で、そしてどこから来たのかを静かに思い起こさせるのだ。

＊一九四六年、リープはこの記念の場を描いて賞を受賞し、芸術家としてのキャリアをスタートさせた。この作品は現在、ワシントンＤＣにある国立アメリカ美術館に永久収蔵されている。

小括

「英雄主義」の終焉

英雄は虹のようなものであり、遠くから見てこそ、その良さを実感できる。それに近づいた途端、彼らを輝かせている資質が消えてしまうのである。

私がこれまでに紹介した記念碑は、どれも歴史的事実を正確に反映したものではない。ロシアの祖国の偉大さは、常に不安定な基盤の上に築かれていた。アメリカの国旗への忠誠心は、アメリカ人自身にとっては栄光に満ちたものであったとしても、他の国の人々から見れば、それは少し怪しげに見えるのであった。また、イギリスは、戦争に勝つためだけでなく、その後の喪失感を乗り切るためにも、かの有名な「不屈の精神」を必要とした。そして、ボローニャに限らず、ヨーロッパやアジア各地での抵抗運動は、通常、抵抗をやり遂げるよりも、命を落とすことの方がはるかに多かった。しかし、これらの記念碑はけして歴史的事実を表象することを意図しているものではないため、正確な事実は重要ではなかったのだ。これらの記念碑は、ただ、英雄とは何かという私たちの抱く神話的なイメージを表象したにすぎない。これらは歴史の表象であると同時に私たちのアイデンティティの表象でもあるのだ。

ある意味で、第二次世界大戦の英雄への記念碑は、時代を超越しているように見える。彼らが表現する価値観——力強さ、禁欲さ、兄弟愛、美徳——は、古代からすべての社会が大切にしてきた価値観と何ら変わりはない。しかし、実際、ロンドンの爆撃機司令部記念碑のように、除幕された時からすでに、かなり古めかしいと感じるものがあったように、他の点において、それらは絶望的なまでに時代遅れにも思えるのだ。この第1部で取り上げた記念碑がすべて従来通りの彫像、写真、あるいは写真を基にした彫像であることは偶然ではない。後で取り上げるいくつかの記念碑に比べれば、これらは全く冒険的なものとはいい難いが、このような様式でもって世界中で英雄が顕彰されることが一般的なのである。

英雄は私たちの理想を象徴している。勇敢でありながら優しく、忠実でありながら柔軟で、強靭でありながらも寛容であり、彼らは常に高潔で、常に完璧で、そして常に行動を起こす準備ができていなければならないのだ。そして私たちの共同体の王者として、彼らは常に私たちの全体を代表しなければならない。しかし、個人ではこのような期待に応えることはできない。そして、また、どの集団にもできないだろう。

しかし、歴史の中でこのような責任を負わされてきた国もある。第二次世界大戦の紛れもない戦勝国であるアメリカは、それ以来、英雄としての役割を演じることを求められてきた。程度の差はあれ、イギリスやフランスもまた、国際問題、特に旧植民地の問題において、主導的な役割を果たす義務を感じてきた。そしてロシアでさえ、時々は、大国としての地位に恥じぬよう行動しなければならないと感じている。しかし、これらの国々の努力は常に評価されるわけではなく、当然のことながら、現代の世界の警察が第二次世界大戦の理想を実現することなどとうていできないことである。

時代は変化する。いかに時代を超越した価値観であったとしても、それには流行り廃り（はやりすたり）があるのだ。今や誰が、頑固さや融通の利かなさ、そして黙って耐え忍ぶことのできる資質を称賛しようか。

かつて崇拝していた英雄たちが、現代の感覚からすると、少し悲劇的に見えたり、滑稽に見えたりすることは避けられないのだ。そして、またそれぞれの地域社会も変化していく。私たちの英雄は、私たちが思う、そして少なくとも想像したいと思う自分自身の姿を投影しているはずである。しかし、新しい政治的見解が広まったり、そのコミュニティに異なる階級、宗教、民族の人々が流入したりすると、もはや昔の英雄に共感することは困難となってくる。

このことはすべて、奇妙なパラドクスを浮き彫りにしている。私たちの心の中にいる英雄は、とても強く、不滅の存在のように思えるが、実は歴史の神殿の中においては、最も脆弱な存在なのである。彼らをその台座から叩き落とすのに、さほどの時間はかからないのだ。

他にももっと堅牢なモチーフがある。すでに示唆したように、多くの集団は現在、自分たちを英雄というよりも犠牲者として表象する傾向が強くなっている。ほとんどの場合、その集団に選択の余地はない。私たちは皆、歴史の囚人であり、それは過去の悲惨な出来事が、彼らに与えた役割なのだ。しかし、後で明らかになるように、犠牲はこれまでの英雄主義よりもはるかに強いアイデンティティである。英雄は現れては消えてゆく。しかし、犠牲者は永遠の存在なのである。

第2部

犠牲者

一九四五年、すべての国が自分たちを英雄の国だと信じていた。しかし、多くの地域において、第二次世界大戦はけして栄光に満ちたものではなく、残忍なものであったという事実から逃れることはできない。すべての人々が爆撃を受け、飢餓に苦しみ、奴隷状態にされ、屈辱を受けたのである。何百万人もの人々が、戦場ではなく、自宅やガス室、防空壕の中など、最も英雄的とはいえない環境で死んでいった。そして、何十万人もの女性がレイプされ、何十万人もの子供たちが孤児になったのだ。これらの人々は英雄ではなく、犠牲者であった。

戦争犠牲者のための記念碑は、私たちが持っている最も重要な記憶の場の一つである。そのほとんどが、非常に正当な理由によって作られている。苦しみは世に認められなければならない。優れたデザインの記念碑は、人々が失ったものを嘆き、亡くなった人々を想起する場所を提供することができる。また、分断された国家を共通の悲しみの中で一つにすることも可能である。そして、屈辱を受けた人々に、少なくとも自分自身を赦す余地を与えることができるのである。誰もが英雄になれるわけではなく、特に自分自身で制御することのできない大きな力によって個々人が無力化された場合はなおさらのことである。

しかし、このような記念碑には、あまり直視されることのない暗い面がある。それは私たちの辛い過去を認め、それを乗り越える機会を与えてくれる一方で、その過去に私たちの魂が囚われてしまうまで、私たちを引きずり込もうとする。記念碑は私たちが苦しみを自分のものにしてコントロールすることを可能にするが、その苦しみに屈してすべての責任を放棄し、誰かのせいにしようとすることも許してしまう。このように過去を想起することは、私たちを危険な場所へと導くことにもなる。また団結を促すのではなく、分裂を助長することもある。そして、それは私たちに平和をもたらすのではなく、怒りを駆り立てることもあるのだ。

ここ数十年の間に、私たちの記念碑文化には変化が見られた。かつては第二次世界大戦の英雄を表象する記念碑をこぞって設けていたが、最近では被害者や犠牲者を追悼する記念碑を建てることが多くなった。これには政治的な理由が考えられる。犠牲者もまた、英雄と同じように、彼らの忠誠心を刺激するからである。しかし英雄の国は、世界において、自らの地位に責任を負う義務があるのに対し、犠牲者の国は好きなだけ自由気ままに振る舞うことができる。犠牲者を批判することは許されない。そして彼らの過ちは常に赦されなければならない。彼らの過去の苦しみは、未来永劫「刑務所から自由に出られる」カードのようなものであり、すべての罪を免除してくれるのだ。

しかし残念なことに、このような自由は、どうやら幻想に過ぎないようである。この後の章で明らかとなるように、このような考え方には、利点があるだけでなく、その代償も払わねばならない。自らを犠牲者とみなす国家もまた、他の国々と同じように自らの歴史に囚われているのだ。

第7章

オランダ◆国立記念碑

アムステルダム

第二次世界大戦中、オランダの人々は大きな苦しみを経験した。一九四〇年、彼らの国は止めることのできない大きな力によって侵略され、特にロッテルダムのような都市は爆撃によって破壊され、甚大な被害を受けたのである。それからの五年間、彼らはナチス占領の影響を全面的に受けることとなった。主権の剥奪、ユダヤ人やその他の「望ましくない者」の強制連行、オランダ人の搾取、反対意見への残忍な弾圧などである。戦争末期になって抵抗運動が活発化すると、ナチスはその報復としてオランダ西部への食糧と燃料の輸送をすべて遮断した。すぐに飢饉が発生し、この「オランダ飢餓の冬」として知られる時期には、約一万八〇〇〇人が死亡し、数十万人以上が深刻な栄養失調に陥ったと考えられている。一九四五年五月にようやく解放された時には、オランダはもう自力で立ち上がれないような状態であった。

この悲惨な戦争の後、オランダ新政府は、人々が耐え忍ばざるを得なかった屈辱と苦しみをけして忘れないようにするために、記念碑の建設を決定した。当初から、この国立記念碑は、この国で最も重要なものとなるよう意図されていた。アムステルダムの歴史的中心部、ダム広場に設けられる計画が立てられ、そこで表象される中心的なモチーフはオランダ人犠牲者であった。

早くも一九四六年には、この記念碑の最初の部分が作られた。弧を描くように建てられた大きな曲がった壁には、いくつもの窪みが設けられており、その中にはそれぞれ小さな骨壺のようなものが置かれた。その壺には、オランダ人が拷問を受けたり、処刑されたりした場所から採取した土が入れられていた。元々、各州から一つずつ、計一一個の壺が用意された。これはまさに国家的な記念碑である。数年後、一二個目の壺として、オランダ領東インド諸島（現在のインドネシア）の土を入れた壺も追加された。これは、日本軍の攻撃を受けたオランダの人々の苦しみを考慮してのことであった。

数年後、この曲がった壁の前に石の円柱が建設された。高さ二二メートルの石柱には、オランダを代表する芸術家、ジョン・レーデッカーの彫刻が飾られた。彼のデザインは、オランダ人が戦後の自分たちをどのように見ていたかを物語っている。柱の正面に描かれているのは、鎖につながれた四人の男たちであり、そのうちの一人は両腕を広げ、まるで十字架にはりつけにされたキリストの姿のようである。そしてその両側には抵抗運動を象徴する二つの像が設置された。左には知識人の抵抗を象徴する髭を生やした人物、そして右側には労働者の抵抗を象徴する筋肉逞しい人物である。彼らの足元には、忠誠を表す三匹の犬が、吠える姿で腰を下ろしている。そして中央の像の上には、幼い子供を抱いた女性が立っているが、これは戦後可能となった新しい生活を象徴している。彼女の頭の上には、勝利を表す花輪が被せられている。また、この柱の裏側には、平和を象徴する天に羽ばたく鳩の姿も彫刻されている。

したがって、この記念碑は、いくつかのメッセージを一度に発信している。オランダ人は抑圧に抵抗した。彼らは苦難の中、団結した。彼らは理想に忠実であった。そして最後には、彼らの苦しみが報われ、勝利と平和、そして再生の機会を得た。

このように全体としては、非常によく考えられた記念碑である。中心となるイメージのほとんどが

国立記念碑。建設から2年後の1958年。

宗教的なものとなっている。鳩はキリスト教の聖霊の象徴を、女性と子供は古典的な聖母像を連想させる。そして最も重要なのは、このキリストのような人物の姿は、戦争が終われば復活すると信じ、拷問され、拘束され、犠牲になった人々の殉教を表しているのだ。キリスト教徒がこの記念碑の前に立つ時、そこでは教会で感じるのと同じような宗教的な畏敬の念を抱かずにはいられないだろう。それは戦時中のオランダを超越したビジョンであり、メシアとしての国家なのだ。

ただここには一つ問題がある。一九四五年といえども、オランダのすべての人がキリスト教徒だったわけではないということだ。また、ナチスに迫害されたすべての人がオランダの地で死んだわけでもない。このような姿で国家を描くことで、レーデッカーが考えるオランダ人とは何か、という定義に当てはまらない様々な集団を排除してしまっているのだ。それらの集団の中で最も注目すべきは、国民の中で最も苦しむことになったユダヤ人住民たちである。

第二次世界大戦中の犠牲者を象徴する人物を探すのなら、まずはヨーロッパのユダヤ人からあたるのが適切であろう。オランダでは、ユダヤ人は全人口の一・五パーセントに過ぎなかったが、終戦時にはオランダの全死傷者の半分を占めていた。ユダヤ人はオランダの他のどの集団よりも特別視されていた。彼らは容赦なく追い詰められ、列車に詰め込まれ、東の強制収容所に送られた。そこでは、到着後、すぐに殺害されるか、働かされながら、時間をかけて殺された。約一一万人が強制移送され、戻ってきたのはわずか五〇〇〇人ほどであった。

今日では、死者を想起する記念碑に、そのような人々を含めるだけでなく、誇りを与えて顕彰することは当然のことのように思える。では、なぜオランダの国立記念碑は彼らを無視しているのだろうか。彼らは意図的に排除されたのだろうか。それとも単に不幸な見落としがあったというのだろうか。それとも何か他に理由があるのだろうか。

このようなことがどのようにして起こったのかを知るためには、一九四五年にオランダに戻ってきた五〇〇〇人のホロコースト生還者の話を聞いてみると良い。二〇世紀末、オランダの歴史家ディエンケ・ホンディウスが、何十人ものホロコースト生還者にインタビューをしたところ、彼らの証言は大きく似通っていることが分かった。彼らのほぼ全員が、一九四五年に無視されていると感じていたというのだ。ほとんどすべての人が、自分が受けた苦しみを口にしてはいけないというプレッシャーを感じていた。最悪なのは、多くの人が、自分たちがひねくれた、見当違いの妬みの対象になっていることに気がついたことである。一九四五年、あるユダヤ人生還者は知人から、「あなたは幸運だったわ」、「私たちはあんなにも酷い飢えに苦しんでいたのよ!」といわれている。別の人は、アウシュヴィッツでは「頭の上に屋根があって、ずっと食べ物があった」という理由で、雇い主から給料の前払いを拒否されている。

このような無神経さは主に無知から生まれたというのが、ここでの寛大なる弁明である。ホロコーストが人々の目の前で起こった東欧とは異なり、オランダでは、ユダヤ人が強制移送された後に何が起こったのかについては、漠然とした認識しかなかった。多くのオランダ人は、ユダヤ人の苦しみなど、ほとんど理解していなかったのである。この無知が、この国立記念碑にまで及んでいる可能性は十分にありうる。製作者は彼らの苦しみを、別のカテゴリーとして表現しようとは考えなかったのだ。

もちろん、もっと悪い可能性も考えられる。オランダでは戦前から反ユダヤ主義が蔓延し、ナチスのプロパガンダが何年にもわたって行われてきたことは、この国とその国民に何らかの影響を与えていたに違いない。戦時中にユダヤ人に何が起こったのかを誰も気にしなかったのは、興味がなかったからでもあるだろう。ユダヤ人が国立記念碑から外された理由の一つは、彼らユダヤ人が価値ある存在だとみなされていなかったからだとも考えられる。少なくとも無意識のうちに、彼らを同じオランダ人とは思っていなかったのかもしれない。

しかし、現在、資料によると、ユダヤ人の体験が見落とされた理由として、より政治的な別の理由が指摘されている。一九四五年には、分断された国を再び一つにまとめようとする大きな動きがあった。そこでは、オランダの人々は一つになって苦しみ、犠牲を払うことで団結したという神話が生まれた。これが国立記念碑の中心的なメッセージであり、キリスト教のイメージやオランダ各州の残虐行為の現場から採取された土が入れられた壺で表象されている。このような神話は、かつての対独協力者や戦争を過去のものにしたいと思っている人々など、ほとんどすべての人に合致するものであったのだ。

しかし、残念ながら、ユダヤ人はこの心地の良い神話にはあてはまらなかった。実際、彼らに起こったことを認めることは、自動的にこの神話を嘲笑することになってしまう。誰もが頭の中では、ユダヤ人が戦争中に特別な集団として扱われ、他の人々とは全く違う苦しみを味わっていたことを知っていた。また、それだけでなく、ユダヤ人を助けられなかった自分たちを恥ずかしく思っていた。しかし、このような不都合な真実を認めるよりも、この問題を完全に無視する方がはるかに簡単だった。このようにして、少なくとも国家レベルにおいては、オランダのユダヤ人は突如、見えなくさせられてしまったのである。

彼らが国立記念碑から除外された理由が何であれ、オランダのユダヤ人にはどうすることもできなかった。かつてユダヤ人の中心地として繁栄したアムステルダムでさえ、今ではほとんどユダヤ人がいなくなり、彼らは声を上げることさえできなくなっていた。彼らは単に黙って生活を立て直そうとしていただけであった。ほとんどのユダヤ人はこれまでの経験から、自分たちが注目されることを嫌がった。彼らは見えない存在であることに甘んじたのである。

オランダでユダヤ人の運命が正しく認識されるまでには何年もかかったが、やがて状況は変化した。それは一九四七年にアンネ・フランクの日記が出版されたことから始まった。このユダヤ人の一〇代の少女は、家族と一緒に二年以上もの間、身を隠すことを余儀なくされていた。彼らはアンネの父親が商売をしていた建物の奥の部屋に住み、本棚の後ろに隠された秘密の扉から出入りしていた。最終的にアンネの一家は一九四四年の八月に見つけ出され、ドイツとその占領下のポーランドの強制収容所に強制移送された。アンネ・フランクは一九四五年の初めにベルゲン＝ベルゼンで亡くなったが、彼女の日記は生き残り、世界的なベストセラーとなった。

戦後、アムステルダムに生きたユダヤ人たちが、沈黙し疎外されていたとしても、この本は少なくとも彼らに何らかの声を与えたことになる。一九五〇年代後半、家族の中で唯一生き残ったアンネの父、オットー・フランクは、戦時中に隠れ住んだ建物を購入し、博物館へと改築した。一九六〇年に開館して以来、この博物館の重要性は徐々に高まっていった。現在では毎年一〇〇万人以上がここを訪れ、国内で最も来館者数の多い博物館の一つとなっている。

その後、ユダヤ人の戦争体験をテーマとするさまざまな記念碑が建てられた。一九六二年には、戦時中に強制移送に関わる施設として使用されていたアムステルダムの旧オランダ劇場であるホランシェ・ショウブルクに、ユダヤ人犠牲者のための新しい記念碑が開設された。記念碑となった劇場の壁には、亡くなった一〇万四〇〇〇人のユダヤ系オランダ人の名前が記されている。また壁に刻まれた碑文は、これらの人々が「祖国のために死んだ」のではなく、殺害される目的のために連れ去られた人々であることを明確に記している。彼らは英雄ではなく、まぎれもない犠牲者だったのだ。

一九七七年、アウシュヴィッツで亡くなったユダヤ人のための記念碑がオースター墓地に建てられた。その後、一九九三年にはユダヤ人街のヴェルトハイムパークに移され、大幅に拡張された。それは強制収容所から採取した遺灰の入った壺の上に、割れた鏡を並べたデザインとなっている。ダム広場の国立記念碑の壁には、このようなユダヤ人の遺灰を入れた壺が置かれていないことから、この壺はそれが意図されたことか否かにかかわらず、それを補完する形となっている。

アムステルダムにおけるユダヤ人の苦しみの表象は、今世紀に入っても続いている。二〇〇〇年代半ば以降、ヨーロッパの他の多くの都市と同様に、アムステルダムの何十もの通りに「躓きの石」が見られるようになった。これは、ホロコーストで強制移送されたユダヤ人がかつて住んでいた家の前の地面に埋め込まれた真鍮製の小さなプレートである。そこには、かつてここに住んでいたユダヤ人の名前、逮捕された日付、そして最終的な運命などが刻まれている。現在、アムステルダムのいたるところに四〇〇〇以上のプレートが埋め込まれている。

二〇一六年になって、ようやくアムステルダムにも、旧ユダヤ人街に国立ホロコースト博物館が開館した。ここではかつて無視されていた苦しみが、今では他の何よりも記念されている。


どんな記念碑もそれ単独で存在することはない。オランダ政府は戦後、第二次世界大戦中のオランダ人の苦しみを統一的に表象できると信じて、一つの記念碑を建てたが、それは失敗に終わった。しかし、それ以来、アムステルダムはその排除と見落としを他で埋め合わせてきた。今日、この街には戦争直後に無視された多くの犠牲者を含む、豊かな記念碑文化がある。例えば、ここは世界で初めて、戦時中にナチスに迫害された「ジプシー」のために公共の記念碑が設置された都市でもある。一九八七年に除幕されたこの記念碑は、ミュージアム広場に建っている。また、アムステルダムは一九八七年にこれまた世界で初めて、セクシュアリティを理由にナチスによって迫害された人々を追悼する「同性愛者記念碑」を建設した都市でもあるのだ。

今日、ダム広場の国立記念碑の前に立つ時、このキリスト教的なドラマチックなイメージを持つ重要な記念碑は、単なる見出しに過ぎないことを忘れてはならない。この街の残りの部分には、主題へのサブテキストのネットワークが張り巡らされている。ここアムステルダムは、ヨーロッパの他の多くの都市と同様に、確かに犠牲者の街ではあるが、その犠牲には様々な形や大きさのものが存在している。

第8章

中国 南京大虐殺記念館

第二次世界大戦はいつ始まったのか。この質問に対する答えは、それを誰に聞くのかによって大きく異なる。アメリカ人にとって、それは一九四一年一二月の真珠湾攻撃が始まりである。ヨーロッパの人々にとっては、それより前の一九三九年九月のヒトラーによるポーランド侵攻となる。しかし、中国の人にとっての戦争の始まりはもっと前、一九三七年七月、現在の北京郊外、盧溝橋で日本軍と中国軍が交戦した時だった。それまでの衝突では、中国側が先に屈服して終わることが多かったが、この事件では、中国の民族主義指導者である蒋介石が、国内の他の地域に展開する日本軍に対しても本格的な攻撃を開始した。このようにして、やがて何百万人もの命を奪い、中国東部を廃墟にした八年以上にもわたる戦争が開始されたのである。

現在、中国の人々の持つ戦争の記憶は、この最初の数ヶ月間に起こったことが中心となっている。この時期は、いくつかの大規模な戦闘が行われ、中国軍が日本軍に多大な損害を与えた時期であり、中国の人が誇るべき英雄譚が数多く存在する。蒋介石は開戦当初、せめて日本軍に少しでも打撃を与えて、国際社会の支持を得たいと考え、あらゆる手段を講じた。しかし、この段階において、彼の軍隊は日本軍の技術的優位性にはかなわず、数々の中国の英雄譚が悲劇に変わるまで、そう長い時間は

南京大虐殺記念館の入り口に置かれている呉為山制作の死んだ子供を抱える母の像。

かからなかったのである。

その中でも特に印象的なエピソードがある。交戦開始からわずか数ヶ月後の一九三七年一一月、中国軍は当時の首都・南京に追い込まれた。一二月に入ると、日本軍は南京を包囲し始めた。蒋介石は城壁周辺での激しい戦闘の後、陣地を放棄することを決めた。数万の中国軍は揚子江を渡って脱出せざるを得なかった。逃げ切れなかった者たちは戦い続けたか、あるいは降伏したが、彼らは川岸における一連の大量処刑で虐殺されたのである。また、民間人の服を着て、一般市民の中に潜伏しようとする軍人もいたが、これも、日本軍が目に留まった男性を根こそぎ検査していくことで、無慈悲にも追い詰めてられていった。手にタコがある人、靴擦れしている人、肩に提げ紐の跡がある人など「兵士の特徴を持つ」と判断された人は、最近、軍用の背嚢（はいのう）やライフルを背負っていたのではないかと思われ、群衆の中から引きずり出された。当然のことながら、一般市民の中にも、こうした検査に引っかかって死に追いやられる者がたくさんいたのである。

虐殺は、軍人と思われる者だけでは終わらなかった。戦闘後、日本軍は規律を失い、街の略奪に走った。あらゆる年齢層の女性がレイプされ、子供や幼児までもが殺害された。妊娠中の女性が銃剣で切り裂かれたという目撃談や、それを裏付ける証拠写真も数多く残っている。日本兵の中には、それを証拠としてではなく、土産用にと自分で写真を撮った人もいたほどである。

当然のことながら、この街は瞬く間に混乱に陥った。絶望的な状況の中で、市民は南京在住のヨーロッパ系住民に保護を求めて、街の国際地区へと流れ込んだ。学校の教師や宣教師からなる二〇人程度の小さなグループが、できる限りの支援を行った。彼らは日本側と交渉し、避難民のための「安全区」の設置を認めさせた。また、日本軍が女性を求めに来た時は、彼らが兵士との間に立って、対処した。日本人がヨーロッパ人に対してより慎重であったことに疑いの余地はない。彼らはこの段階において、欧米との間に紛争を起こしたくはなかったのである。とはいえ、戦闘後の数週間は国際安全区でも残虐行為が続いた。虐殺の様子を写真やシネフィルムで撮影することができた中立のヨーロッパ人たちの証言は、この残虐行為の最も有力な証拠となっている。

一九三七年一二月から三八年一月にかけてのあの悲劇の数週間に、どれだけの人々が殺害されたのか正確には分からないが、数十万人とはいわないまでも、数万人単位であることは間違いない。戦後設けられた、戦争犯罪法廷によると、約二〇万人が虐殺され、少なくとも二万人の女性がレイプされたとのことである。現在、中国の公式発表ではこの時の死者は三〇万人とされる。日本の研究者の中には、この数字に異議を唱える人もいるが、少なくとも学術的に信頼のおける人の中に、この虐殺がなかったと否定する人はいない。現在、「レイプ・オブ・南京」として知られるようになったこの事件は、中国における戦争の歴史の中で最も恥ずべきエピソードの一つである。

その記念事業の先頭に立つ中国の施設が「侵華日軍南京大屠殺遭難同胞紀念館」(通称:南京大虐殺記念館)である。それは本当に巨大なものであり、敷地内には、博物館、二つの集団墓地、学術研究所、一連の記念広場、そして平和公園などが点在している。ここには何十もの記念像や彫刻があり、中には高さ約三〇メートル、長さが三〇メートルといった非常に壮大なスケールを持つものもある。この記念館は都市の中心部に位置し、二万八〇〇〇平方メートルを超える敷地を有し、毎年、八〇〇万人もの来場者を引き付けているのは注目に値する。

この施設に入る前に最初に目にするのは、破れた服を着て、ぐったりとした子供の死体を抱えた母親の像である。彼女の頭は苦しみの表情と共に後ろにのけぞり、口からは静かな叫び声が聞こえてくる。南京の繁華街である水西門街の入り口に設置されたこの像は、中国の芸術家、呉為山の手によるもので、高さは少なくとも一〇メートルはある。この彫刻の苦悩には、何か直感的なものを感じざるをえない。絶望的な肩の落ち方、長く露出した首の無防備さ、支える気力を失った子供の生気のなさ、これらはすべて、記念館の中でこれらから待ち受けているものを表現している。

この像を通り過ぎると、次に、これまた同じ芸術家の手によって作られた、一九三七年に都市から逃れてきた難民を描いた別の彫刻群が見えてくる。それらの顔は、恐怖で歪んでいる。いくつかの彫刻は、けが人や瀕死状態の愛する人を引きずったり、運んだりしている人の様子を描き、また女性や子供の死体を表現したものも見られる。

敷地のあちこちに陰惨な像が置かれている。ある場所では、巨大な腕が地面から突き出し、折れ曲がり、それが周囲の石を死んだように握りしめている。近くには、銃弾の跡が残る壁のそばに、巨大な切断された頭の像が置かれている。記念広場の一つには、虐殺の日付が記された墓石のような、高さ一六メートルの石の十字架がそびえ立っている。

石の広場には、死んだ家族の遺体を探す孤独な母親の像が立っている。また、他の場所には、この虐殺を目撃した二二二人の足跡を刻んだブロンズの舗道が敷かれている。

ここはすべてにおいて、犠牲者意識のあふれる場所となっている。このことを強調するために、公式の犠牲者数が大きな文字であちこちに掲示されている。例えば、博物館の中では、この三〇万という数字がブロンズに鋳造され、それが暗い展示室の中で上から照らし出されている。また、記念広場では、花崗岩の壁に一一もの言語で表示されている。そして、この数字は記念館の巨大な階段の一つの石に彫られているし、多くの彫刻の側面にも黒いペンキで記されている。この数字はマントラのように記念施設全体で繰り返されており、あえてその権威に挑戦するかのようである。

このような数字には必ずといっていいほど、不確定な要素が含まれている。三〇万人という数字

この象徴的な数字は、この施設全体で繰り返し提示されている。

は、恐ろしいほどに高く、記憶に残るほどに端数のないキリの良い数字であり、そして、ある意味現実性を帯びるよう低く設定された数字であるともいえるが、実際には、一九三七年の末に南京で何人の人が虐殺されたかは誰にも分からないのである。中国の人々にとって三〇万というこの数字は、感情的なエネルギーを注ぎ込むことができるシンボルであると同時に、個々の殺人や人体の切断といった悲惨な現実を考えることから解放してくれるものでもある。日本人、特にこの虐殺を否定する右派の人たちにとって、この数字は都合の良い反論材料となっている。具体的に、どのような経緯で、このような数字となったのであろうか。これには軍人や民間人の犠牲者も含まれているのだろうか。また、周辺地域の人々も含まれているのか、それとも南京市中心部の人たちだけなのだろうか。当時の南京市の公式に報告されていた人口が一九万人程度であったにもかかわらず、どうしてこれほど多くの人々が殺害されたのだろうか。そこには難民として逃げてきた人も含まれていたのだろうか。これらの疑問はすべて妥当なものであるが、しかし、それらは日本兵が実際に行った蛮行から目をそらす材料にもなっている。

記念館の中央には、一〇〇〇点以上の遺品や虐殺の写真を展示した資料館が建っている。この施設で最も重要なのは、残虐行為の証拠となる生々しい写真の数々である。その中には、レイプされ、顔や腹、太ももなど三〇箇所以上も刺され、お腹の子を失ったが、本人は奇跡的に生き延びたという一九歳の妊婦の写真がある。街のあちこちにある集団墓地の跡地からは、遺品や遺骨が発見されている。この記念館の中にも、二〇〇七年の増築工事の際に発見された二三体の遺骨が入った集団墓地が見られる。

資料館の先の別の建物には二〇〇八の遺骨が埋葬されている第二の集団墓地がある。ここで遺骨を見学した後は、瞑想ホールへと誘われ、今見てきたばかりの光景の恐ろしさについて考え、ここに記録されている何百人もの犠牲者の名前に思いを馳せることができるようになっている。

南京に個人的なつながりを持たない外国人にとっても、この場所を訪れた時の体験は、かなり圧倒されるものである。よしんば、南京を故郷とする人々や、両親や祖父母がこれらの事件に巻き込まれた人々にとっては、耐え難いものであるに違いない。博物館の設計者はこのことを明確に理解しており、来場者がここで見知った酷い光景から解放されるように最善を尽くしている。暗闇に包まれた集団墓地や瞑想ホールを抜けると、外の喧騒が嘘のような、風に揺れる大樹に囲まれた明るく美しい「平和の庭」が現れる。黄色い花が並ぶ長いプールは空の色を映し出し、その奥には平和の女神の像が街を見下ろす形でそびえ立っている。

それにもかかわらず、痛烈なトラウマを感じずに、この場所から離れることは困難である。家に帰って思い出すのは、あの平和の女神像ではなく、博物館の入り口付近に立つ、遺族の母親の像であり、その静かな叫び声が、街全体の苦悩を暗喩しているかのようである。

私が初めてこの記念館を訪れたのは二〇一九年の四月であった。私はそこの研究員であるジャンジェンシュンから南京に招かれ、私の研究のいくつかを彼の同僚に紹介して欲しいとのことであった。私が南京に滞在している間、彼はツアーガイドと共に私を案内してくれた。

中国の二〇世紀史の研究者に会うたびに、私はいつも彼らに同じ質問をすることにしている。それは、中国が第二次世界大戦の出来事を記念するのに、なぜ四〇年もかかったのか、ということである。公的な記憶プロジェクトが本格的に動き出したのは一九八〇年代に入ってからであった。南京の記念館はその好例で、一九八五年になってようやく開館したが、なぜそんなにも時間がかかったのだろうか。

長年にわたって私が受け取ったこの質問に対する答えの中には、非常につまらないものもあった。何人かの歴史家は、内戦や朝鮮戦争、そして大躍進や文化大革命など、この四〇年間に中国は他に対応しなければならないことが多くあり、第二次世界大戦を再考する時間もエネルギーも持ち合わせてはいなかったと断言した。また、何人かは私の質問に対して、「中国も多くの欧米諸国とそれほど変わらないのではないか。世界の主要なホロコースト博物館や記念碑も一九八〇年代以前にはほとんど存在しなかったではないか」という見解で一蹴した。どんな国でも、過去のトラウマと折り合いをつけるのには多くの時間がかかるようである。

南京で会った研究者の中には、私の質問に対して、より政治的な見解を示してくれた人もいた。彼らは私に、中国共産党が階級闘争を重視していた時期は、日本に対する民族主義的な戦争の記憶は政治的には役に立たず、特段、興味深いものではないと考えられていたことを教えてくれた。毛沢東は、日本が中国を侵略してくれたことに感謝していたともいわれている。なぜなら、それは最終的には共産党が中国を支配するのに役立ったからである。毛沢東の死後、ようやく一九三七年のトラウマを見直すことができるようになった。共産党の指導者たちが中国の戦時中の苦しみを、国民をより団結させるための動機として利用できる可能性に気づいたのは、一九八〇年代に入ってからのことである。

私はジャンに、なぜ一九三七年の出来事を記念するのがこれほどまでに遅れたと考えているのか、と尋ねた時、彼の答えは全くの予想外といったものではなかったにせよ、それはとても気になるものであった。彼いわく、一九八二年以前は、古傷を修復しようという意欲がなかったのだそうだ。しかし、その年、日本の文部省が、自らの戦争責任を軽視するために、学校の歴史教科書の内容を変更するという、意図的な挑発行為を行ったという。「ここの人たちは過去の不幸な出来事を忘れたいと思っていた」と彼は私に説明した。そして「個人的には、私は、もし日本政府が大虐殺を否定するよう教科書の内容を改訂していなければ、おそらくこの記念館は必要がなく、建設されることはなかったと思う」と続けたのであった。

ジャンの発言は、方向性としては正しいが、実際には微妙な歴史の真実を無視してしまっている。確かに一九八二年に日本の学校教科書をめぐって国際的に大きな論争が起こったが、正確にはジャンがいうような修正は行われておらず、それは誤解に基づくものである。もちろん彼のいう通り、日本の歴史教科書には侵略を軽視する傾向があったというのはその通りではあるが、これは一九八〇年代における新しい現象ではなかった。より酷い修正や文言の削除はすでにその数十年前に行われており、一九五〇年代や六〇年代の一般的な日本の歴史教科書では、南京大虐殺についてほとんど触れられておらず、あったとしても、当たり障りのない文面でしか記述されていなかった。簡単にいえば、一九八二年には、改訂すべきことが何もなかったため、実質的な改訂は行われなかったのである。

一九八二年に中国当局が反応したのは、日本のこれまで主流にあった歴史観にではなく、実際には中国の方に有利に変化し始めていた日本の新たな歴史観への反発であったのだ。ジャンが指摘してくれたように、日本の右翼ナショナリストは一九八〇年代になると声高になり、その中には非常に暴力的な人たちも含まれていた。彼らは、日本人の罪を語る者に殺害予告を送り、時にはそれを実行に移すこともあった。しかし、その暴力の理由は、彼らが戦時中における日本の歴史に関する議論で明らかに負けていたからである。一九八〇年代の終わりまでに、日本の学術界の圧倒的多数が右翼的な言説を否定し、日本の戦争に対する集団的な罪の意識を受け入れていた。そして、それ以来、日本の歴史教科書のほとんどが南京大虐殺の記述を含む内容へと改訂されたのである。

したがって、この記念館は、一度にいくつかの衝動が重なって誕生したものだと思われる。第一に、それは中国の歴史における重要な瞬間へのより深い理解と、公に文書化すべきだという学術的必要性を満たしたこと。第二に、地域社会全体に傷を負わせたトラウマを、これまで切望されてきたように公に認めてもらうことができたことである。しかし最後に、それはまた一九八〇年代に台頭し始めた日中の新たな競争関係の中で第二次世界大戦の象徴として政治的な役割も果たすことになった。良くも悪くもこの南京大虐殺紀念館は、日本と中国が過去の集団的記憶をめぐって競い合うライバル関係の一面を持つようになったのである。

この三〇年の間に、中国では歴史意識が爆発的に高まり、特に第二次世界大戦の公的記憶が重要視されている。南京大虐殺はこの革命の中心であり、中国人犠牲者の国家的シンボルとなっているのだ。この残虐行為については、過去三〇年間に何千冊もの本が書かれ、何千本もの映画、テレビドラマ、そしてドキュメンタリー番組が作られてきた。今日、中国のテレビ会社は、一九三七年から四五年にかけての戦争をドラマ化した番組を年間二〇〇本ほど制作しているが、その大半が南京大虐殺を題材にしたものである。南京大虐殺記念館がこれほど巨大である理由、そして毎年、驚異的な数の来館者がある理由は、それが単に地元の施設ではなく、国家の施設だからである。南京は、中国のどこで起こったかにかかわらず、戦時中に起こったすべての残虐行為の象徴なのだ。それを証明するように、二〇一四年から南京大虐殺の記念日は国民の祝日となっている。

それとは対照的に日本では、変化のペースははるかに遅く、より不安定なものであった。一般市民の中には、特に政治的右派の人々の中には、自分たちの歴史の負の事実を認めようとしない人も見られる。彼らは戦争犯罪の存在を否定するわけではないが、その規模が中国の主張するほど大きかったのかどうかを疑問視している。また、中国が過去を持ち出し続ける動機についても、非常に強い疑念を抱いている。一部の日本の政治家が指摘するように、日本では長年にわたり、個人、団体、政府などから、多くの謝罪が行われてきたが、それでも中国の人々はそれにけして満足していないようなのである。近年、特にソーシャルメディアを中心に、右翼的な歴史修正主義が再び台頭し始めている。そこでは、南京大虐殺記念館は、日本を直接批判することだけが目的の施設なのだといった、かなり不当な非難がなされている。

ここに現在、大きな問題が存在する。中国人の犠牲者意識を和らげる唯一の方法は、謝罪、謝罪、謝罪の繰り返しであり、それぞれの謝罪は絶対に明確なものでなければならない。ドイツはヨーロッパにおいて隣国との間でこれを成し遂げてきたが、どうして日本はそれに倣わないのだろうか。しかし、今のところ、日本の右翼はもちろんのこと、主流派でさえ、それを実行に移す準備ができているわけではない。

日本からのそのような無条件の譲歩がなければ、中国のこの感情はさらに強くなる可能性がある。これは単純に人間の本性である。被害者としては、自分たちを傷つけた人たちが、自分たちの最もトラウマになるような記憶に対して疑義を挟む時、過去を克服することが困難となる。彼らにできることは、自分たちの物語をより大きな声で、より強く再確認することだけなのだ。中国の人々が大きな声を上げれば上げるほど、日本の人々はそれに対して防御的になっていく。そうしているうちに、客観的な歴史は、非難と否定の終わりのないサイクルによって、ますます窒息してしまうのである。

このように毒のある歴史を持つ両国の今後の関係を憂慮することは、このような状況では——しかし実際には、特にローカルなレベルでは希望の兆しもあるが——無理もない。南京大虐殺記念館では日本の仲間と共に膨大な量の和解活動を行っており、毎年何千人もの日本人が彼らに敬意を払うため、ここを訪れている。また、南京大虐殺記念館の学芸員と日本の学芸員との関係は概して非常に良好である。

このような協力の精神の証拠は他の場所でも見ることができる。南京を訪問した際、私は偶然にも地元の歴史家であるリュウ・シャオピンという寡黙で思慮深い人物と出会ったが、彼の故郷についての知識はまさに百科事典並みであった。彼は、人里離れた川沿いの幹線道路沿いにある、もう一つの大虐殺の記念碑を案内してくれた。そこは九八〇〇人もの中国兵が処刑された場所であった。一九八五年に、この場所を示すために、記念の石が、抽象的な三脚の彫刻と、石に彫られた花輪と共に設置された。

現在、この記念碑は手入れが行き届いており、綺麗に刈り込まれた生け垣が、交通量の多い道路からわずかに目隠しをしている。しかし、三〇年前に設置されて間もなく、この記念碑は実のところ荒廃していたのだ。地元の人たちもここにはほとんど注意を払わず、ゴミ捨て場として利用していたほどである。

リュウによると、今日、これほどまでに手入れが行き届いているのは、日本人旅行者の一団が敬意と反省の意を示すためにここへやってくるようになったからだと言う。ここの当時の様子を見て衝撃を受けた彼らは、地元当局に連絡し、当局がこの場を綺麗に整備することになったのである。この場所を救ったのは日本人による事件への関心であり、中国の地元当局は彼らと協力して、この場所で大虐殺の記憶が尊重されるよう尽力した。

中国人も日本人も、一九三七年末に南京で起きた出来事の歴史から逃れることはできないだろう。しかし、このような小さな行動こそが、その歴史を少しでも耐えられるようなものにする、最良の希望を提供することになるのではないだろうか。

第9章

韓国 慰安婦像

◆ソウル

中国と日本の関係が時折ぎくしゃくすることがあるとすれば、韓国と日本の関係は時にもっと悪化しているように見えることがある。韓国は一九一〇年から四五年まで日本の植民地であり、特に第二次世界大戦中は植民者によって冷酷に搾取されていた。そのため今日、韓国の政治家は過去を武器にして現代の日本を攻撃することが多い。近年、日韓両国の主張と反論は、一見果てしなく続くかのように見える責任転嫁の連鎖に陥っている。

この相互非難の嵐の中心には、二つの記念碑の存在がある。日本では、戦時中に関するナショナリストの感情の多くは靖国神社に集中しているが、それはここ韓国においては怒りをかき立てる原因となっている（この神社をめぐるさまざまな論争については、後の第14章で述べることにしよう）。一方、韓国人にとって、過去の辛い記憶は、ソウルの繁華街にある銅像——これは、日本の多くの人々、特に右派の人々が嫌うものとなっている——によって表象されている。

一目見ただけでは、この平和の像の何が不快なのか理解するのは困難である。それはただ椅子に座って手を握りしめているだけの若い女性、それも少女のブロンズ像なのだ。彼女は伝統的な韓服を着ている。そして肩には平和と自由を象徴する小鳥が止まっている。彼女の顔には、無表情だが決意

オリジナルの平和の像はソウルの日本大使館前に設置されているが、
この写真のような、複製が世界各地の都市や公園にも置かれている。
〔この像は韓国では「平和の少女像」と呼ばれているが、
日本では「慰安婦像」、そして世界的には「平和の像」と呼称されている〕

に満ちた表情を浮かべ、前をまっすぐに見つめている。彼女の隣には一席分の空いたスペースが設けられており、それはそこに座っても良いよという彼女からの誘いかもしれないし、また行方不明になった人の象徴なのかもしれない。

一見すると、この像には何の問題もないように思える。その少女には特に怒っている様子も動揺している様子もない。また、眉をひそめたり、不快感を与えたりするような仕草をしているわけでもない。そしてこの像に付けられた題名もまた非常に穏やかなものであり、いったいこの「平和の像」のどこが悪いというのだろうか。

この少女が誰を表しているのかを知って初めて、なぜ彼女がこのような感情を引き起こすのかを理解することができる。彼女は実際には「慰安婦」——それは戦時中に日本兵を相手に身体を売っていた（売らされていた）女性たちの歪曲表現である——を描いたものなのだ。一九三七年から四五年にかけて、何万人もの韓国人女性が騙されて「慰安婦」にされた。彼女たちはしばしば、遠く離れた工場での条件の良い仕事を約束された後、連れ去られ、性奴隷として売春宿に監禁されることがあった。当時、日本の当局はこのような人身売買を取り締まるどころか、見て見ぬふりをしていた。実際、少なくともいくつかの証言によると、日本軍はこの大規模な性奴隷制度に共謀していただけでなく、意図的に仕組んでいた可能性も排除できないというのだ。

この像が物議を醸しているのは、ソウルの日本大使館の真向かいの歩道に設置されているからである。少女の顔には怒りや傷は見られないが、彼女は外交使節団を直視し、握りしめた拳がそれを物語っている。韓国人はこれを「平和の少女像」と呼んでいるが、それ以上のものであることは明らかである。

韓国には常に強い反日感情の底流が存在する。二〇世紀以前、朝鮮はしばしば隣国と対立し、日本の力に対抗するために中国やロシアに頼らざるを得なかった。しかし、一九〇五年以降、日本がこの地域の最後のライバルを打ち負かしたことで、朝鮮は完全に日本の勢力圏入った。一九一〇年、朝鮮は正式に大日本帝国に併合され、その後三五年間にわたる植民地支配が始まったのである。

この搾取が頂点に達したのは日本の統治が朝鮮半島の人々の生活のあらゆる面に影響を及ぼした第二次世界大戦中であった。一九三九年から四五年の間に、約二〇万人の朝鮮人男性が大日本帝国陸軍に徴兵され、さらに少なくとも一五〇万人が日本の工場で働くために徴用された。女性たちもまた、日本人のためにあらゆる種類の仕事を強制された。一九四一年の布告によると、一四歳から二五歳までの朝鮮人女性は、毎年三〇日間、政府のために働くことが義務付けられていたが、これはまだ幼い少女の虐待を助長するような制度であった。戦争が終わる頃までには、あらゆる年齢層の女性が、それよりもはるかに長い期間にわたって日本軍に強制的に徴用されていた。これらの女性内の何割かは、工場に行くことなく、日本軍の慰安所に連れて行かれ、監禁されたのである。

残念ながら、第二次世界大戦が終わったからといって、朝鮮半島の問題が解消されたわけではなかった。隣国の中国やインドネシア、そしてベトナムのような植民地国家の人々とは異なり、朝鮮の人々は自分たちの解放に自ら参加したという満足感を得ることができなかった。日本は戦争の最後の瞬間まで朝鮮半島を支配していたが、その後、北はソ連に、南はアメリカにという具合に再度、別の国々に取って代わられた。韓国人自身は、自分たちの運命をほとんどコントロールすることができないようであった。

その後数年の間に、朝鮮半島には二つの対立する体制が押し付けられた。それぞれの制度は同じように残忍で、それぞれが異なる超大国の支援を受けていた。北部では、ソ連が共産主義の独裁者である金日成を擁立し、それ以来、彼の王朝がその地を支配している。南部では、アメリカに支援された冷酷な軍事独裁政権が一九八〇年代まで続いた。両者の対立は一九五〇年に勃発した朝鮮戦争によって激化した。この戦争によって少なくとも一二〇万人の命が奪われた。このような多数の流血にもかかわらず結局決着はつかず、今日に至るまで朝鮮半島は二つの国家に分断されたままである。

これらの悲劇はいずれも日本のせいではない。しかし、よく指摘されるように、これらの悲劇は、日本が最初に朝鮮を征服し、第二次世界大戦に巻き込むことがなければ、けして起こらなかったということである。

また、韓国人が憤慨する理由は他にもある。一九五〇年代、六〇年代、そして七〇年代と、韓国がまだ近年の激動の時代から立ち直れていない頃、隣国は空前の経済成長を遂げていた。間もなく、日本は再びアジア地域の紛れもない大国となり、多くの羨望を集めただけでなく、過去の不快な記憶をも蘇らせたのだ。

そこには経済力と並んで、政治力も加わった。一九六五年、日本は第二次世界大戦前と戦時中の残忍な支配に対する補償として、韓国政府に約八億ドルの補償金と融資を提供した。そして、その見返りとして、日本は両国関係の正常化と、将来的な日本への請求権の放棄を求めたのであった。韓国の軍事独裁政権は、このような条約に署名することを国民からは求められていなかったが、アメリカからの圧力で、それを行ったのである。その後数週間にわたり、ソウルの街頭では、一連の反日デモが勃発したのであった。

多くの韓国人にとって、日本とアメリカへの新たな従属は、主に日本人観光客とアメリカの軍人を対象とした巨大な新しい性産業に象徴されていた。韓国人女性、ひいては韓国自身が、外国からの搾取から未だ抜け出せていないように思えたのだ。

このような歴史を考えれば、「慰安婦」というイメージが何か韓国の国家的なシンボルのようなものになるのは、今日、当然のことのように思える。外部の人間に支配され、レイプされ、奴隷にされ、それでも何とか尊厳を保ってきた女性の姿は、二〇世紀の韓国の苦悩を見事に表すメタファーである。このことは、ソウルの平和の少女像によって表象されている。

しかし私は少し先を急ぎすぎたようだ。一九八〇年代の初めには、これほど明白なものは何もなかったのだ。実際、一九八〇年代の終わりまで、韓国で「慰安婦」という言葉を聞いたことがある人はほとんどいなかった。かつて慰安婦だった本人も、家族に恥をかかせることを恐れて、ほとんどがあえて自分の話をしなかった。韓国政府も、彼女たちが名乗り出るよう後押しすることはなかった。すべての問題は、恥の名のもとに隠されていたのである。

この沈黙が破られたのは、韓国が民主化改革への道を歩み始めた一九八八年のことであった。その年、韓国のとある教会団体がセックス・ツーリズムに関する学会を開催し、そこでユン・ジョンオクという研究者が、第二次世界大戦中の韓国人女性の扱いに関する研究成果を報告したのである。彼女の論文は一大センセーションを巻き起こした。その後のメディアの嵐の中で、韓国政府と日本政府には突如として詳細な情報提供の要請が殺到した。

日本では、残念ながら当初の反応はそれらすべてを否定することであった。一九九〇年、日本政府は「慰安婦制度は政府や軍が作ったものではなく、民間企業が作ったものだ」と主張した。

しかしその後、元慰安婦のキム・ハクスンが名乗り出たことで、この問題は急に現実味を帯びてきた。彼女が初めてレイプされたのは一九四一年、一七歳の時に日本兵に拉致された後のことだった。養父と一緒に仕事を探すために北京を旅していたところ、二人は日本兵に逮捕され、離れ離れにされてしまったのだ。その後四ヶ月もの間、彼女は軍の慰安所に囚われていたが、韓国人の旅行販売員の男と一緒に脱出に成功し、後に彼と結婚している。

それから数ヶ月、数年もの間に、アジア各地から何百人もの女性たちが同じような証言を行った。フィリピン人のローラ・ローザのように、抵抗運動の罰として慰安所に送られた女性もいた。また白人のオランダ人駐在員ジャン・ラフ・オハーンのように、日本軍将校用の戦利品として扱われた女性もいた。しかし、その大多数は兵士に拉致されたり、悪質な仲介業者によって家族から引き離されたりした普通の農民や工場労働者、そして女子学生たちであった。彼女たちの話は、一様に恐ろしいものであった。ソウルに拠点を置くNGO団体「韓国挺身隊問題対策協議会」は、繰り返されるレイプだけでなく、過激な身体的暴力をも含む何十件もの証言を収集している。また、中国、インドネシア、フィリピンにおいても同様の団体がこのような証言を集めている。その後、これらの問題は国連人権委員会に提起され、ジュネーブ国際法律家委員会による調査が行われた。

これらの機関や日本の研究者たちの調査結果は明確なものであった。日本軍は正式には韓国人女性を性奴隷として徴用していなかったかもしれないが、韓国人女性が収監されていた慰安婦のネットワークを計画し、構築し、運営に関わっていたことに間違いはなかった。さらに、軍の最高幹部たちが、彼女たちの多くが自分の意思に反して徴用されていることを認識していたことも明らかとなった。

これらの事実は、一九九〇年代に入って韓国でも徐々に知られるようになり、大きな反響を呼んだ。ソウルでは、地元の活動家たちが街頭で怒りの声を上げることに決めた。一九九二年一月、日本の宮沢喜一首相が訪韓した際には、日本大使館の前でデモが行われ、法的にきちんとした謝罪を求める横断幕が掲げられた。

やがて、このデモは毎週行われるようになり、水曜日の正午には大使館の前に人だかりができるようになった。これはその後、二五年以上にわたって毎週行われており、事実、この原稿を書いている現在も継続中である。ここでは可能な限り、かつての「慰安婦」である老婦人たちが先頭に立って活動している。彼女たちは、韓国の国民的被害者意識の生きた象徴として称賛されており、総称として国民の「おばあさん」と呼ばれているのだ。

このような状況の中で、この平和の像が設置されたのである。二〇一一年、水曜デモの主催者は、近々に迫った抗議活動の記念日――その年の一二月一四日に日本大使館前でのデモが一〇〇〇回目を迎える――を祝いたいと考えていた。彼らはキム・ソギョンとキム・ウンソンの夫婦にデモ隊が集まる場所に設置する記念碑の制作を依頼した。当初、何か碑文を刻んだシンプルな記念石をデザインすることが考えられていたが、日本政府が大使館の外にこのようなものを置くことに反発し始めたため、彼らはもっと目立つもの、つまりはこの像を提案したのである。

もしこの像が、教会や政府の建物の外、あるいは旧慰安所の跡地など、別の場所に建てられていたなら、もっと穏やかな意味を持ったかもしれない。犠牲者意識の表象として、韓国の人々に追悼と、彼らの問題を抱えた過去を想起し、古傷を癒す場となったかもしれない。そして、彫刻家が推進したかったプロセス、つまりある種の平和の探求の助けになったかもしれない。しかし、この像は最初から、この場所のためだけに意図的に制作されたものだった。その結果、この像を単に被害者意識の表現や平和の象徴としては考えられないのである。それはまた、日本に対する非常に強い抗議の体現でもあるのだ。

日本側は、これは不当だと主張している。彼らは、すでに金銭的な賠償を繰り返し、戦前・戦時中に韓国に対して行った過ちを何度も謝罪してきたというのだ。これは紛れもない事実である。一九九〇年代半ば、日本政府は「慰安婦」問題を公表し、被害者に「償い金」で補償することを目的とした「アジア女性基金」の設立を支援した。同じ頃、日本の村山富市首相は、韓国訪問中だけでなく、被害者本人に宛てた個別の手紙においても、何度も謝罪を表明した。その後の日本の歴代首相もまた同様に謝罪を行っている。右翼的なナショナリストとして知られる安倍晋三首相でさえ、二〇一五年一二月にはわざわざ、「慰安婦として数多の苦痛を経験され、心身にわたり癒しがたい傷を負われた全ての方々に対し、心からおわびと反省の気持ちを表明する」と述べている。

しかし、韓国の抗議者たちが指摘するように、これがすべてではない。彼らは、日本の謝罪の中には、中途半端なものも見られ、メディアでは日本のナショナリストからの大声での攻撃的な否定によって、それがかき消されてしまっていることが多いと主張している。確かに、アジア女性基金を通じて「慰安婦」制度の元被害者たちにはお金が支払われたが、それは日本政府が直接支払うべきだったのだ。このような間接的な方法を取ることは、日本政府が法的責任を逃れようとしている例の一つに過ぎない。そして、二〇一五年に日本政府によってより直接的に設立された新しい基金も、受け入れられず却下されている。

問題の核心は、日本人が過去に対する道義的責任を受け入れようとはしているが、直接的な法的責任はまだ受け入れていないというところにある。これこそが、韓国の活動家たちが何よりも切望していることなのだ。彼らは、日本政府が意図的に韓国人女性の奴隷化を計画し、そのためのシステムを構築し、最初から最後まで自分たちが何をしているのかを正確に知っていたことを公式に認めることを望んでいる。

残念ながら、それを正確に証明する決定的な証拠書類がなければ、日本側は何も準備してはくれないのだ。

その間、この平和の像はソウル市内の通りに座り続け、日本大使館を静かに非難するように見つめているだろう。二〇一一年からは、この像は街の恒久的な象徴となっている。

今日、他の都市でもこの哀願が取り上げられている。設計者によると、現在、韓国全土の公園や都市には、他にも数十体の同じ像が設置されているというのだ。二〇一八年には、ソウルでの抗議行動を真似て、釜山の日本領事館の外にこれらの像の内の一体が設置された。それだけにとどまらず、アメリカ、カナダ、オーストラリア、ドイツなど、他の国にも登場し始めている。

これは武器としての犠牲である。韓国の被害者たちは、自分たちに道徳的に優位に立っていることを知っており、抗議活動を続けること、おそらく永久に抗議活動を続けることが、自分たちの話を聞いてもらうための最善の方法であることを認識している。一九三七年から四五年の間に、繰り返しレイプされた女性たちは、けしてそのような自分たちの歴史から逃れることはできない。彼女たちが望む最善のことは、平和の像のような記念碑を通じて、日本もその歴史から逃れることができなくなることである。

第10章

アメリカとポーランド カチン記念碑

◆ジャージーシティ

ハドソン川を見下ろすジャージーシティには、世界でも最もドラマチックな第二次世界大戦の記念碑が建っている。花崗岩の台座の上に立つ高さ一〇メートルのブロンズ像は、束縛され、猿轡(さるぐつわ)を嚙まされた兵士が、その背中を銃剣で突き刺されている姿で彫刻されている。彼は死の苦しみの中にいるように見える。痛みに悶えて身体を弓なりにのけ反らせ、顔は天を仰いでいる。そして銃剣の先はまさに心臓のある左胸を貫通している。

この記念碑は、一九四〇年にソ連の秘密警察が行った残虐行為、すなわちロシアのカチンの森で何千人ものポーランド人将校が虐殺された事件を顕彰している。一九九一年にここに設置されて以来、この記念碑は地元の意見を二分してきた。住民の中には、「醜くて下品だ」、「暴力的な死の描写が生々しすぎる」と不満を持つ人もいる。しかし、この作品を「暗くて美しい」と評価する人もいるのだ。彼らがいうには、この作品が引き起こす不快感こそが、優れた戦争記念碑が持つべき感情なのだそうだ。

しかし、二〇一八年の五月、この像は突如として地元の感覚をはるかに超えた論争の中心となった。それはジャージーシティのスティーブン・フループ市長が、この記念碑を近くの別の場所に移す

KATYŃ
1940

計画を発表したことから始まった。この地域は再開発が進められており、この場所は川沿いの新しい公園整備予定地に指定されたのだ。そのため、この記念碑をここから移動させなければならなかった。

ポーランド系アメリカ人のグループはすぐにこの移動に抗議し、市議会を相手に訴訟を起こした。この記念碑は自分たちの記念碑であり、その移転にあたって適切な協議が事前に行われていないことを問題とした。彼らはこの再開発に反対する他の地元住民によっても支持されることになった。数日のうちに、これは国際問題へと発展していった。ポーランドの駐米大使が、記念碑の移転についてソーシャルメディア上で不満を表明したのである。ポーランドの政治家たちも、ジャージーシティがポーランドの英雄たちを軽視していると抗議し、彼らの計画を「実にスキャンダラスだ」と非難した。これに対しフループ市長は、これらの政治家のうちの一人を「有名な反ユダヤ主義者」、「ホロコースト否定論者」だと非難して反撃し、その政治家は法的措置を取ることになった。すぐに、怒りの声があちこちで上がった。この地域の再開発を担当した業者は、このモニュメントを「気味が悪い」と非難し、また、この記念碑をデザインした芸術家は、この開発業者を「まぬけ」だと罵ったのであった。

中立的な立場から見ると、この見苦しい光景は様々な種類の疑問を提起しているように思える。記念碑がこの目立つ場所から、たった数百メートル離れた別の場所に移されるだけなのに、なぜ地元の人たちはこんなにも怒り出したのか。第二次世界大戦が終わって七〇年以上経った今、なぜこのような大騒ぎになっているのか。そして最も重要なことだが、この像がそもそもニュージャージー州で何をしていたのかということである。それが記憶し表象する出来事に、アメリカ市民は一人も関わっておらず、アメリカの国土から七二〇〇キロ以上も離れた場所で起こったのだ。では、どうして、そんな事件の記念碑がここに設置されたのだろうか。

ここでは、国内外のさまざまなテーマに対処する必要があるため、いったいどこから手をつけていいのか分からないほどである。しかし、それらを結び付け、ほどけないようにしている要素はほかならぬ歴史である。歴史から逃れることがいかに不可能であるか、特にその歴史が犠牲者意識の要素を含んでいる場合には、これ以上の実証はなないだろう。


多くの記念碑がそうであるように、この記念碑もまた、その見かけほど単純なものではないため、これが正確に何を記念しているのかについて少し考えてみる必要がある。

第二次世界大戦が始まってすぐ、ポーランドがドイツの侵攻からその身を守っている間に、今度はソ連が彼らの後方から攻めてきた。つまり、ポーランドはまさに「背中を刺された」のであった。数週間のうちに国は真二つに分けられてしまった。西はナチスが、東はソ連がそれぞれ自国へとその領土を組み込んだのだ。ソ連の占領者たちはナチスと同じくらい残酷な存在であった。一九三九年九月から四〇年三月にかけて、ソ連の秘密警察は何十万人もの人々を逮捕した。その中には、彼らの支配に将来的に脅威をもたらす可能性のある人々も含まれていた。ポーランドの地主、実業家、聖職者、弁護士、教師の他、知識人などである。大多数の人々がシベリアやカザフスタンに強制移送させられ、そこで自活することを余儀なくされた。何万人もの人々が餓死することとなった。これらの出来事を表象して、台座の裏には、裸足でボロをまとった女性と三人の子供が描かれたブロンズのレリーフが取り付けられている。彼らの上には「一九三九年シベリア」と書かれており、その下には彼らが追放されるに至った、ソ連の一連の裏切り行為が記されている。

このような国外追放が行われている一方で、もっと悲惨な運命をたどった集団も存在した。ポーランドの兵士や警察官は単純に処刑されてしまうことが多かったのである。最も悪名高い殺害現場はロシアのカチンの森であり、ここでは数千人のポーランド軍将校が殺害され、死体はまとめて埋められたのであった。これらの恐ろしい出来事は、まさにここに記されている通り、この記念碑の中心テーマである。花崗岩で作られた土台の中には、残虐行為が行われた森から採取した土が入れられている。

戦争の末期になってもなお、ポーランドは他にも次々と「背中を刺された」ような、仕打ちを受けることになった。例えば一九四五年の初めにヤルタで開催された三巨頭会談で、スターリンはポーランド東部の広大な地域をソ連に編入するよう要求した。その代わり、ポーランドには敗戦国ドイツから奪った新しい土地を補償するというものである。この取引は、ポーランド自身に何の相談もないまま行われ、その影響は非常に大きなものであった。戦後、約一二〇〇万人のポーランド人がポーランドの東部地域から強制的に追放され、西部地域へと送られた。一九四五年の時点で海外にいた一〇〇万人以上のポーランド人が、突然、帰るべき故郷を失ったのである。その中には、戦争中に連合国のために戦った数十万人のポーランド人兵士や飛行士、そしてドイツの工場や強制収容所での奴隷状態から解放された人々も含まれていた。これらの人々は、自分たちの土地を奪ったソ連だけでなく、それを黙認しているイギリスとアメリカにも裏切られたと感じたのである。

最後の侮辱は、一九四五年にソ連がポーランドをその支配圏に置いたことであった。ポーランド国民は、戦後、自分たちで自由に政府を選ぶことができると約束したにもかかわらず、ソ連は自らの傀儡政権を押し付けたのである。以後四四年間、ポーランドはソ連の利益のために属国となった。自由な選挙が再び行われるのは、一九八九年の共産党政権崩壊を待たねばならなかったのだ。

ジャージーシティにある記念碑は、これらすべての出来事を記念している。表向きはカチンの森大虐殺に捧げられているが、「カチン」という言葉自体が、二〇世紀後半にポーランド人が被ったあらゆる裏切りの象徴となっている。台座の上で銃剣を突き立てられている兵士は、一九四〇年にカチンで殺された何千人ものポーランド人将校以上のものを表象している。また、彼はその悲劇的な犠牲のすべてにおいて、ポーランドそのものをも表しているのだ。

この記念碑は国家のシンボルであり、国家の苦しみを表している、という結論でここでの分析を終えてしまいたくなる。しかし、この記念碑を建てた人々にとって、ここにはそれ以上の意味があるのだ。それはポーランドの歴史だけでなく、ジャージーシティの地元の歴史や、戦争の影響でこの地に移住して来た人々の個人的な歴史とも密接に結びついている。

一九四五年、ポーランドからの政治難民の数は、ヨーロッパのどの国よりも多かった。アメリカにたどり着いた約二〇万人の難民の内、約一万人がニュージャージー州に定住したが、そこにはすでにポーランド人移民の共同体が存在していた。彼らは仕事を見つけ、新しい生活を築き、英語を学び、アメリカの生活を受け入れていた。しかし、彼らは自分たちの伝統を忘れることはなかった。彼らの多くは「ポーランド系米国人議会」や「ポーランド・ローマ・カトリック連合」など、ポーランド系アメリカ人主催の文化的・政治的グループに参加した。第二次世界大戦によって生活が分断されてしまった移民たちにとって、このような組織は、自分たちの新しいアイデンティティを確立する機会を与えてくれた。そこで彼らは、ポーランド人であると同時にアメリカ人であることを学ぶことができたのである。

一九八〇年代初頭、ポーランドの退役軍人たちが集まり、彼らが経験し、生き抜いてきた様々な悲劇、特にカチンでの大虐殺を記念する方法について話し合った。このグループには、イタリアで西側連合国と共に戦ったウォルター・ソスルスキやリシュタルド・ウィノフスキ、そして、ポーランドの抵抗闘士としてナチスと戦っただけでなく、シベリアのソ連の強制収容所にも長年入れられていたスタニスラフ・パストゥールなどの退役軍人が含まれていた。彼らは他のポーランド系アメリカ人と協力して、自分たちの共同体の中心に記念碑を建てるためのアイデアを出し合った。

一九八六年、彼らは資金集めのための非営利法人を設立した。そして彫刻家のアンドレイ・ピティンスキーに頼んで、彼らの感情の強さに相応しい、ドラマチックなものをデザインしてもらったのだ。その後、市議会に働きかけ、自分たちの記念碑を公の場に設置する許可を求めてロビー活動を行った。最終的に、ハドソンを挟んでマンハッタンを見渡せる川沿いの場所、エクスチェンジ・プレイスに場所が与えられることとなった。そして一九九一年の六月、ついにこのカチン記念碑は完成したのである。

当時のジャージーシティは非常に変わった場所であった。ハドソン川沿いの工場や貨物ターミナル、そして倉庫などで働く労働者階級の多い街であった。それは、この記念碑の建設を推進したグループにも反映されており、そのメンバーにはジャーナリストや教師だけでなく、大工や鋳物工場の労働者も含まれていた。

しかし、その後、数年の間に、川向こうのマンハッタンよりも安い不動産を求めて、新しいビジネスがこの地に移ってきた。ヤッピーやヒップスター、金融業界のホワイトカラーの労働者など、新しい住民が次々と集まってきたのだ。これらの人々は、なぜ自分たちの共同体の中心にこのような暴力的な死の生々しい表象物があるのか理解できなかった。街を席巻し始めた高級化は、物価を上昇させ、古参のブルーカラーの住民たちの多くは追い出されていった。カチン記念碑のあるエクスチェンジ・プレイスの再開発は、こうした高級化の最新の例に過ぎなかった。この記念碑の移転に反対する抗議の重要な要素は、ポーランド人のアイデンティティや第二次世界大戦の記憶とは関係なく、急速に消滅しつつある地域社会のアイデンティティや記憶に関係していたのだ。

カチン記念碑には、このようなローカルなアイデンティティを示す印も刻まれている。二〇〇一年、マンハッタンのツインタワーに二機の旅客機が衝突した時、カチン記念館を訪れていた人たちは、川を挟んで繰り広げられる惨事の様子をまじまじと眺めることができた。三年後、九・一一を記念して、この記念碑の土台に新たなプレートが追加された。それはブロンズ製のレリーフ彫刻で、そこにはニューヨーク市のスカイラインと、被災したワールド・トレード・センターのツインタワーから煙が吹き上がる様子が描かれている。その下の碑文には、「けして忘れるな！」と記されている。そして「二〇〇一年九月一一日のアメリカへのテロ攻撃で亡くなったすべての罪のない犠牲者と英雄のために祈ろう」と文言は続いている。

このプレートは、カチンやポーランド、そして第二次世界大戦といったい何の関係があるのだろうか。答えは、全く何もない。しかし、それはまた別の「背中を刺された」という地元の記憶に関係しているのだ。

国際史、国家史、地域史、個人史……これらの歴史のそれぞれの層が、この一つの記念碑に表現されている。そして、それぞれの層には、トラウマや苦しみや裏切りの深い感情が込められている。カチン記念碑は、世界で最も感情を揺さぶられる記念碑の一つである。そのため、スティーブン・フループ市長が、単に商業的な再開発のためだけに、この記念碑をエクスチェンジ・プレイスから移動させるという驚きの発表をしたことが、これほどまでに防御的な怒りをもって迎えられたのも不思議ではないだろう。

この発表が行われてからの数日間、地元紙や全国紙、ソーシャルメディアや市議会において、そしてポーランドのラジオやポーランドとアメリカの外交官の間で、この件に関する議論が行われた。この感情の嵐の中心に立っていたのは、地元のポーランド系アメリカ人コミュニティであり、彼らの多くがまたしても裏切られたと感じていた。この記念碑を目立つ場所から他の場所へ少し移動させるという、市議会議員にとってはほんの些細なことに見えるようなことが、ポーランド系アメリカ人には想像を絶する影響を与えたのである。戦争を生き抜いた彼らは、自分たちの意思に反して根こそぎ移動させられることがどういうことかを身をもって知っていた。彼らに相談することなく、彼らの記念碑を移動させるという決定は、深くトラウマとなった歴史を想起させるものだった。

　大西洋を隔てたポーランドでは、その感情への理解ははるかに進んでいたが、それでもこの全体像を十分に把握していたわけではなかった。ポーランドはカチン記念碑を、ポーランド人のアイデンティティの象徴として受け入れていたが、実際にはこれはそれとは少し違い、ポーランド系アメリカ人のアイデンティティの象徴であった。カチン記念碑は、一九四五年以降に亡命を余儀なくされたポーランド人に特有の、ある種の喪失感と犠牲を記念するものなのだ。

　ジャージーシティのカチン記念碑が、ポーランド国内に存在する数々のカチン記念碑よりもはるかに生々しく、ドラマチックであるのは偶然ではない。この記念碑を建てた人々は、友人や家族だけでなく、故郷や帰属意識も失っていた。彼らの中には、一九四五年以降、二度とポーランドを見ることができなかった人もいる。彼らのポーランド人らしさというものは、他の人々、たとえ他のポーランド人であってもけして理解できない方法で、この記念碑によって定義されたのだ。

　最後に、この論争には、ジャージーシティの住民だけが理解できるようなローカルな側面もあった。古くからここに住む人々は、高級文化を推進し、新しく来た人や大企業のニーズを自分たちよりも優先する議会に裏切られたと感じていた。そのような人々にとって、カチン記念碑は、皮肉にも現在背中を刺された状態であるともいえる地元のアイデンティティの象徴でもあったのだ。

議員の中にも、このような感情と心を一つにする人が現れた。市議会議員の一人、リッチ・ボジアーノは、この記念碑をそのままにしておくことを特に声高に主張した。彼は地元紙に、「新しくここにやってきて、ジャージーシティのすべてを変えようとする人たちにはうんざりしている」と語っている。

一度怒り出した人々を再び落ち着かせるのは難しい。市議会は自分たちの過ちを正そうと、地元のポーランド系アメリカ人コミュニティのリーダーに相談し始めたが、時すでに遅かった。市議会は、この記念碑を一区画南のヨーク通り沿いに移動させることを約束したが、憤慨した抗議者たちは交渉を拒否した。これに賛成の意見を述べた人は、誰もが怒鳴られることになった。カチン記念委員会の会長が記者会見で市議会のこの提案を受け入れると発言すると、ブーイングが浴びせられた。またポーランド大使がこの問題の火に油を注ぐ形で支援を申し出ようとした時、ボジアーノ議員は彼を「クソ野郎」と呼んだ。ポーランド大統領自身はこの移転を承認したが、すぐに地元の抗議者から裏切り者として糾弾された。二〇〇八年五月、大統領が個人的にこの記念碑を訪問した際、「恥を知れ!」と叫ぶデモ隊によって迎えられたのである。

この抗議の大混乱を煽った力は、記憶と犠牲であり、反対派の人たちの頭の中ではこれらが組み合わさって「歴史」と呼ばれる単一の実態が形成されていた。市議会の計画会議で、彼らは市が「歴史を消し去ろうとしている」と非難した。また公的なデモでは、「Respect Our History!(私たちの歴史に敬意を!)」と書かれた巨大な横断幕を掲げた。彼らにとってこの歴史は、進歩や調和、妥協などその他の何よりも大切なものであり、それを脅かすものは、彼らのアイデンティティに対する脅威だとみなされたのである。

最終的に、何度かの白熱した会議、二通の請願書、そして住民投票の計画などを経て、市議会はこの案を撤回した。記念碑を巡る話題が妨げとなって、他の多くのビジネスに混乱を生じさせる恐れが出たからである。議論が始まってから七ヶ月後の二〇一八年一二月、市議会は全会一致で「永久に」この像をそのままにしておくことを決議した。

この物語には、それぞれの政治的な視点から様々な捉え方があるだろう。例えば、これは権力と金の力に対抗して大胆不敵に立ち上がった一般市民の勝利と見ることも可能である。あるいは、ヒステリックな暴徒に身代金を要求された進歩勢力の敗北と見るかもしれない。いずれにせよ、それは一つの基本的な真実を示している。それは、私たちのコミュニティの日々の運営において、私たちは皆、歴史の囚人であるということだ。私たちがこの真実を忘れたり、無視しようとしたりすると、必然的にそれは私たちに襲いかかってくることになる。

この戦いに勝利した反対派たちにとって、彼らの記念碑は今、苦しみだけなく、力強さを物語るものといった、もう一つ新たな意味を持ち始めた。今回だけは犠牲者が頂点に立った。彼らの勝利がもたらす心理的な影響は、潜在的に大きなものである。今日、ジャージーシティの人々は、この目隠しされた兵士にだけでなく、少なくとも象徴的なレベルでは、ライフル銃とその銃剣を握っている見えない手にも自分自身を重ね合わせて考えることができるようになっている。

地元のインターネットフォーラムに投稿されたある住民の言葉を紹介しよう。そこにはこう書かれている。「私はあの記念碑が大好きだ。ジャージーシティへ、ようこそ。俺たちをなめるなよ」。

第11章

ハンガリー ナチス・ドイツ占領下における犠牲者追悼記念碑

◆ブダペスト

ソウルにある平和の像の問題点の一つは、韓国の「慰安婦」問題のすべての責任を日本に押し付けていることにある。もちろん、最終的な責任は常に日本軍にあるが、この悲劇を引き起こした責任はこれに関わった他の多くの人たちにもあった。彼女たちの証言によると、韓国人女性は日本兵にではなく、韓国人の協力者や仲介人によって拉致されることも多かったという。戦後、彼女たちが受けた恥辱は、彼女たち自身の社会によってさらに拡大されることとなった。また、一九六五年に日本政府から受け取った金銭的な補償金は、彼女たちの元へは渡らずに、韓国政府が公共インフラ整備のためにその懐へと入れていた。これらのことは、平和の像には表象されていない。国家は自分自身を見つめるよりも、外部の人間を非難する方がずっと簡単なのだ。

これが抽象的な記念施設や記念碑の問題点の一つであり、歴史を単純化しすぎてしまう傾向があるということだ。また、過去についての一つのドラマチックな物語を追求するあまり、別の、よりニュアンスのある物語を曖昧にしてしまう恐れもある。さらに、記念碑の持つ意味の難読化は時に偶然ではないこともある。

皮肉屋の政治家たちは、時折、過去を白紙にするかのように意図的に設計された記念碑を建てるこ

A NÉMET MEGSZÁLLÁS ÁLDOZATAINAK EMLÉKMŰVE

とがあり、その際、そこにはしばしば犠牲者のモチーフが主な手段として利用される。犠牲者には道徳的な力があり、犠牲者はけして手の届かない存在なのだ。二一世紀になって、ほとんどすべての国が自分自身を犠牲者として表象することを望んでいる。

ヨーロッパで最も物議を醸している記念碑は、おそらくブダペストの「ナチス・ドイツ占領下における犠牲者追悼記念碑」だろう。この記念碑は、七〇年前にドイツ軍がハンガリーを占領した瞬間を記念して、二〇一四年にハンガリーのフィデス政権によって建てられたものである。ドイツ占領下では、何十万人ものハンガリー人が殺害された。彼らは強制収容所に強制移送されたり、ドイツ軍の指導の下で徴兵され、戦場で命を落としたりしたのである。この記念碑は、亡くなったすべての人々を追悼するために建てられたものである。

そのデザインは、古典的な列柱の前に配置された二つの主要な像を中心に構成されている。手前にはハンガリーの象徴である大天使ガブリエルが両手を広げた姿で立っている。彼の片方の翼は折れて無くなってはいるが、彼の身体を覆う布の端がはためくことで、かつての姿を彷彿とさせている。顔には穏やかな苦しみの表情を浮かべ、目は閉じられている。そして手には、ハンガリーのシンボルである二重の十字架が付いた金色の球体が握られているが、彼はそれを無造作に掲げているだけで、今にも奪われそうなことに気づいてはいないようだ。

彼の頭上には、列柱の上から突如舞い降りてくる、ドイツを象徴する鷲が描かれ、この寓話の第二の登場人物となっている。下の穏やかで無邪気な天使とは対照的に、この鷲はすべてが攻撃的な姿である。突き出した爪は鋭く、羽はガブリエルの翼のような柔らかい羽毛ではなく、まるで刃のようだ。そして鷲の足首には、「１９４４」と西暦が刻まれた金属製のリングがついている。

この彫刻のメッセージを理解するのは難しくはない。穏やかで平和なハンガリーが、冷酷で攻撃的なドイツに襲われているのだ。ハンガリーは無実の犠牲者、傷ついた天使として描かれている。そしてドイツが、ドイツだけが暴力の罪を犯しているのである。

この記念碑に対しては、様々な人から多くの反対意見が寄せられており、どこから手をつけていいのか分からなくなるほどである。建築家、立案者、そして政治地理学者は、この場所は国民的記念碑を設置するにはふさわしくないと批判した。これはブダペストの自由広場（Szabadság Tér）の南端にある狭い土地に建っているが、その前には細い道路が通っているため、見えにくく、近寄ることもできない。また、芸術家たちは、その美学をウィーンのバロック様式と社会的現実主義のキッチュさが入り混じったようなものだと批判した。受賞歴のある彫刻家、ジョルジ・ヨヴァノヴィッチは、この建物を「混乱した悪夢」と呼び表した。

しかし、主な反対意見は、その欠陥のある表象性に関するものであった。一九四四年三月がハンガリーにとって悲劇的な瞬間であったことを否定する人は確かにいなかったが、この記念碑の表現方法に、疑義を挟んだのである。当時のハンガリーはこんなにも無邪気な天使だったのか。はたしてドイツだけが侵略者だったのか。この時期に起こった様々な出来事は、このような姿とは全く違った、もっと違和感のある話だったのではないのか。

この記念碑が建設される前から、ハンガリーの著名な歴史家のグループは政府に公開書簡を送り、その表象が「歴史の捏造に基づいている」と訴えていた。彼らに加えて、様々な政治家や国際機関、そして地元のユダヤ人団体も同様の内容の公開書簡を報道機関を通じて発表した。国際的な舞台でも抗議活動が展開された。アメリカとイスラエルの外交官は、この記念碑案に怒りをあらわにし、アメリカの上院議員の一団はハンガリー政府に対し、デザインを進める前にユダヤ人コミュニティの代表者に相談するよう求める連名書簡を送った。欧州議会でも、この記念碑を巡って激しい議論が交わされることとなった。

これらの人々が指摘したように、占領の歴史は、この記念碑が示唆するよりもはるかに多くの議論を呼ぶものであった。彼らはハンガリー政府に、ハンガリーがドイツの犠牲者であるどころか、戦争期間の大半をドイツとの同盟国として過ごしていたことを思い出させたかったのである。一九四四年のドイツ軍よる占領は、ハンガリーが連合国と個別に講和する可能性をヒトラーが阻止したかったからであり、実際には、特に暴力的な出来事ではなかった。ドイツ軍は何の抵抗を受けることもなく到着し、全く流血することなくこの地を占領したのだ。そして、ドイツの支配に対するハンガリーからの抵抗もほとんど何もなかったのである。

ドイツ占領下における真の犠牲者が明らかになるのは、後になってからのことである。この記念碑が与える印象に反して、犠牲者の大部分は一般のハンガリー人ではなく、ハンガリーのユダヤ人だった。三月一九日、ブダペストに最初に到着したドイツ人行政官の一人が、ホロコーストの立役者であるアドルフ・アイヒマンであった。彼と彼のチームは、四ヶ月以内に四三万八〇〇〇人のユダヤ人をアウシュヴィッツへと強制移送する計画を立てた。ホロコースト史家のソール・フリードランダーによると、これらのユダヤ人の九〇パーセント、合計約三九万四〇〇〇人が強制収容所に到着した後、殺害されたという。その後、約二万人のシンティ・ロマの人々も、少数の「堕落者」や政治犯と一緒に、殺害のために連れて行かれたのである。

これまた、この記念碑が与える印象に反して、これらの犯罪の唯一の加害者はドイツ人ではなかった。ホロコーストがハンガリーで始まったのはドイツ占領後であったが、ハンガリー人が進んで協力しなければ、これほど早くは事が進まなかっただろう。実際には、ホロコーストの基盤は何年も前にすでに築かれていたのである。ハンガリーにおいて最初の反ユダヤ法が導入されたのは一九二〇年のことであり、ホルティ・ミクローシュ政権は、大学に入学できるユダヤ人学生の数を法律で厳しく制限したのであった。

一九三八年以降、他の反ユダヤ主義的な法律も次々と制定された。ハンガリーのユダヤ人は、定義され、分類され、登録されることとなった。ユダヤ人は政府の仕事から公式に排除され、メディアや法曹界、医学界での仕事の機会は厳しく制限された。また、選挙権も与えられなかった。一九四一年からは、非ユダヤ人との結婚や性的関係を持つことが禁止された。ドイツ占領後も、ユダヤ人を検挙したり、殴ったり、列車に詰め込んだり、そして彼らの財産を勝手に分けたりしたのはドイツ人ではなく、ハンガリー人の警察官や地方政府の役人だったのだ。

やがて、ハンガリーのファシストたちも、より直接的にユダヤ人の殺害に参加するようになった。一九四四年一〇月、ホルティが政権を追われたあと、ドイツ軍はハンガリー人ファシストを首相に任命した。サーラシ・フェレンツは、より過激な反ユダヤ主義を唱える極右グループ「矢十字党」の党首であった。彼が政権の座に就いてから一ヶ月も経たないうちに、サーラシの支持者たちは、ドナウ川のほとりにユダヤ人たちを集めて射殺したのだ。最も酷い残虐行為は、現在のナチス・ドイツ占領下における犠牲者追悼記念碑のある場所からわずか数百メートル離れたところで行われ、一万人から一万五〇〇〇人が殺害され、川に投げ込まれた。（ちなみに、ここにはもう一つの記念碑「ドナウ川遊歩道の靴」という記念碑がある。これは川岸に六〇足の空の靴を並べたもので、ここで殺された人たちの一部を表している。）

このようなことを考えると、この記念碑の制作者たちは、ハンガリーを無実の犠牲者、つまり、占領を予見できなかったことが唯一の罪であろう傷ついた天使として描くことをどのように正当化しようというのか。また、ホロコーストの犠牲者を、一九四四年までナチスに進んで協力していた政治家を含む、いわゆるドイツ占領下の犠牲者たちと一緒に描くことを、彼らはどのように正当化しようというのだろうか。

また、この記念碑に対するその他の反対意見には、歴史というよりかは、現代の政治と関係しているものが多い。この碑の建設が発表されるや否や、人々はなぜこの記念碑が必要なのかという疑問を抱き始めた。占領下の犠牲者のために記念碑を建てようという大規模な国民運動があったわけでもない。なぜ政府は今になって、このような記念碑を建てようとしているのか。そして、なぜ急いでいるのか。

この記念碑は二〇一三年一二月三一日に政府の政令で承認されたが、政府は当初、それからわずか一一週間後、三月一九日の占領七〇周年記念日に間に合うように建設を依頼し、除幕することを望んでいた。批評家たちは、この実現不可能に思える期限の本当の理由は、記念日に合わせるためではなく、四月初めに予定されている総選挙にあると主張した。当時の与党であるオルバーン・ヴィクトルの政党フィデスは、すでに国会で揺るぎない過半数を占めており、選挙後もこの状態が続くと誰もが予想していた。しかし当時のフィデスは、すでに一七パーセントに近い得票率を誇る急進的な右派政党であるヨッビクからの圧力にさらされていた。ハンガリーの犠牲者の記念碑の建設は、まさにこうした有権者の一部をフィデスに引き寄せるためのポピュリズム的な行為だったのである。

また、この記念碑がどのようにして制作されたのかについても重大な問題があった。オルバーン政権はここ数年、他の政治家や運動家からその権威主義的な行動を繰り返し非難されてきたが、この記念碑はまさにその典型例であった。この記念碑はその制作にあたって、国会で議論されたこともなければ、討論されたこともなかったのだ。ハンガリーの専門家にも事前に提示されておらず、一般市民との協議も行われていなかった。記念碑を建てるための契約も入札ではなく、単に建設会社が指名されただけであった。また適当な芸術家を見つけるためのコンペもなく、担当大臣は、長年にわたってフィデスのお気に入りである彫刻家のペテル・パルカーニ・ラアブにこのプロジェクトを委託した。彼は数日のうちにデザインを完成させ、この案はわずか五人で構成された委員会ですぐに承認されたのである。つまり、このプロジェクトはトップダウンで決定され、政府の命令で急がされ、国民の監視の目を盗んでブダペストの街並みに押し付けられたものであった。

このような状況において、人々が抗議の声を上げはじめたのは当然のことであった。最初は、政府への私的な手紙や、報道機関を通しての公開書簡の形で反対意見が寄せられた。この問題に対する国民の感情の強さに、フィデス政権は完全に驚かされたようで、二〇一四年三月には一時的に記念碑の建設を中止した。しかし、その考えを改めるまでにはそう時間はかからなかった。四月の選挙で勝利した二日後、彼らはそのまま建設を進めることに決めたのであった。

政府が誰の懸念にも関わろうとしないことに不満を感じた芸術家や市民活動家のグループは、問題を自分たちの手で解決することにした。公的な記念碑の形を変えることはできないので、次善の策として、自分たちで別の記念碑を建てることにしたのである。それは公的な記念碑とは異なり、石や金属で作られたものではなく、一九四四年に撮影された写真や手書きの物語、個人的な遺品などで構成し、これらすべてを一般の人々から寄付してもらうことにしたのだ。彼らはフェイスブックのグループを立ち上げ、人々に「魂のシンボル」を持ってくるように呼びかけたのである。彼らは特に、個人的な被害者意識の象徴だけでなく、過去に対する悔い改めや赦しの象徴を持ってくるように求めたのであった。

いつの間にか、彼らの元にはそのようなアイテムが何百個も集まり、建設現場の前に並べられた。祈禱書、靴、メガネ、ボロボロの古いスーツケース、そして、戦時中にユダヤ人が強制的に身につけさせられたようなボロボロの布製の黄色い星。また、何百人もの人々が、ユダヤ人の墓に捧げるような小さな石を持ってきた。その中にはアウシュヴィッツに強制移送された人々の名前や詳細が刻まれたものも見られた。また、花や植物、ロウソクを持ってきた人の姿もあった。

主催者は、このカウンター・モニュメントを、日々変化し、進化していくその様子から「リビング・メモリアル」と呼んだ。展示の中心には、二脚の白い椅子が向かい合って置かれていた。この椅子は、過去やそれが現在どのように描かれているかについて座って話し合うための招待状を象徴していると考えられていたが、それはまさに、この公的記念碑の制作過程に欠けていた会話のようなものであった。この象徴に忠実であるように、主催者たちはこの場所で正式な公開討論会を開催するようになった。芸術家や評論家が世界各地の様々な記念碑について語り、ブダペストに建設されている記念碑と比較したのである。また、記念碑のそばの野外では、詩の朗読会も行われた。ホロコーストの生還者やその親族らも招待され、彼らの記憶を共有したり、ロマの大虐殺の犠牲者のために記念式典も行ったりしている。

政府による公的な記念碑が完成した時には、非公式のカウンター・モニュメントがすでに出来上がっていた。それは何百ものアイテムで構成され、三〇メートル以上の道端に沿って広がっていた。すでに何百人、場合によっては何千人もの地元の人々がこの記念碑を訪れていた。

二〇一四年七月二〇日の夜、フィデスの壮大な彫刻の最後の部分が所定の位置にウィンチで設置されたが、その時点ですでに政府はこのプロジェクトへの関心を失っているように見えた。彼らの記念

2014年7月20日：この記念碑が除幕された日。
その記念碑の前には「カウンター・モニュメント」が地面に置かれたり、
手すりに取り付けられたりしている。
また「歴史の改ざんは道徳的に井戸に毒を入れるのと同じだ」と書かれた
横断幕も掲げられている。

碑が正式に除幕されたことはなく、政府の公式行事がこの場所で行われたこともないのだ。ハンガリー国内のみならず、世界中から多くの批判を浴びていたため、これを立ち上がって擁護し続けるのは困難となっていた。そして、この記念碑の撤去を求める声は今日に至るまで続いている。二〇一八年には、社会党の党首が、もし自分が当選したらこの記念碑を撤去すると公約し、他の党からも一人か二人の候補者がそれに続いた。

それとは対照的に、「リビング・メモリアル」は力強さを増しているように見える。現在も成長と進化を続け、さまざまな団体や活動家が定期的にイベントを開催している。この記念館の横に置かれた椅子で議論されるテーマも広がりを見せている。ハンガリーの歴史を語るだけでなく、現代の社会的、政治的、芸術的な問題を探求する場としても利用されている。しかし、その中心となるのは、大天使ガブリエルの向かいの歩道に並ぶ、個人的な遺品や写真の少々混沌としたコレクションであり、これらは地元の観光名所にもなっている。

第二次世界大戦の歴史は、ハンガリーでは未だに深い痛みを伴い、論争の的となっている。一九四四年から四五年にかけてのドイツ占領期はその中でも特に暗いエピソードである。それは、深刻な欠陥だらけの政府が、ますます無力化していく中で、一連の政治的・道徳的に不可能な選択をしなければならなかった時代であった。ハンガリー人がここで誇りに思うことはほとんど何もない。

私の友人でもあるハンガリー国民記憶委員会のマーテ・アーロンがかつて私に指摘したのは「罪悪感の上に国を作ることはできない」ということであった。フィデス政権がナチス・ドイツ占領下の犠牲者のための記念碑の建設を決めたのは、それがハンガリーの複雑な歴史を覆い隠し、共通点を見つけようとしていたためである。これには皮肉な意図があったかもしれないが、その背後には多くの善意があったことは間違いない。

しかし、罪悪感の上に国家が成り立たないのであれば、歴史の捏造の上に国家が成り立つことはない。犠牲者を名乗るだけでは不十分であり、事実を積み重ねる必要がある。また、他人の被害者意識を利用して、それを自分のものだと主張するのも良くないことであり、そもそも本当の被害者が我慢できるものではない。この「ナチス・ドイツ占領下における犠牲者追悼記念碑」は、もともと国家的な犠牲のシンボルとして構想されていたが、今日では、向かいに設置された「リビング・メモリアル」の影響もあって、国家的な偽善のシンボルに成り下がっている。

二〇一四年のブダペストで起こった出来事は、記念碑についての基本的な二つの真実を示している。一つ目は、特定のメッセージを念頭に置いて記念碑を建てたとしても、それがどのように使用され、解釈されるかを予測することは不可能であるということ。

二つ目は、歴史を書き換えようとして記念碑を建てても、うまくいかないということである。いずれにしても、歴史は最後には必ず追いついてくるものなのだ。

第12章

ポーランド アウシュヴィッツ

第二次世界大戦の多くの犠牲者の中で、ユダヤ人ほど大きな被害を受けた集団は他にないだろう。一九三九年から四五年の間に、ヨーロッパのユダヤ人の約三分の二が抹殺された。大陸全体では約六〇〇万人の人々が殺されたが、特にポーランド、リトアニア、ベラルーシ、ウクライナといった東ヨーロッパの「血の大地」では、その数は非常に多かった。

今日、彼らが虐殺された場所を示す記念碑は何百とあるが、ポーランドのオシフェンチムにある博物館と記念碑ほど有名なものはない。一九三九年以前、ポーランド以外ではこの小さな町の名前を聞いたことがある人はほとんどいなかったが、ドイツ占領下でアウシュヴィッツと改名され、ここは史上最大規模の強制収容所の本拠地となった。その結果、「アウシュヴィッツ」という言葉は、恐怖と苦しみの代名詞ともなったのである。今日、アウシュヴィッツは、おそらく世界で最もよく知られた犠牲の性格を表すシンボルとなっている。

アウシュヴィッツは、単一の強制収容所ではなく、複合的な収容所であった。最盛期には、四〇もの収容所が別々の場所に点在していたが、そのほとんどが工場や農場を中心とした場所で、様々な国

アウシュヴィッツ・ビルケナウの入り口の建物。収容所の内側から見た様子。

籍や宗教的背景を持つ囚人たちが、奴隷労働者として過酷な条件の下で働かされていた。しかし一九四二年以降、ここアウシュヴィッツは第二の目的、つまりヨーロッパのユダヤ人を大量に殺害するという目的にも利用されるようになった。

今日、多くの人がアウシュヴィッツといえば、主に二つの主要な収容所を思い浮かべることだろう。アウシュヴィッツ第一強制収容所とアウシュヴィッツ第二強制収容所（別名ビルケナウ）である。アウシュヴィッツ第一強制収容所の元となる収容所は、一九四〇年に旧陸軍兵舎の跡地に設立された。当初はポーランド人政治犯の監獄として使用されていたが、時が経つにつれ、ロシア人捕虜、ユダヤ人、シンティ・ロマなど、数十もの民族や国籍を持つ人々のための強制収容所としても使用されるようになった。ここには簡易裁判所、管理棟、作業場、倉庫などが立ち並び、囚人たちはそこで働くことが期待されていた。

この強制収容所が最初に大量虐殺の中心地となったのは、一九四一年の末のことであった。その夏まで、ナチスによる大量処刑は、強制収容所ではなく、東ヨーロッパ全域の森林や畑、採石場など人里離れた場所で、銃によって行われることが一般的であったが、これには時間がかかり効率が悪いことと、執行人に大きなストレスを与えてしまうという問題があった。そこでナチスは、他の殺害方法を探し始めたのである。

アウシュヴィッツでは、ナチス親衛隊の看守が、囚人の集団を一つの部屋にまとめ、本来は囚人の衣服を消毒するために使用されていた強力な殺虫剤であるチクロンBを投入することで効率的に彼らを殺害できることを発見した。最初の実験は、ロシア人とポーランド人の囚人を対象に、第一一区画監獄棟の地下の独房で行われた。しかし、この場所は換気が難しく、火葬場からも遠かったため、別の区画がこの目的のために使用されるように改造された。これによってアウシュヴィッツに最初のガス室が登場したのである。

戦争が進むにつれ、この収容所は急速に拡大していった。定員超過を解消するために、近くのブジェジンカ、ドイツ語ではビルケナウと呼ばれていた村の近くに第二強制収容所が建設された。

ここは元々、ソ連軍の捕虜を収容するための施設として考えられていたが、一九四二年にナチスがここに大量のユダヤ人を輸送し始めたとき、彼らの人種的な敵を絶滅させるための場所としても利用できることに気づいたのである。そこで彼らは離れた所にある二軒の農家をガス室に改造した。そして、それを皮切りに次々とガス室を備えた専用の火葬施設を建設していった。奴隷労働者として利用できないユダヤ人は、単にここに連れてこられて殺されたのである。

時間をかけて、ナチスはこの処刑プロセスを効率的なモデルへと磨き上げていった。輸送されてきたユダヤ人たちは、収容所に直行した列車から降ろされるやいなや、プラットホームで選別された。労働に適していると判断された者は、収容所内の膨大なバラック施設へと収容され、その後、数ヶ月間、体力がなくなるまで奴隷として搾取された。また、経済的に価値がないとみなされた子供、妊婦、高齢者や弱者たちは、持ち物を奪われ、裸にされ、毛を剃られ、ガスを浴びせられて、火葬されていった。それはまるで工場の生産ラインのようであった。一九四二年から四四年の間に一〇〇万人以上の人々がここで殺された。アウシュヴィッツ第二強制収容所であるビルケナウでは一九四四年の夏のピーク時には、一日に数千体もの死体を処理することができたのである。

アウシュヴィッツは一九四四年末まで稼働していたが、ソ連軍の進撃により退去を余儀なくされた。一九四四年一月にナチスが撤退する際、彼らは自分たちがしたことの証拠を隠滅しようと画策した。収容者たちは、ドイツに近い他の強制収容所に強制連行された。文書書類は持ち去られるか、破棄された。倉庫は燃やされ、ガス室や火葬場は解体されたり、爆破されたりした。しかし、撤退を急ぐあまり、収容所の看守たちは多くの物的証拠を残していった。特に最初の収容所であるアウシュヴィッツ第一強制収容所はほとんど無傷のまま残された。また、彼らは自分たちの犯罪の目撃者を全員抹殺することもできなかった。他のユダヤ人を殺害した収容所とは異なり、アウシュヴィッツは決して死の収容所というだけではなく、奴隷労働のための収容所としても機能していた。その結果、この戦争を生き延びた何千ものここで働かされていた人々が、戦後、そこで見た恐ろしい光景を証言することができたのである。

それから数十年の間に、数え切れないほどの人々が、この悪名高い場所で行われた残虐行為の証言者として名乗りを上げることとなった。一九四七年、戦後のポーランド当局は、後世のために、この場所に残されたものを保存することを決定した。アウシュヴィッツ第一強制収容所は、戦時中に収容されたことのある人々によって管理される博物館となった。近くのアウシュヴィッツ第二強制収容所は、この時までにその大部分が解体されていたが、これもまた記念施設として保存された。

現在、この二つの場所は、ホロコースト全体を代表するものとなっている。一九七九年にはユネスコの世界遺産に登録され、世界で最も重要な犠牲のシンボルとみなされている

今日、オシフェンチムを訪れる人は、ここで起こったことの証拠を自分の目で確かめることができる。また、道中では、その恐怖のほんの一部を追体験することもできるようになっている。有名な「Arbeit macht frei（働けば自由になる）」の嘘が掲げられたアウシュヴィッツ第一強制収容所の悪名高い錬鉄製の門の下を通ることができるのだ。また、博物館では、殺されていく人々から収奪した靴の山も展示されている。ボロボロになったスーツケース、メガネ、子供のおもちゃや服、髭剃り、台所用品など、犠牲者の私物を集めた部屋もある。また、人の髪の毛でいっぱいの保管庫、膨大な数の義

足、チクロンBの空容器の山など、より不吉なものもここには展示されている。そして囚人たちが殴られたり拷問されたり、大量虐殺の初期の実験が行われたりした懲罰区画も見学が可能であり、来訪者は囚人たちが撃たれた壁の横に立つこともできるのだ。そして、何よりも注目すべきは、復元されたガス室の一つに入ることができ、何千人もの人々が殺されたまさにその場所に立つことができることである。

近くのアウシュヴィッツ第二強制収容所ビルケナウでも、ナチスの組織的殺人システムの震源地を訪れ、見学を続けることができるようになっている。一〇〇万人以上のユダヤ人を死に至らしめた悪名高い鉄道の線路を歩くこともできる。選別が行われた、まさにそのプラットホームの上に立つこともできる。有刺鉄線の向こう側には、何万人もの人間を収容していた何百ものバラック小屋の唯一の遺構である地面から真っすぐに突き出た煙突が並んでいるのを眺めることができる。この場所の規模は本当に巨大である。それは小さな街ほどの大きさであり、八〇ヘクタール以上の敷地が人々の尊厳の否定と死に捧げられている。

この場所に足を踏み入れると、歴史の重みを感じずにはいられない。ここで行われた道徳的犯罪は、ユダヤ人、スラブ人、シンティ・ロマなど、ここで殺されたすべての集団だけに関係するものではなく、それは私たち全員を犠牲にするものであり、人間性そのものへの冒瀆であった。戦後、「人道に対する罪」という新しい法律用語が生まれたのも、このような場所があったからである。

アウシュヴィッツではこれらのことが非常によく表現されており、この場所を訪れる人の数も年々ますます増加している。しかし、このような成功は、自身に問題をもたらすことにもなった。近年、アウシュヴィッツは、その訪問者数のあまりの多さに圧倒され始めているのだ。二〇〇七年以前は、毎年一〇〇万人以下の訪問者数であったが、今日ではその数が二倍以上に膨らんでいる。特に夏になると、毎日観光バスが次々と到着し、何千人もの人々が門をくぐって博物館にやってくるのだ。今では、立ち止まって、この場所の恐ろしさに想いを馳せるような時間はほとんどない。ガイドが一定のペースで自分のグループを急がせるのは、後ろから続々とやってくる他のグループのためにその場所を空けなくてはならないからだ。皮肉なことに、このような驚異的な成功が、博物館が本来表現すべきすべてのものを台無しにしてしまう恐れをもたらしている。

誰もがこの場所に相応しい、厳粛な精神でこの地にアプローチしているわけではないといっても過言ではない。ポーランドを中心に、イスラエル、ドイツ、イギリス、その他の国から、何百もの学校団体が教育の一環としてここを訪れるが、そのすべての学生がこの場所を適切な厳粛さで扱うわけではない。結局のところ一〇代の若者たちは、あくまで一〇代の若者なのであり、死というものを前にして長い時間を過ごすことよりも、自分の人生を今生きることに関心を持っているのだ。

ここには食べる物を買える場所がほとんどないので、来訪者の中には駐車場や周辺の白樺の木陰でピクニックを楽しむ人も見られる。それも仕方のないことであろう。クラクフからオシフェンチムまでは車で片道一時間半以上かかり、彼らには食事も必要なのである。しかし、多くの人が餓死したこの場所で美味しい食事を楽しむことは、何か非常識なことなのではないかと思わずにはいられない。前回ここに来た時は、アウシュヴィッツ第一強制収容所の入り口付近で日向ぼっこをしながら缶ビールを飲む人の姿も見かけた。

このような出来事は、この地で起こったより大きな何かの一部であるように私には思える。今日、アウシュヴィッツは、城、美術館、ウォーターパーク、ビール祭りなどと並んで、人々の休暇の旅の行程に組み込まれている。毎年、フィレンツェのウフィツィ美術館を訪れるのと同じくらい多くの人がここを訪れているのだ。アウシュヴィッツは、ポーランドで最も人気のある博物館であると自負している。ここがその歴史の囚人であるならば、同時に観光の囚人にもなっていることは事実である。

アウシュヴィッツの人気については、他にも懸念事項がある。これまでのアウシュヴィッツへの訪問者は学者やホロコースト史家、そして自分の家族がどこで亡くなったのかを調べようとしている人たちがほとんどだった。そのような状況においては、ここで苦しんでいた人たちの様々な証言を受け入れることは、はるかに簡単であった。同じ話は二つとなく、その経験の幅は広かった。

今日では、来訪者が収容所での生活の複雑さを知ることのできる時間は、かなり少なくなっている。また、それに伴って囚人の様々なカテゴリーの違いも分からなくなってきている。収容所のオーケストラ、合唱団、病院、人体実験室、ゾンダーコマンド（ガス室や火葬場で死体を片付ける作業を強いられたユダヤ人）などに属していた場合の個々の生活の違いを理解することは困難である。駆け足でここを見学することになる来訪者には、ここで何が起こったのかという基本的事実しか知ることができず、必然的に、「到着」、「選別」、「死」という標準化された物語が浮かび上がってくることになる。多くの人間の経験をこのような狭い物語に還元すること自体が、人間性を奪うことになるのではないだろうか。

他にも様々な方法があるが、この場所にもう少し長く留まることができなければ、その方法は活かされてこない。ホロコーストにおいてユダヤ人は単なる犠牲者ではなく、多くの人が英雄でもあった。東ヨーロッパには、ユダヤ人が自ら立ち上がって反撃した場所がたくさんあり、アウシュヴィッツもその例外ではなかった。ユダヤ人はここで人間としての優しさによる単純な行動から一九四四年のゾンダーコマンドの蜂起といった収容所の看守との暴力的な対決に至るまで、様々な方法でナチスに抵抗していた。実際一九五〇年代には、多くのユダヤ人自身がこのような話を好んでいた。彼らは非人間的なシステムの受動的な犠牲者としてのみ描かれることを望んではいなかったからである。

英雄の中には、今日一般的に受け入れられている物語が示すような純粋無垢ではなかった人も存在した。ユダヤ人指導者の中には、アウシュヴィッツへのユダヤ人強制移送に協力した者もいた。ある者は、他の人を先にナチスというモンスターの餌として差し出すことで、自分とその家族のために時間を稼いでいた。収容所では看守に協力し、わずかなパンを手に入れるために仲間のユダヤ人の情報を提供し、犠牲にした収容者がたくさんいた。これらの人々のことは、彼らを非難するためではなく、むしろ彼らの人間の堕落性を強調するために言及されなければならない。ナチスが何をいっていようと、ユダヤ人はけして特別な存在ではなかったのだ。ここには今も昔も原型など存在しない。ユダヤ人も他の人と同じように人間なのだ。

ホロコーストにおける個々の体験を掘り下げていくと、驚くような話が出てくることがある。それらは現在私たちが知るようになった標準化された物語とは対照的に、より痛烈さを増している。例えば、歴史家のオトー・ドフ・クルカは、ホロコーストの回顧録『死の都の風景』(白水社、二〇一四年)の中で、アウシュヴィッツでの午後、青空を見上げてその美しさに圧倒されたことを語っている。この場所でいろいろなことがあったにもかかわらず、これは幸せな思い出である。しかし、この場所で、このような幸せな思い出を持つことが道徳的に許されるのかどうか、彼は常に自問自答せざるを得なかったのである。

アウシュヴィッツ博物館の展示物を急いで見なければならない時には、そのような個々の瞬間は失われてしまう。効率化のために、今日の博物館の管理者は、より多くの人々をそのシステムに押し込むことを余儀なくされている。これもまた、過去の不穏な反響を呼び起こすものではないだろうか。

アウシュヴィッツは世界的に認知されたシンボルとなり、他の追悼施設とは比べものにならないほど私たちの記憶に刻み込まれている。そして犠牲者の世界では、ここは紛れもなく誰もが認める首都である。しかし、これもまた問題をもたらしてしまうのだ。なぜなら、不幸にも、こういった地位には妬みがつきものだからだ。

アウシュヴィッツのような場所の道徳的な力を見抜き、その力の一部を自分たちのものにしようとする人たちは、いつの時代にもたくさん存在する。戦後、アウシュヴィッツの所有権を主張しようとした最初のグループは、ポーランドの共産主義者たちであった。ビルケナウに最初の記念プレートが設置された時、そこにはユダヤ人についての言及はなく、代わりに、「ナチスの殺人者の手によってここで苦しみ、死んでいった四〇〇万人」という文言が書かれていた。博物館のツアーガイドも、「犠牲者」や「人々」としかいわず、彼らの民族や宗教的な違いには一切触れていなかった。共産主義者の戦争物語においては、ユダヤ人の具体的な運命は無関係であったのだ。それどころか、強制収容所は普通のポーランド人が、他の国から来た兄弟姉妹と共に、経済的価値を一滴残らず搾り取られるまで搾取されていた場所として描かれていた。アウシュヴィッツは、資本主義的搾取の究極の象徴であったのだ。

一九七〇年代には、ポーランドのカトリック教徒もまた、この場所を自分たちのものにしようとした。ここで、何万人ものカトリック教徒が死んだのは確かに事実であった。その中の一人、マクシミリアン・コルベ神父というフランシスコ会の修道士は、死刑を宣告された見知らぬ人の身代わりとなることを志願したことから、聖人に列せられたほどである。一九七二年には、後の教皇、ヨハネ・パウロ二世となるカロル・ヴォイティワ枢機卿が、コルベ神父に敬意を表して、この地でカトリックの大規模な礼拝を行った。

その七年後、教皇に選出されたヴォイティワはさらに大きな礼拝を挙行した。かつてユダヤ人が生死を選択された場所に十字架が建てられ、教皇はアウシュヴィッツを「現代のゴルゴタ」と宣言したのである。一九八四年には、カルメル会の修道女グループがさらに踏み込んで、アウシュヴィッツ第一強制収容所の境界フェンスのすぐそばに修道院を設立した。多くのユダヤ人は自分たちがカトリック教徒と競争し、誰の証言を大きく取り上げるか、どのような宗教的シンボルを展示するかを決めなければならないことに強い違和感を覚えていた。このユダヤ人が絶滅させられた場所で、彼らの経験が持つユダヤ人らしさそのものが奪われていたのである。カトリック教会がようやく手を引いたのは一九九〇年代半ばになってからのことであった。収容所の周りに建てられていた十字架のほとんどが撤去され、修道院も別の場所に移された。

今日、アウシュヴィッツはユダヤ人の苦しみが凝縮された場所として、世界的に認識されているが、それは当然のことである。今回もまた、歴史的真実のバランスの方が勝利したのであった。

しかし、それでこの論争が終わったということではない。近年、世界の第二次世界大戦の記念碑の中でアウシュヴィッツだけが抜きんでた存在であることに疑義を挟む人が現れたのである。なぜこの場所が、南京大虐殺記念館より重要でなければならないのか。なぜ、ユダヤ人の苦しみが、韓国の慰安婦たちの苦しみよりも実質的に酷いものであったと考えなければならないのか。

この議論はまた、第二次世界大戦だけにはとどまらないでいる。今世紀初めにトルコ兵によって虐殺された一〇〇万人ものアルメニア人はどうだろうか。一九三〇年代にスターリンによって餓死させられた六〇〇万人以上ものウクライナ人はどうだろうか。一九七〇年代にカンボジアの殺戮現場で死んだ人たちや、一九九〇年代のルワンダやユーゴスラビアの大量虐殺で死んだ人たちはどうだろうか。世界には他にも多くの犠牲者がいるのに、なぜ私たちはホロコーストを特別なものとして見続けなければならないのだろうか。

　国際機関においても、このような疑問は何度も何度も取り上げられているが、今のところ、納得のいく答えはない。一人の犠牲者のトラウマを他の犠牲者のトラウマと比較することは無意味であり、苦しみはけして米粒のように測ることはできないのである。これまで六つの章で紹介してきた記念碑は、世界にある犠牲者記念碑のごく一部にすぎない。規模の大小にかかわらず、その一つずつが評価に値するものである。


　しかし、良くも悪くも、アウシュヴィッツには独特の何かが残っている。本書の取材で、私は世界中の集団墓地や殺害現場、犠牲者の記念碑などを訪れたが、アウシュヴィッツはそのどれとも異なる気がするのだ。

　まず、第一にその規模の大きさが挙げられる。これほど多くの人が集中して殺された場所は他には考えられない。アウシュヴィッツ・ビルケナウは、総面積が九〇万平方メートルにも及ぶ巨大な施設である。しかし平均すると、各平方メートルに少なくとも一人の犠牲者を出したことになる。

　そして、ここで繰り広げられた残虐行為には特殊な特徴がある。それは南京大虐殺のように軍事的な狂乱から生まれたものではなく、カチンの森でポーランド将校を射殺したように単に政治的な都合からだけで生まれたものでもない。ここでの主な殺害方法は、他の場所で起こったことと比較して、特に血に飢えたものではなく、むしろその反対であった。アウシュヴィッツの特徴は、情熱ではなく、冷たさである。それは非人間的で、機械的であったがために、この種の殺人を、考えるに耐えられないものにしているのだ。

　ホロコーストの犠牲となったユダヤ人が現代の象徴となっているのは、おそらくこれがその理由の一つであろう。彼らは銃を持った人間の餌食になっただけでなく、巨大な政治・産業システムの餌食となり、処理され、排除されるべき単なるひと単位にまで貶められたのである。この意味で、彼らは戦争の犠牲者であるだけでなく、近代化の犠牲者でもあったのだ。この糸を論理的な結論にまで辿っていくと、一八世紀の奴隷貿易から二一世紀の性売買まで、他の時代や場所でのあらゆる種類の犠牲者につながっている。ホロコーストの犠牲者は、完全になくなることのないはるかに大きな現象の代表なのである。

二〇〇五年、国連は「国際ホロコースト記念日」を制定し、この象徴的な出来事の普遍性を認めた。これは毎年一月二七日、アウシュヴィッツの解放記念日に合わせて制定されている。国連によると、ホロコーストの犠牲者はユダヤ人だけではなく、彼らは典型的な犠牲者だと考えられている。そして彼らは、不安定さの中にある人類全体を代表している。

アウシュヴィッツが世界的なシンボルとなっている理由の一端はそこにあると信じたい。毎年二〇〇万人以上の人々が、普遍的な犠牲者に敬意を表し、その犠牲者が受けた苦しみが二度と起こらないようにすることを誓うために、ここに集まってくると考えると、心が躍る。しかし、私はそうではないことを知っている。なぜなら、この地を覆っている雰囲気は、悲しみと嘆きだけでなく、恐怖をも含んでいるからである。これもアウシュヴィッツの特徴の一つである。ここを歩く時、忌み嫌われているのと同時に、魅力的でもある巨大な悪の存在を感じずにはいられないのだ。

多くの人がここにやってくるのは この存在を体験したいからであり 生きていることがどんな感じなのかを思い出すためである。毎年春に多くのユダヤ人が「生者の行進」と呼ばれる行進で、アウシュヴィッツ第一強制収容所からビルケナウまで歩くのもそのためである。そのような死の場所を訪れ、その中心に立って、生き生きと反抗的に生きていること以上に、人生を肯定するものはない。

しかし、このような悪の存在を体験したいという動機には、もっと暗いものがあるのではないだろうか。はたして私たちの中で、死の力、特にこのような巨大なスケールでの死に感銘を受けない者がいるだろうか。また、その力のほんの一部でも自分のものにしたいと密かに願っている人はいないだろうか。

毎年、アウシュヴィッツの博物館からボタンや布切れを盗み、お土産として持ち帰ろうとして逮捕される人がいる。二〇一〇年には、スウェーデンのネオファシストが、アウシュヴィッツの門の上にある、あの有名な錬鉄製の看板を盗み、残忍な記念品コレクターに売ろうとした。彼の犯罪は世界中で大きなニュースとなったが、その背後にある意味は、ここを訪れる人々がすることと、それほど変わらないのではないかと私は疑問に思わずにはいられないのだ。私たちは皆、写真を撮る。そして私自身もアウシュヴィッツの写真を何百枚もコレクションしている。そのようなお土産物にいったい何の意味があるというのだろう。

アウシュヴィッツが私たち全員を犠牲者にするならば、それはまた、私たち全員をモンスターにもしている。ここに来ることで、私たちは必然的に、この病的な物語の両方の側面に関与することになる。換言すれば、アウシュヴィッツはホロコーストの犠牲者のための記念碑であるだけでなく、その加害者の記念碑でもあるのだ。そしてこのことは、私が次で述べるように、もっと憂慮すべきことなのでないだろうか。

第3部

モンスター

何がモンスターを生み出すのか？　誰が見てもモンスターは、それが必要とされる時にはとても魅力的な存在となる。ヒトラーやスターリンのような男たちは、けして力だけで権力を獲得したのではない。彼らには、カリスマ性があり、雄弁で、そのレトリックの力で何百万人もの人々を魅了することができたのだ。彼らは自分たちを悪人ではなく、行動力のある人間だと考えていた。彼らの歪んだ論理によれば、彼らは単に自分たちに犠牲を強いる、資本家、帝国主義者、ユダヤ人といった邪悪な世界的勢力から支配権を奪い返そうとしていただけなのであった。しかし、彼らが行っていたことの実態は、これらの集団を悪魔扱いし、大量虐殺の憎悪を煽ることだった。

むしろ気がかりなのは、こうしたモンスターの資質の多くが、私たちが英雄や犠牲者に求めるものと同じく、力強さや賢さ、決断力、そして大義への揺るぎない信念といったものであるということだ。しかし、真の英雄や犠牲者においては、これらの資質が、思いやりや慈悲の心、法の支配や普遍的な道徳規範のために立ち上がる意志などといった、他の美徳と並んで存在しているが、モンスターたちはそのようなものを軽蔑している。一九三〇年代から四〇年代にかけて、勢力を持った狂信者たちは、何百万人もの人々の権利、尊厳、命を全く無視して、自分たちの目的を追求した。彼らは考えも良心もなく殺したのであった。また、彼らは人間を使い捨ての物のように、それどころか、時に人間としてではなく、駆除すべき害獣のように扱ったのである。このような人の場合、大義への執拗な信念は賞賛されるべき資質ではない。それはアウシュヴィッツ・ビルケナウの敷地内で感じるような暗い同じ雰囲気の中で、彼らのすべての行動を覆い隠す弱点なのである。

意図的に悪人たちの記念碑を作ろうとする者はいない。これから本書の第3部で紹介する記念碑のいくつかは、その対象者がまだ英雄とみなされていた時期に作られたものもあり、後年、その犯罪が広く理解されるようになるにつれて、怪しげに思われるようになったものである。また、それらの内のいくつかには、訪れる人のせいで、ほとんど誤って記念碑になってしまったものもある。その中には、戦争の暗い側面と結びついてしまった神社や墓などの記憶の場も含まれている。それらをここで紹介することによって、そもそも記念碑とは何かについて、その理解を深めたいのである。

そのような場所を訪れることは、果たして正しいことなのだろうか。それらは敬遠されるべきなのだろうか、あるいは、かつて彼らが自分たちの敵をそうしたように、消し去られるべきなのだろうか。私たちはこれらのシンボルから逃れることができるのだろうか、それとも永遠にその記憶の囚人であり続けるのだろうか。

本書で紹介する記念碑の中で、これらは最も問題となってくる部類のものである。これらの記念碑は解決不可能な道徳的ジレンマを投げかけてくる。しかし、それらのジレンマと向き合うことで、少なくとも、私たちが英雄や犠牲者を賞賛する資質が極端なものとなった時、いったい何が起こるのかについての貴重な教訓を得ることができるよう願ってやまない。

第13章

スロベニア すべての戦争の犠牲者のための記念碑

◆リュブリャナ

スロベニアの首都リュブリャナの中心部には、私がこれまでに出会ってきた中でも最も興味深く、そして問題を抱えた記念碑が建っている。これまで論じてきた他の記念碑とは異なり、この記念碑は、国の過去を比喩的なイメージに押し込めようとはしない。そこには彫像もなければ、戦闘中の人々の描写もなく、実際、この記念碑は完全に抽象的なものとなっている。しかし、だからといって議論の余地がないわけではない。

この「すべての戦争の犠牲者のための記念碑」は、二枚の巨大な石板で構成されており、開放的な中庭に設置されている。石板は平行に、互いに少しずつずれる格好で配置され、一方の石板はほぼ正方形で、高さ約一二メートル、幅約一二メートル、もう片方の石板は、やや狭めの長方形で、もう片方よりもはるかに厚いブロックでできている。しかし、この二枚の石板は、全く同じ石から作られていることや地面の下に埋められている土台が同じであること、そして、高さ、重さ、体積が全く同じであることとの類似性によって、その差は大きく打ち消されている。形は違うが、高さ、重さ、体積は全く同じであり、二枚の石板はまるで永遠に競い合う兄弟のように、常に独立していて、常に対立してはいるが、いつも密接に結びついているのだ。

また、これは他の記念碑とは異なり、注目を引くような形では設計されていない。私が最後にこの場を訪れたのは二〇一八年一一月のことであったが、記念碑の前で数時間にわたって佇み、様子を観察していても、その間、誰一人としてこの碑を見上げるために立ち止まった人はいなかった。誰もこの碑の南側の段差で友人と待ち合わせをしてはいなかったし、大きな石板の影でサンドイッチを食べている人の姿も見かけなかった。この記念碑は街の中心部、コングレス・スクエアの一角にあるにもかかわらず、何やら人々の注目を引かない性質を持っているようである。

しかし、これは偶然ではなく、政治的観点から見れば、この、注目を引かないということが、この記念碑の最大の強みであるといえる。この碑の代わりのものに思いをめぐらすよりも、スロベニア国民を今も捉え続けている暗い歴史を考えると、この目立たぬデザインが選ばれた理由を簡単に理解することができる。

私は幸運にもこの記念碑の誕生に立ち会うことができた。二〇一五年五月、私はこのデザインのお披露目会にスロベニア議会に招かれ、そこで、ジャーナリストや政治家の中から選ばれた人たちと一緒にこの記念碑の模型の置かれた部屋で、ボルト・パホル大統領の演説を聴く機会を得たのであった。その後、私たちはこの模型を囲みながらワインを飲み、デザイナーたちと握手を交わした。

私の甘い考えでは、このレセプションはかなり陽気なものになると思っていたが、実際は全く陽気ではなく、部外者の私にはちょっと理解できない、何か居心地の悪さを感じたのであった。そしてレセプションで何人かの国会議員とも話をしたが、誰一人としてこの記念碑のデザインに満足している様子はなかった。あまりにも当たり障りのないデザインで、英雄や戦犯、そして戦争の犠牲者について何も語られてはおらず、それは記念碑として満足できないのだという。しかし、具体的にどこが気に入らず、また、代わりに何が良かったのかを十分に説明できる人はいなかった。それにもかかわらず、彼らのほとんどが同じように感じているようだったのである。

この時、私をこのイベントに誘ってくれたスロベニア人の歴史家で、リュブリャナ大学教授のミチャ・フェレンツが私を部屋の片隅に連れて行ってくれた。そこでしばらく話をした後、彼は「このデザインがどうして誰にも好まれないのかを教えてあげよう」といい、「なぜここには当たり障りのない抽象的な記念碑しかないのかを説明してくれる場所に連れて行ってあげよう」と提案してくれたのである。

私とジャーナリストの友人、そして出版担当者の三人が、フェレンツ教授の車に乗って議会を後にし、街を出てスロベニアの美しい田園地帯を東に向かった。左手にはなだらかな丘陵地帯が広がり、遠くにはアルプスが白く輝き、そして、右手にはサヴァ川が流れていた。

一、二時間後、私たちは幹線道路から外れ、森の中の狭い道を進んだ。やがて、フダジャマと呼ばれる山の脇にある寂れた場所に出た。ここの崖には鉄の扉のついた巨大なコンクリート製の出入り口があり、私たちはそこで車を止めて外に出た。ここはかつて炭鉱だったが、一九四五年以降はずっと封鎖されたままであったことをフェレンツ教授は説明してくれた。戦争末期、ドイツ軍がユーゴスラビアから撤退していた頃、チトー将軍率いるパルチザンはユーゴスラビアの何万人ものファシストの協力者らを捕らえて、虐殺していた。この鉱山は、スロベニア全土にある数十の大規模墓地の一つだったのだ。ここには約二五〇〇人の人々が連れてこられ、強制的に服を脱がされ、銃で撃たれて坑口から投げ落とされた。ミチャ・ソェレンツ教授は、数年前に政府の遺構発掘チームの責任者を務めていたため、この場所のことをすべて知りつくしていた。

教授は管理人を呼んでゲートの鍵を開けてくれた。そして私たちは長いトンネルを歩き、山の中腹の奥深く、四〇〇メートルほどの暗闇の中に入っていった。そこで、教授は立ち止まり、トンネルの壁にあるくぼみを指差して「ここで最初の遺体が見つかった」と教えてくれた。虐殺を生き延びて、トンネルを抜け出そうとしていた者がいたのだという。彼は炭鉱の線路から金属片を引き裂いて、それを使って出口めざして掘り進めていた。しかし、彼にとって不幸なことに、チトーの部下たちは非常に徹底して、大量の土や瓦礫だけでなく、レンガやコンクリートの壁でこのトンネルの出入り口を塞いでいたのだ。この一人の生存者は、コンクリートの壁にぶつかり、脱出を諦めざるを得なかった。そして、この暗闇の中で孤独に亡くなっていたのだ。

私たちはさらに奥へと進み、立坑の入り口にたどり着いた。教授は私に梯子を降りて坑の底へ行くように案内し、死体が投げ込まれた場所に一人立たせたのであった。「彼らはこの立坑の上まで死体で埋め尽くしたんだ」とフェレンツは上から私に語りかけ、そして「私たちは三四六人の遺体をここから運び出したが、おそらくまだ一五〇〇人はこの足元に埋まっているだろう」と続けた。

立坑の底に立っている間、何か独特の不穏さを感じた。教授たちが私をここに置き去りにし、照明を落としてドアに鍵をかけても、誰にも気づかれずに済むのではないかと思った。私はすぐに梯子を登り、上への坑道へと取って返したのであった。

次に教授は私たちを四三二人の遺体が発見されたという坑道の奥へと連れて行ってくれた。彼はここでもう一度、何が起こったのかを私たちに説明した。まず、男たちは服を脱がされ——教授たちはトンネルの中で服と靴の山を発見していた——トンネルの床に並んで寝かされ、後頭部を撃たれたのである。そして次のグループに指定された人々は、その死体の上に横たわるように命令され、撃ち殺された。そして、次のグループ、次のグループ、次のグループと、遺体は八つの高さに積み上げられていった。

フェレンツ教授はさらにトンネルの別の場所に連れて行ってくれたが、そこにはまた別の金属製の扉があった。彼はそれを開けて私たちを中に案内し、「これだよ」といった。私の目の前には、何百、何千ものプラスチックケースが、トンネルに沿って棚に積み上げられていた。箱からは骨や頭蓋骨、人の髪の毛があふれ出ていた。「きちんと埋葬したかったんだけど、政治家は誰もそれに賛成してくれなかったんだ」と教授はいうのだった。この人々は共産主義者による犠牲者ではあったが、彼ら自身がファシストであったがために、誰も彼らのために墓を作ろうとはしなかった。彼らを記憶しておくことは非常に難しいことであり、だから結局、当局は、単に扉に鍵をかけて、彼らのことを忘れようとしたのである。教授によると、この七年間で、この場所を見にきた人はほんの一握りで、ジャーナリストが数人とアメリカ大使、そして今では自分だけになってしまったという。誰もがここに遺構があることは知ってはいたが、誰もそれを認めようとしなかったのである。*

その夜、ホテルの部屋で、私はなかなか眠れずにいた。目が冴えていたのは、何もケースに積み上げられた遺骨の残影が原因ではなかった。私は何年も戦争の残虐行為を研究してきたので、旧ユーゴスラビアのこのような現場で何が起きていたのかについてはよく知っていた。私が本当に気になったのは、虐殺を生き延びて、坑道を掘って逃れようとしていた、あの一人の男のことだった。暗闇の中、立坑から這い出て、金属片を見つけ、必死に土と瓦礫の中を掻き分けようとする彼の姿を想像していた。そこには何か英雄的なものを感じざるを得なかったのである。

しかし、結局、この男は英雄ではなく、ただの犠牲者だった。そしておそらく、単に被害者というよりも、もっと悪いことに、彼自身がファシストの協力者であり、兵士だったのだ。私は彼のことをどう考えていいのか分からなかった。

それこそが、ミチャ・フェレンツ教授が私をフダジャマに連れて行ってくれた理由だった。私が感じていた違和感は、あのレセプションの政治家たちで埋め尽くされた部屋で感じていた違和感とさほど変わらないことに気がついた。そして、政治家の中に、この戦争記念碑のデザイン案に対して反感を抱いている人がいることについても理解し始めた。この当たり障りのない抽象的な記念碑は、私が昼間、坑道で目の当たりにしたばかりの惨状について、いったい何を語っているというのだろうか。スロベニアの丘の中の暗い穴の底に隠されている現実はもっと醜いものなのに、あのきれいな白い石板で作られた記念碑をどうやって受け入れることができるというのか。

ユーゴスラビアの戦争を研究したことがある人なら、このような道徳的な混乱はごく普通のことである。イギリスやアメリカの歴史家は第二次世界大戦を、一方では連合国と、他方では枢軸国の間の比較的単純な対立として特徴づけることが多いが、ユーゴスラビアでは、けしてそう簡単なものではなかった。この国は一九一八年、第一次世界大戦後の荒廃の中で建国された。その領土は、ロシア、オーストリア・ハンガリー、オスマン帝国という一九世紀の三大国の残存、空白地帯を断層的に横切っていたため、キリスト教正統派、カトリック、イスラム教というこれまた三つの宗教が交差する場所でもあった（ちなみに戦争で消滅した少数派のユダヤ人を含めると四つの宗教が存在する）。そして大小半ダース以上もの民族がこの地に住んでいたが、そのすべてが何世代にもわたって小競り合いを起こし、嫉妬心を育んでいた。

一九四一年にドイツとイタリアが侵攻してきた時、これらすべての緊張関係が一度に解き放たれた。そして国全体が大混乱に陥るまでにそう時間はかからなかったのである。クロアチア人はカトリックの名の下にセルビア人を虐殺し始め、セルビア人はボスニアのイスラム教徒の村やヴォイヴォディナのハンガリー人の村に火を放ち、君主主義者のチェトニク人は共産主義者のパルチザンと激しい戦いを始めた。民兵は犯罪を隠すために、わざと敵の軍服を着て行動していたこともあり、誰が誰を虐殺したのかを今日、歴史家が解明するのは必ずしも容易ではない。この暴力的な紛争を操っていたのは、ドイツやイタリアなどの占領軍であり、彼らは自ら戦争犯罪に手を染めただけでなく、異なる民族間の争いをも煽ったのであった。

戦争も後半になると、ユーゴスラビアの様々なグループはやがて二つの主要な陣営に統合されていった。一方にはドイツ軍とユーゴスラビアのいくつもの民族からなる協力者、例えばクロアチアのウスタシャとその民兵、スロベニア郷土防衛隊、そしてセルビアの義勇軍などが存在した。これらの超国家主義グループは、互いに信頼し合うことはなかったが、それぞれがドイツ軍と協力しており、彼らがその地を支配している限り、事実上、全員が同じ側で戦っていた。

そんな彼らに対抗するのはレジスタンスであった。一九四五年までに、チトー率いる共産党パルチザンは、すでに他の主要なレジスタンス・グループを撃破し、そのメンバーのほとんどを抱え込んでいた。このグループは、もはや一九四一年の素人集団ではなく、約八〇万人を擁する本格的な軍隊となっていたのだ。それはまた、ロンドンとモスクワという二つの大きな後ろ盾を持ち、比較的よく装備されていた。スロベニアやクロアチアのファシストとは異なり、チトーは戦後、それぞれの民族に独立国家を認めるつもりはなかった。彼の口癖でもあり、そして終戦時の演説で使われたフレーズは「兄弟愛と統一」であり、彼は、ユーゴスラビアという一つの国を復活させ、共産主義の支配下で統一された様々な民族を包含する国家建設を望んでいたのだ。

これまでに起こったすべてのことを考えると、この二つのグループの間の最終対決は、常に終末的な意味合いを持つことになる。戦争末期、パルチザンの勝利が明らかになった時、ドイツ軍とその協力者たちは北へと逃れた。彼らの目的は、イギリス軍のいるオーストリアに撤退することだった。もし彼らがイギリス軍に降伏することができれば、多少なりとも慈悲を与えられるかもしれないと推測したからである。彼らはチトーからは絶対に許されないことを知っていたのだ。

最初のスロベニア郷土防衛隊が五月一四日、ドイツ軍とその協力者たちが降伏した約一週間後にオーストリアへ向けて出発し、国境を越えてクラーゲンフルトの町でイギリス軍に投降した。そしてその後、一日ほどして、今度はクロアチア軍部隊もまた、オーストリア国境のブライブルグの町を目指して進んだ。

しかし、残念ながら、イギリスはこれらの部隊や難民を亡命させるつもりはなかった。彼らにはそもそもこれほど多くの人々を保護できる余裕はなかったし、何よりも、すでにイギリス占領地域にまで侵攻を見せるチトーとの良好な関係を、今後維持していくことに心血をそそいでいた。そこで、イギリス軍は、オーストリア国境で彼らを追い返すか、もしくは武装解除し、チトーのパルチザンに引き渡したのであった。

次に何が起こったかというと、それは、どの大虐殺にも劣らないような血の海の出現だった。その後の数週間で行われた残虐行為のほとんどは、オーストリアとの国境に位置する現スロベニア地域のユーゴスラビア共和国で起こった。マリボル近郊の畑や森では、約一万五〇〇〇人のクロアチア人ファシストが対戦車砲の塹壕に沿って並ばされ、銃殺された。イタリアとの国境近くのコチェウスキ・ロークでは、何千人ものスロベニア人とクロアチア人が深い渓谷に放り込まれた後、ダイナマイトで山の側面が爆破され、その遺体を覆い隠した。そして私が二〇一五年に訪れたフダジャマでは、さらに数千人が殺害され、トンネルや坑道に埋められたのであった。

これらの虐殺は、戦時中にドイツ軍とそのファシスト協力者たちがユーゴスラビアに加えた暴力への復讐だと思いたくなるが、残された証拠が、これが単なる復讐といったものではなかったことを示唆している。フダジャマの鉱山で殺された男たちの運命はその一例である。彼らは戦場で殺されたのではなく、処刑へと連行される前に三週間、捕虜収容所に入れられていた。この間、将校は他の兵士から隔離され、また、スロベニア郷土防衛隊に長く所属した隊員は、戦争末期に徴兵されただけの隊員とは別にされた。この作業は単に選別の要素だけではなく、かなりの組織的な力が働いていたことを意味している。大虐殺は明らかに上からの、それもかなり上層部からの命令で行われていた。

現実には、この虐殺は皮肉な政治的動機のために行われ、これらの人々を皆殺しにすることで、多くの問題を解決させようとした。チトーは戦後、「兄弟愛と統一」をスローガンに一つに統一された共産主義ユーゴスラビアを作りたかった。そのためには、超国家主義者の何万人ものクロアチア人とスロベニア人がいない方がはるかにたやすくその目標を達成できたのである。数年後、チトーの右腕であるミロヴァン・ジラスは、一九四五年五月の日々を振り返り、虐殺がただ純粋に現実的な目的遂行のために行われたことを認めた。「ユーゴスラビアは混沌と破壊の状態にあった」と彼は一九七九年にイギリスのインタビュアーに語っている。「民事行政もほとんど行われず、適切に運用される裁判所もなかった。二万人から三万人の事件を確実に捜査する方法はなかった。だから、簡単な方法は、彼ら捕虜たち全員を射殺して、問題を解決することだった」と。

これがチトーの新ユーゴスラビアの血なまぐさい礎となった。それから四五年ほどの間、ユーゴスラビアには不穏な平和が訪れた。チトーが生きている間、誰も彼の「兄弟愛と統一」のビジョンに疑問を抱くことはなかったが、実際には、暗い民族主義的な感情が完全に消えさることはなかった。一九八〇年のチトーの死後、異なる共和国と民族間の不毛な対立が再び始まったのである。一九九〇年代初頭、ユーゴスラビアは再び、血なまぐさい内戦状態に陥った。

スロベニアは一九九一年にユーゴスラビア連邦から正式に離脱した最初の共和国である。おかげで、その後のセルビア、クロアチア、ボスニア、そしてコソボを巻き込んだ暴力からは逃れられたものの、旧共産主義者、新民主主義者、そして強硬な民族主義者との間の緊張は依然として高かった。一方で、他の地域で日々起きている恐ろしい出来事は、この国の持つ過去の、辛い記憶を呼び覚ましていた。

戦争に関する記念碑のアイデアは、二〇〇九年にスロベニア議会で最初に発議された。当初この記念碑は、過去の記憶が痛烈にぶつかり合った政治的見解の異なるグループ同士の和解を促進するための一つの手段として考案された。

二〇一三年にはコンペが開催され、三九もの応募があった。その中から、ロク・ジニダルシッチを中心とした建築家グループのデザインが選ばれ、二〇一五年にお披露目された。そして、その二年後、ようやく記念碑は着工され、二〇一七年六月一三日に落成したのである。

この記念碑はその非常に無垢であるところが、おそらく最大のセールスポイントである。それは繊細に、換言すれば、誰も不快にさせないように、また、戦争の破壊的な情熱を復活させないように設計されていた。英雄や犠牲者、そして加害者について何も書かれていないのであれば、それは設計者の意図的な選択である。第二次世界大戦の記念碑であることを誰もが知っているにもかかわらず、すべての戦争の犠牲者に捧げられているのだ。

ほとんどの記念碑は国家の記憶を喚起し、その記憶へと人々を誘導するように設計されているが、この碑はそれとは対照的に、何やら、国家的記憶をわざと分散させるように設計されているように見える。この記念碑を最初に見た時、私が衝撃を受けたのは、どこにもつかみどころを見出せない点であった。そこには人物も彫刻も何も配置されず、ただ滑らかで何もない壁が二枚あるだけだ。その空虚さは、犯行現場の上に敷かれたシートのようなもので、皆が直視するにはあまりにも辛いものを覆い隠しているかのようである。

しかし、この先にあるものを直視し、この碑の真意を読み取ることを難解にしているものを取り払うことができれば、この記念碑が提示しているいくつかの非常に難しい問題を見てとることができるだろう。その中で最も重要なのは、最も根本的な問い、つまり、記念碑は何を語っているのかということである。

記念碑を建てた建築家とそれを支持した大統領の両者がいう公式の見解では、それはスロベニアの人々と彼らが生きる思想を象徴しており、たとえ互いに相いれないものであっても、同じ材料で作られ、同じ土台の上に建設されていることが大切だという。それは和解の印になってはいるが、この見解に則って、論理的な結論を出すようなことがあれば、それは私たちを危険な場所へと導いてしまうおそれがある。これらの巨大な石板のそれぞれが、人々の異なる側面を表しているとするならば、この二つの対立するものとはいったい何なのだろうか。国民に対する国家か、それとも、民間人と軍隊なのか、はたまた右派に対する左派なのかといった問いである。

これは戦争記念碑であり、主に第二次世界大戦に焦点を当てているところから、そこには一つの解釈しか存在しない。一九四五年にここで互いに直面した二つの主要な陣営は、一方ではファシスト（スロベニア郷土防衛隊などの地元の協力者）と他方では共産党パルチザンであった。換言すれば、二枚の石板は、スロベニア人の大多数を表象しているのではなく、かつての両陣営を表しているのだ。

純粋に戦時中のスロベニア人を表象するのであれば、その巨大で悲惨な二つのイデオロギーに挟まれ、抑圧されていた経験を表象するために、二枚の壁の間に何かが配置されてもいいはずである。もちろん、この記念碑を訪れる人は、望むのならば、壁の間に自分自身を置くこともできる。今日、この壁の間に立つと、左右に重さを感じることができ、何やら閉所恐怖症のような感覚に陥る。しかし、後方に下がり、この壁をどの距離から見ても、それらは被害者意識について全く何も語ってはいない。見えてくるのは一枚岩それだけであり、まるでファシズムと共産主義の一体化を思わせる。戦争の犠牲者に捧げられたはずが、うっかり加害者を顕彰する記念碑になってしまったかのようである。

この記念碑建設がリュブリャナの一部の人々が出した結論であることには間違いない。しかし、私が初めて訪れた翌年の夏、記念碑が建てられる予定だった場所が荒らされる事件が起こった。七月中旬には鉤十字のマークがスプレーで落書きされ、また、一週間後には共産主義者シンボルである赤い星が貼りつけられた。その二ヶ月後には、殺された豚が敷地内に投棄され、「ファシズムに死を」や「人民に自由を」と印刷されたビラが散乱するという事件も起きている。一枚のビラ書きがすべてを物語っているように思える――'Nehajte že se igrat partizane in domobrane'――「パルチザンと国防市民軍を気どるのはやめろ」である。

このような記念碑への抗議行動に注意を払う政治家や市の当局者はほとんどいなかった。ある者はこの破壊行為への怒りを表明し、ある者は懸念を示した。またボルト・パホル大統領はいつものように騒動をおさめるのに必死であった。しかし、誰もこの事件の根底にある根本的な問題に取り組もうとはしなかったし、まだ問われるべき質問を投げかけようともしなかった。国家は何を記憶しておく必要があり、また、何を忘却すべきなのか。犠牲者の中に戦犯がいたことを認めることは許されるのだろうか。そもそも、記憶する目的とは何だったのか。それは傷を癒すことだったのか、それとも単に傷を認めることだったのだろうか。そして何よりも重要なのは、スロベニアはどのようにして歴史の最も暗い章から解放されることができたのだろうかということである。そのような疑問は、スロベニアの政治を構成する感情と拒絶、計算と妥協の霧の中で失われた。
今日、記念碑は、見えない泡に飲み込まれてしまったようだ。すでに都市景観の中に定着し、誰もがそこにあることを知っていながら、それについて思いを巡らせる人はほとんどいない。二〇一七年七月の除幕以来、それは政治家からも、一般の人々からも、ほぼ放置されているといっても過言ではない。何百人もの人々が毎朝、毎晩、通勤・通学の途中でこの記念碑の前を通り過ぎていくが、誰一人としてそれを見上げることはない。そもそもこの記念碑は彼らの歴史の痛ましい側面を表しているというのに、どうして彼らが見上げなければならないのだろうか。そして、誰が日々の貴重な時間に、共産主義やファシズム、そして被害者意識といったものへの違和感に思いをはせたいと思うのだろうか。彼らは急いでいるのだ。せいぜいその記念碑を横目で見て、気付いてはいても気付かないふりをし、想起をすれどもしないふりをするだけなのである。

*私がフダジャマを訪問したのち、二〇一七年一〇月にスロベニア政府はこれらの遺骨をマリボル近郊のドブラバ・メモリアルパークに埋葬した。

第14章 日本 靖国神社◆東京

英雄、犠牲者、そして戦争犯罪人の境界線が曖昧になっているのは何もスロベニアだけではない。私の国（イギリス）を含む多くの国では、自分たちの過去の行いの一部を詳しく振り返ることを躊躇する場合がある。これは単に人間の本性である。罪のある行為とない行動との間に明確に線を引くことが困難であると感じたり、また、それがあまりにも不快に感じたりする場合、どの国も善と悪の境目にあるグレーゾーンに身を寄せるのである。

そのグレーゾーンはたまたま存在するわけではない。それは社会的に有用な機能を提供している。つまり、それは、自らの罪を十分に認めることを自分たち自身に強制することなしに、それでも自分たちが間違ったことをしたという考えに向かうことを可能にしてくれる。そこはいわば、私たちの転倒を和らげるクッションのような空間なのだ。

例えば、イギリス植民地主義の遺産を考えてみよう。イギリスの人々は、他の国の征服と搾取が道徳的にけして許されないことであると心の底から思っている。しかし、帝国はまた、その植民地に対して、鉄道やクリケット、西洋式の教育など、一つや二つの恩恵をもたらしたと考えることによって、その良心の呵責に耐えている。「私たちは間違ったことをしたかもしれないが、モンスターでは

なかったのだ」と自分にいい聞かせることができるように、である。

しかし、そのような余裕のない国も存在する。一九四五年、日本とドイツは全面的に敗北をしたため、戦争中に犯した罪について独自の物語を構築する機会はなかった。ニュルンベルク裁判と東京裁判において、彼らの犯罪はすべての人々の前に明らかにされた。その中には、集団奴隷化、集団レイプ、大量殺戮、そしてジェノサイドなど、人類に対する最悪の犯罪が数多く含まれていた。どちらの政府も、日常的に囚人たちを死に追いやっていた。そしてどちらも、生きた人間を使って医学実験を行っていた。これらの犯罪を行った人々がモンスターのように振る舞っていたという事実からは逃れることはできなかった。

これはその国に何をもたらすのだろうか。自分が加害者の国に属しているということと、どう折り合いをつけるのだろうか。そのような状況の中で、はたして死者を追悼することは可能なのだろうか。兵士の犯罪を容認することなく、いかにして彼らの犠牲に敬意を表することができるのだろうか。

これらは、一九四五年以降の日本が直面した問題であり、その後も日本を悩ませている問題である。戦争をどう記憶するかは、日本社会で最も議論を呼んでいる問題の一つである。いくつかの団体はこの問題に真正面から取り組み、日本の罪を受け入れ、償いをし、謝罪しようとしてきた。しかし、ある団体はそれとは異なる「否定」という道を選んだ。東京にある靖国神社は、他の国が受け入れている歴史認識をけして受け入れないでいる。それは戦争犯罪裁判の判決を拒否するものであり、実際、無実の人と有罪の人との区別を拒否し続けている。他国では許されている道徳的なグレーゾーンを再現しようと、この問題を、何度も泥沼化させようとしてきたのである。

残念ながら、物事はそのようにはうまくいかなかった。歴史は逃れることのできない監獄である。

靖国神社を統括する宮司たちは、過去に対する国の責任から逃れようとすることで、ただ近隣諸国を怒らせることにしか成功していない。アジア諸国は靖国神社を追悼と敬意を表する場としてではなく、むしろ、戦犯たちの聖地だと認識し始めている。

靖国神社については、特に欧米において、非常に多くの誤解があるため、最初にそれらいくつかの誤解を解くことが重要になってくる。第一に、この神社は第二次世界大戦で亡くなった人だけを祀っているのではなく、一八六八年の明治維新以来、戦場で命を落としたすべての日本兵に捧げられている。一九三七年以前にも、例えば一九〇四年から〇五年にかけての日露戦争、第一次世界大戦、そして中国、台湾、朝鮮を始めとする様々な戦いで命を落とした何万人もの御霊がここに祀られていた。第二次世界大戦が主役のように見えるのは、それは、あの戦争が桁違いに大きかったからに他ならない。第二次世界大戦の結果、ここに祀られる御霊の数は一七倍にも増加したのである。今日、英霊を登録した霊璽簿には二四六万六〇〇〇人以上の名前が記されているが、その内九四パーセントが、一九三七年から四五年の間に亡くなった人々のものである。

本書で紹介されている他の多くの場所とは異なり、靖国神社は記念碑でも記念施設でもない。厳密にいえば、教会や寺院に似た神聖な場である。アメリカ人がアーリントン墓地で父親を悼むように、またイギリス人がフランスのティプヴァル記念碑で祖父を弔ったりするように、一般の日本人は祖先を弔うためにここを訪れる。ただし、この場所には実際には誰も埋葬されてはいない。ここには死者の魂が祀られているのだ。彼らの名前や詳細は、巻物（霊璽簿）に手書きで記され、本殿奥の奉安殿に保管されている。参拝する人は、神社の前に立って深々とお辞儀をし、神の注意を引くために手を二回叩いて祈りを捧げる。

一般の観光客にとっては、なぜこの場所がこれほどまでに騒がれているのか理解するのは難しいに違いない。ここの雰囲気はドラマや紛争のそれではなく、静けさと美しさと調和のとれたものに包まれている。東側から境内に入ると、大きく育った木々が並ぶ長い舗装された大通りを歩くことになる。そして精巧に彫られた石の獅子や碑文が記された一枚岩などを目にすることができる。また日本軍の創設者の像も、ロンドンのネルソン像が立つ柱のようなものの上に置かれている。神社の正門をくぐると、そこには数十本もの桜の木があり、毎年四月になると見事な花を咲かせるのである。神社の向こうには、木陰の散歩道があり、いくつかの記念碑と、ただ時折、大きな鯉が泳ぐことでのみ、その鏡のような水面がゆらめく、そんな神聖な池を有する庭がある。

一見すると、この場所に、人々を不快にさせるようなものは一切ない。どの国も戦没者を追悼しなければならないが、それは日本も例外ではない。大義のために命を落とした人々の記憶を、その大義が誤ったものであるかどうかにかかわらず、日本国民が尊重することは当然のことである。彼らの犠牲者は承認されねばならず、圧倒的な都市の中にあるこの平和な空間は、まさにそれのためにふさわしい場所である。

靖国神社のメッセージが単にこれだけであれば、何の問題もない。しかし、残念ながら、ここの松や桜の木の間に隠された別のメッセージはそれほど単純なものではないのだ。

たとえば、境内に散らばっている多くの記念碑を見てよう。戦争未亡人や動物、巡視艇の乗組員、さらには神風特攻隊に捧げられた記念碑を問題にする人はほとんどいないだろう。しかし、この神社の後側には、日本が征服した国だけでなく、日本国内でも民間人を恐怖に陥れた憲兵隊の記念碑が建っている。この大いに恐れられた組織によって実行された人権侵害については、議論の余地のないほど膨大な資料が存在する。この組織は、例えば、何数十万人の民間人や戦争捕虜を働かせ、餓死させた収容所の運営を担当していた。また、何万人もの女性が性奴隷としての生活を強いられた軍の慰安所を運営する責任も負っていた。そして、様々な反戦感情を表明した日本国民を根絶やしにして、恐怖を与える役割も担っていた。欧米においてはこの組織はナチス親衛隊やソ連の秘密警察といったものに相当する。それがいったいどうして、このような敬意をもってここでは記念されているのだろうか。

さらに目立つのは、本殿に近い場所に立つ別の記念碑である。それは一九四六年の東京裁判で裁判官を務めたラーダービノード・パール博士を記念したものである。パールは、一一人の裁判官の中で唯一、日本の被告人全員に無罪判決を下すべきだと主張した人物である。彼は、勝者の正義について、また、連合国自身の行為に対して、日本の指導者を厳しく裁くことについて、いくつかの重要かつ妥当な指摘をしていた。それにもかかわらず、他の裁判官は皆、多かれ少なかれ、日本の指導者は戦争責任を問われるべきだという点で、一致していた。さらに、日本政府は一九五一年にサンフランシスコ平和条約を締結し、この戦犯法廷の判決を自ら受け入れている。これら大多数の人々の判断を無視してパールの記念碑を建てることは、歴史を歪めるだけでなく、強い政治的メッセージを発信することにもなる。ここで神社当局が事実上いっているのは、日本は何も間違いを犯してはおらず、その行動に、何の責任も負う必要はないということなのである。

さらにいえば、この神社の敷地内には戦争博物館があり、その入り口は神社からわずか三〇〜四〇メートルしか離れていない。私はこの博物館で数時間を過ごし、ここを開かれた心で見学することに決めていたが、帰る頃にはすっかり気分が悪くなっていた。この博物館は、日本が中国を侵略したのは、中国人のせいであるとしている。そして、日本が真珠湾攻撃をしたのは、アメリカ人のせいなのだそうだ。日本が東南アジアを侵略した唯一の理由は、アジアの人々をヨーロッパの植民地支配から解放したいという無私欲からのものであり、けして、これらの場所を自らの植民地にしたいという完全に身勝手な欲求からではないことを示唆している。私は、自分のキャリアの多くを、植民地主義の名の下に行われた犯罪の一部を含め、ヨーロッパ人が過去に行った恐ろしいことを直視するよう説得することに費やしてきたが、この博物館での否定の規模は、私がこれまでに出会ったことのないものであった。日本が戦争の責任の一端を担っていたかもしれないということを、微塵も受け入れてはいなかったのである。そして、これらの歴史的な歪みよりさらに悪いのは、博物館の展示内容の省略である。博物館のロビーには、悪名高いビルマ鉄道で使用されていた機関車が置かれている。私は以前、この鉄道建設のために餓死寸前にまで追い込まれたという戦争捕虜――この鉄道建設では約一〇万人が命を落としたといわれている――に話を直接聞いたことがあった。終戦後、一〇〇人以上の日本の軍関係者がこの建設過程における残虐行為を理由に裁判にかけられ、その内、三二人が死刑判決を受けている。しかし、こういった事実は、ここの展示では一切触れられていないのである。博物館としては、これは単なる機関車であり、近代化の象徴であり、日本の企業である日本車輌株式会社が誇らしげに製造したものなのだ。

これは数ある省略の中の一つに過ぎない。レイプ・オブ・南京（または、ここでは婉曲的に「南京事件」と呼ばれている）は、民間人を殺さず、民間人の衣服を着た中国兵だけが殺されたという、分かりやすい作戦として描かれている。また、ここには慰安婦に関する記述は見られない。中国の民間人に対する人体実験も、反対派への拷問も、インドネシアでの飢餓も、マニラでの女性と子供の虐殺も、ここには何もないのである。これらの出来事は世界中でよく知られており、海外の歴史家だけでなく、日本の歴史家によっても繰り返し証明されてきたことである。しかし、それらはこの博物館には全く存在しないのである。

これらはもうすべて問題なのだが、靖国神社がこれほどまでに物議を醸しているのは、それらだけが、原因ではない。これらは二〇一一年に中国人男性が神社の門に火をつけようとした理由を説明しない。また、二〇一三年に韓国人男性がシンナーの入ったボトルを本殿に投げ入れた理由も、二〇一五年に別の人がここに爆弾を仕掛けた理由も説明しないのである。それらの攻撃は、博物館や記念碑にではなく、はるかにもっと根源的なもの、つまり神社そのものと、ここに祀られている御霊そのものに向けられたものであった。

靖国神社が日本の近隣諸国から嫌われているのは、単にここが、任務中に命を落とした普通の日本兵を祀る施設ではなく、一九五〇年後半以降、東京裁判で有罪判決を受けた戦犯の御霊をも公然と祀る施設でもあるからだ。

この問題は一九五九年に始まった。この時点まで、有罪判決を受けた戦犯たちはこの神社からは除外されていた。しかし、一部の戦犯の遺族は、かねてより靖国神社への合祀を求めて活動しており、ついに厚生省の協力を得ることに成功したのであった。一九五六年、同省は靖国神社にB級およびC級の戦犯の名前を伝え始め、それから三年後に彼らの御霊の合祀が開始されたのである。

一九五九年四月から六七年一〇月にかけて、九八四人のB級およびC級の戦犯が合祀された。これらの人々は、アジア各地で捕虜や罪のない民間人の大量殺戮、搾取、拷問に個人的に関与した者たちであった。このプロセスは、派手な告知を伴わずに静かに行われた。世間の反発を避けるためでもあったが、新憲法で禁止された宗教と政治問題の融合という非難を避けるためでもあった。神社は、そこに祀られることになる御霊の遺族にも合祀の許可を求めず、遺族の中には、自分の身内が行ったことを深く恥じ、そのような栄誉を与えられることを望まない人もいたという。一九六九年、厚生省と靖国神社は、日本のA級戦犯一四人を合祀する計画にも同意した。彼らは、個人的に残虐行為を行った者たちではなく、侵略的な戦争を首謀し、開始した、上層部の人たちであった。これらの人々を合祀する計画は当初から、イデオロギーに基づいて推進された。神社の神職や奉職者の中には元軍人が多く、東京裁判の判決をけして受け入れなかった。この合祀のプロセスは、一時期、宮司である筑波藤麿によって止められていたが、彼の死後、後継者である松平永芳によってすぐに進められた。一九七八年一〇月一七日に行われた極秘の儀式において、彼は一四名のA級戦犯全員を合祀したのであった。

これらはいずれも必要な措置とはいえなかった。一九六〇年代から七〇年代にかけて、日本では、合祀に反対する人が、賛成する人よりもはるかに多かったのだ。当然のことながら、これらの人々はあらゆる道徳的規範を破っており、日本の恥をさらすこととなった。これほどまでに、合祀が秘密にされたのは、靖国神社が自分たちに対する世論が刺激されるのを避けたかったのが理由であった。

天皇も合祀を認めなかったようである。彼は一九四五年から七五年までの間に計八回、靖国神社を参拝したが、A級戦犯が合祀されてからは一度も参拝していない。昭和天皇の死後、彼の息子である次の天皇もそれに倣い、靖国神社には一度も訪れていない。

しかし、日本の歴代首相はそれほど外交的ではなかった。一九八五年八月、中曽根康弘首相は終戦四〇周年記念の一環として神社に参拝した。中曽根の参拝は、これまでの神社とそれまでの経緯を公式に認めたことになり、初めて中国から批判の嵐が吹き荒れた。二〇〇一年、自民党総裁選に出馬した小泉純一郎首相は「批判を受けても毎年参拝する」という選挙公約を掲げた。本人は個人的な参拝だと主張しているが、選挙公約にしたことが本当はそうでないことを物語っている。またしても中国や韓国では、彼の参拝に対して怒りの声が上がった。二〇一三年には安倍晋三首相も参拝したが、これは、今後、国際関係をさらに悪化させることを承知の上でのことであった。

この状況を打開するために何ができるのか、今はまだ分からない。戦犯の御霊を「分祀」したり、別の場所に移したりすることを提案する人もいるが、神社の宮司は神道学的な理由からそれは不可能だと主張している。彼らが言及するのを忘れているのは、それらが一九五〇年代以来、神社当局が追求してきた政治的な倫理観にも反するということである。宮司にとって、犯罪者と無実の人が混ざっているのは好都合であり、憲兵隊の記念碑を敷地内に残し、誤った方向性と否定に満ちた博物館を作ることもまた好都合なのである。それらはすべて、第二次世界大戦に対する日本の責任について、曖昧にしてしまおうという試みの一環なのだ。

この神社を支持する人々は、イギリスやアメリカの機関も、特に空襲や東南アジアにおける植民地支配の証拠に関しては、同じような言い逃れや道徳的曖昧さを残していることが多いと指摘する。また、日本の戦争犯罪を非難することを、自らの人権問題に対処することよりも好んで行う中国にも矛先が向けられている。彼らにも一理ある。なぜ日本は他の国々とは違う基準が求められるのだろうか。しかし、そこには、これらの人々が考慮に入れようとしていない質的な違いがある。欧米諸国は、少なくとも正しい方向に動いている。彼らの歴史否定は現在、一般的に、弱くなってきている。年々、彼らは自らのプライドを少しずつ飲み込み、より大きな責任を認めるようになっている。しかし。靖国神社は彼らとは逆の方向に動いており、否定を弱めるどころかむしろ強めているのだ。

その過程で、戦時中に日本軍の手によって命を落とした人々の遺族だけでなく、日本国民自身にも大きな悩みの種を与えてきた。もし神社当局のこれらの動きがなかったら、日本人の家族は戦犯の行為について考えることなく、安心してここに来ることができただろう。彼らは、旗を振ったり、拡声器で怒鳴ったりする超国家主義者に不安にさせられることもなく、放火や爆弾の可能性を心配することもなく、安心して先祖に敬意を払うことができたかもしれないのだ。

ここを訪れる普通の日本人は、すでに歴史の重荷を背負っている。現在、この有害な強力な行動のために、ここでのすべての参拝行為もまた、過去と同様に未来を蝕む恐れのある政治的行為となっているのだ。

第15章

イタリア ムッソリーニの墓

◆プレダッピオ村

二〇一八年四月二八日、イタリア中部のプレダッピオ村から長い列が続いていた。数百人の人々が集まり、ほとんどがまるで葬儀のように黒服を着ていた。彼らはリベルタ通りに沿ってサン・カッシアーノ教会とその墓地のある方向へと荘厳にゆっくり歩いていた。多くが奇妙な黒い帽子、ある者はベレー帽であり、ある者は黒い羽で飾られた旧式の軍用帽を被り、中には鷲をあしらったイタリアの国旗や、軍の組織やマーチング・バンドの名前が記された旗を掲げている人もいた。また、「Gli hanno sparato, ma non sono riusciti a ucciderlo（「彼を撃ったが、彼を殺すことができなかった」）と書かれたプラカードを持って歩いている人も見られた。

イタリアとその歴史を知らない人は誰でも、これは最近起こった殺人事件の犠牲者の埋葬にでも参列する人々だと思うかもしれないが、実は彼らは七三年前に亡くなった人物を追悼するためにここに集まっている。戦時中、ファシスト・イタリアの独裁者であったベニート・ムッソリーニは、この村で生まれ、この村に埋葬されている。彼の遺体はこの村のとある地下室に安置されており、これらの人々は彼を偲ぶためにここにやってきたのだ。年に三回、彼の誕生日（七月二九日）と命日（四月二八日）、そして彼とその支持者たちがローマに進軍して権力を掌握した日（一〇月二八日）を記念し

て、彼らは集まってくるのだ。

この集まりには何か少し不気味なものがある。この中にはこの村出身の者はほとんどおらず、住民たちはこの行列に眉をひそめている。彼らの黒いシャツは、ムッソリーニの悪名高いファシスト民兵が着ていたユニフォームを彷彿とさせる。また、彼らの掲げる旗に書かれたスローガンも同様である。「Onore e fedeltà（名誉と忠誠）」、「Boia chi molla（臆病者に死を）」などがその典型例である。また、彼らが持っているシンボル――鷲、短剣、ケルト十字、そしてどこにでもあるファスケス（斧の周りに木の棒の束を結び付けたもの）――はすべて過去の時代のものである。彼らは現在、タブーとされているこれらのシンボルと堂々と持ち歩いているのだ。

何よりも気がかりなのは、その宗教色の強い雰囲気である。イタリアは毎年どの村でもこのような行列が行われているが、通常、聖マリアや地元の聖人に敬意を表すためのものである。それがここでは、今日、誰もがモンスターだとみなしている男に敬意を表しているのだ。この人たちが巡礼しているのは、カトリックの聖人や使徒の墓ではなく、ファシストの独裁者の墓である。

行列が墓地に到着すると、エッダ・ネグリ・ムッソリーニが短いスピーチをするために階段に立っていた。「私たちは祖父を追悼するためにここにいます」。「この神聖な場所に敬意を払うために」と語るのだった。この場所を、ここが教会に併設されているから神聖視しているのか、それともここにムッソリーニが埋葬されているから神聖視しているのか、それははっきりとはしない。靖国神社が有罪と無罪の境界線を曖昧にする罪を犯しているとすれば、ムッソリーニを祀る墓は何も曖昧にはしていない。この場所が何を表しているのかは明らかであり、それについての謝罪はない。

ムッソリーニはどこからともなく現れたわけではない。一九二〇年代初頭、彼は、第一次世界大戦後の混乱と市民の不安に終止符を打つと約束した多くの人の中の一人にすぎなかった。ムッソリーニと彼のライバルたちとの違いは、彼が目的を達成するために暴力を使うことを恐れなかったということであった。彼の信奉者たちは、ストライキやデモを解散させ、共産党指導者や労働組合代表を容赦なく追い詰めていった。このような方法は非常に効果的であり、彼はすぐに多くの企業家や軍の指導者、イタリアの貴族などから支持を獲得した。

残念ながら、ムッソリーニは労働者のストライキを打破するだけにとどまらなかった。一九二二年一〇月、彼の支持者たち三万人がローマに進軍し、首相の辞任を要求したのである。さらなる暴力を恐れ、国王はムッソリーニに権力を委ねることにした。その後、彼と彼の支持者たちは、この権力を使って政敵たちを脅し、邪魔者たちを暗殺し、国民が他の指導者を選ぶ権利を奪い、警察国家を築いたのである。ムッソリーニは、ヒトラーやフランコのような他のファシスト独裁者の雛型となった。そのため、彼は長年にわたる民族浄化や政治的暴力、そして最終的には世界大戦へと道を開いたという罪を犯しているのだ。

ムッソリーニは繰り返し、戦争と征服を通じてイタリアを古代帝国の輝かしい姿に戻すことを目指していると述べていた。一九二三年、ムッソリーニはコルフ島に侵攻し、ギリシアが賠償金を支払うまで部隊の撤退を拒否した。一九三五年にはエチオピアに侵攻し、民間人に毒ガスを使用し、すべての囚人を殺害し、「反政府勢力とそれに加担する人々に対して、恐怖と絶滅の政治を体系的に実施せよ」という命令を司令官に書面で与えたのである。これらはすべて当時でさえも戦争犯罪であった。一九三七年には、彼はフランコのために、「バレンシアとバルセロナを恐怖に陥れる」として、数千人もの部隊をスペインに派遣した。一九三九年にはアルバニアへ侵攻、翌四〇年にはエジプトへの侵攻をたくらんだ。これらはすべてヒトラーとは関係なく、独立して行われていた。彼によるナチス・ドイツのさらなる殺人行為への支持は、しょせんケーキの上のお飾りでしかなかったのだ。

ムッソリーニに関する神話は、今日でも多く残されている。第一の神話は、彼の政権が、ナチスが行ったのと同じ方法でユダヤ人を迫害しなかったという理由で、人種差別主義者ではなかったとされていることである。一九二〇年代および三〇年代にかけてのリビアでの民族浄化を研究したことのある人ならば、誰でもそのことに異議を唱えるだろう。ムッソリーニ自身、イタリア人とリビア人の結婚を、イタリア人種が外国の血で汚されるのではないかと恐れ、それを犯罪とするようリビア総督ピエトロ・バドリオに指示したのである。彼はユダヤ人やイスラム教徒に対して悪意を抱いていないと繰り返し主張していたが、彼の行動は自身の言葉よりも雄弁であった。一九三八年、絶頂期にあった彼は、ヒトラーのニュルンベルク法とほぼ同じ内容の人種法をイタリアにも導入しているのだ。

また、ムッソリーニの過ちが何であれ、少なくとも彼は電車を時間通りに走らせることができたという妄言もある。まるで組織的な暴力や個人の自由の喪失が、迅速に仕事をするために支払う価値のある代償であるかのようである。彼について語られている他の多くの物語と同様に、この神話はムッソリーニ自身のプロパガンダの結果である。一九三〇年代のジャーナリストの旅行日記を読むだけでも、彼の統治期間中、イタリアの列車がかなり酷い状況であったことが分かる。一九三〇年にイタリアで宅配業者として働いていたアメリカ人ジャーナリストのベルゲン・エヴァンスによると、それは単に列車の数が少ないということだけではなかった。「イタリアのほとんどの列車がスケジュール通りに運行されていないか、それに近い状況だった」と書き記している。公共インフラの整備に関していえば、ムッソリーニは他の多くのヨーロッパの指導者たちよりも成果を上げることができなかったのである。

ムッソリーニが失脚したのは、第二次世界大戦中であった。戦争において敗北が続いたため、国民の間での彼の人気は衰え始めた。一九四三年には彼の政府でさえムッソリーニにはうんざりしていた。その年の七月、評議会は彼の独裁権を剝奪することを決議した。その後ムッソリーニは逮捕され、アプルッツォの高級リゾート地に監禁されたが、その間、後任のピエトロ・バドリオが連合国との和平交渉を行っていた。

その秋、ムッソリーニが救出されたのは有名な話だが、それは自国民によってではなく、ドイツの特殊部隊によるものであった。その後、イタリア北部でムッソリーニを再び傀儡国家の指導者に据えたのもドイツ人であった。イタリアの極右ナショナリストたちは、この事実を忘れようと懸命である。一九四三年から四五年の間、ムッソリーニはイタリアのためではなく、ドイツのために戦ったのである。

ムッソリーニは、エチオピアやリビアの人々に対して行ってきた悪行を、ついに自国の国民に向けて行ったのである。彼はドイツの協力を得て、義理の息子であるチアーノ伯爵を含む、反旗を翻した政府関係者の処刑を画策した。そして、彼の支持者たちもまた、ドイツの助けを借りて、イタリア人の抵抗の芽を残忍に摘んでいったのである。ボローニャのネットゥーノ広場（第6章参照）に展示されている肖像画の多くは、ドイツ人にではなく、同じイタリア人によって拷問され処刑された人々のものなのである。

最も悪名高いドイツの残虐行為のいくつかは、イタリアの熱狂的な協力を得て行われていた。例えば、サンタンナ・ディ・スタッツェーマでは、この地域で抵抗運動への報復として、約五六〇人の村人が殺害された。犠牲者には、老人や妊婦、そして約一〇〇人の子供も含まれていた。犯人はドイツの親衛隊であったが、イタリアの第三六黒シャツ隊がそれに協力していたのである。黒シャツ隊の名前には、それぞれファシストの著名な指導者にちなんで名前が付けられていたことは注目に値する。ちなみに、この部隊は「ベニート・ムッソリーニ」であった。

これが、多くの人が年に三回、プレダッピオで行列を作り、敬意を表しにくる相手の男なのだ。戦争最後の二年間に北イタリアを襲った残酷行為は、彼の超国家主義的なイデオロギー、残忍な力の称揚、法の支配の完全なる崩壊の結果であり、それらはムッソリーニの現代の弟子ともいえる人々が彼の墓に花を手向ける度に祝われる特質でもある。

ムッソリーニは自分の蒔いた種を最終的に自ら刈り取ることになった。一九四五年の春、ドイツによる北イタリアの支配が連合国の圧力の下で崩壊し、ファシストの支配に対する広範な反乱が勃発した。ムッソリーニは国外へ逃亡しようとしてパルチザンに捕らえられた。ムッソリーニと彼の愛人クラーラ・ペタッチは道路脇で処刑され、彼らの遺体はミラノに連れ戻され、ロレート広場に遺棄された。この広場は前年にファシストによって一五人のパルチザンが処刑されていたことから、意図的に選ばれた場所であった。

遺体はすぐに大勢の人を集めた。蹴ったり、殴ったりして嫌悪感を表す人もいた。ある女性は、死んだネズミをムッソリーニの口に押し込もうとし、また、別の人は彼の手に安物の黒パンを握らせた。それはあたかもムッソリーニ自身が生み出したイタリアの民衆と同じく、今や彼が貧しく、蔑みの対象となったといわんばかりであった。別の女性は、死んだ息子たちのために、彼の遺体に何度も銃を撃ち込んでいた。最終的には、パルチザン自身が、この遺体をこれ以上痛めつけないように介入した。ファシストの指導者が本当に死んだという証拠として、群衆に彼らを展示し続けるために、遺体はガソリンスタンドの屋根から頭を下にして吊るされたのであった。クラーラ・ペタッチのスカートは、彼女の謙虚さを保つために脚の周りにまかれていた。そして彼らの写真が撮影され、全国の新聞に掲載された。

その後の展開は非常に奇妙であり、かなり陰惨なものであった。ムッソリーニはミラノの無名の墓に埋葬されていたが、約一年後、ドメニコ・レッチーニというジャーナリストと他の二人の元ファシストによって掘り起こされた。彼の遺体は数ヶ月間、あちこち移されたが、最終的に当局がパヴィア郊外の修道院でそれを発見した。直接的には二人のフランシスコ会の修道士が遺体を隠していたのであった。

その後、遺体が火葬されていたら、あるいは海で処分されていたならば、おそらくそれでこの問題は済んだかもしれないが、当局は何もしなかった。一〇年以上もの間、遺体はセロ・マッジョーレという小さな町にある別の修道院に隠され、その間、政府は今後、その遺体をどうするかを検討していた。結局、一九五七年に新たに任命されたアドネ・ツォーリ首相が、この遺体をムッソリーニ家に返還し、プレダッピオにある一族の地下墓地に埋葬することに同意した。ツォーリ率いる少数派のキリスト教民主党政権が恥ずかしながらも、ネオ・ファシストの票に頼っていたのは、おそらく偶然ではないだろう。

ムッソリーニは一九五七年九月一日にようやく埋葬され、ファシストのシンボルで飾られた石棺に納められた。石棺の奥の棚には、ムッソリーニの実物よりも大きな白い大理石の胸像が置かれており、その両脇には彫刻の施された石のファスケスが飾られている。この空間全体が上から照らしだされ、まるで神の光がムッソリーニの上に降り注いでいるかのようである。

それ以来、プレダッピオ村は、世界中のネオ・ファシストの巡礼地となった。ムッソリーニが生まれた家は、長い間、観光地となっている。村の中心部には土産物屋があり、そこではファシストのスローガンが書かれたTシャツやキーホルダーから、鉤十字旗やムッソリーニの等身大の胸像まで、何でも売られている。厳密に言うと、これらの店は法律に違反している。一九五二年以来、ファシズムの「提唱者、理論、事実、方法」を賛美することは違法とされているが、ここの当局は見て見ぬふりをしている。極右のノスタルジックな小物を売っている店主を告発することは、単に優先事項とはみなされていないのだ。

しかし、ほとんどのネオ・ファシストの訪問者にとって、この場所の精神的な中心は常にムッソリーニの墓である。長年にわたり、この場所は真の崇拝の対象となってきた。イタリアの新聞『イル・ジョルナーレ』によると、毎年二〇万人もの訪問者があり、その多くがムッソリーニへカルト的な愛着を抱いているとのことである。ある訪問者は二〇一八年に『ワシントン・ポスト』紙の記者に対し、「この場所は私たちのベツレヘムだ」と語り、「彼が世界のためにしてくれたことに感謝するために」年に数回プレダッピオを訪れていることを告白した。ムッソリーニを一種の宗教的または神話的な救世主とみなしているのは、何も彼だけではない。墓の前の祭壇に置かれている訪問者の書き込み用ノートには、かつての独裁者に「復活して、イタリアを救え」と促すメッセージがいくつも書かれている。

ここの歴史の感覚には、はっきりと分かるほどに強いものがある。ムッソリーニが埋葬されている地下室に入るのは背筋が凍るような感覚なしには不可能だ。しかし、学術的な意味では、ここには正しい歴史が全く存在しない。ムッソリーニの遺産を評価することもなければ、彼の功績と犯罪のバランスをとるための資料もなく、また、彼が戦犯であることを示す圧倒的な証拠についても何も言及されていない。

ここは祭壇であり、博物館ではない。このファシストの独裁者の地元の記憶は管理されてはおらず、単に彼を擁護する人たちの恥知らずな懐古主義に委ねられているだけなのである。

私が最後に訪れた二〇一八年には、村の当局は、村の中心部にきちんとした博物館を建てることでその空白を埋めようと計画していた。彼らは、この村を悪用する人々から自分たちの村を取り戻すためには、それが唯一の方法だと主張していた。プレダッピオは、好むと好まざるにかかわらず、歴史の囚人である。そこから取り得る彼らの唯一の賢明な道は、その歴史を受け入れ、それを管理することである。適切な博物館ができれば、少なくとも、ムッソリーニの単なる人格崇拝者だけでなく、イタリアの過去に実際に起こったことに興味を持つ観光客がこの村を訪れるようになることを、彼らは願っている。

しかし、この計画に反対する人々は、ムッソリーニの博物館を建設することで、村の評判が悪くなり、ネオ・ファシストにとってさらに魅力的な場所になるのではないかと心配している。歴史家の中にもこの計画に反対している人は少なくない。私が現地にいた時、イタリア・パルチザン協会の会長であるカルラ・ネスポロも、プレダッピオの博物館が単に別の「ファシストのための巡礼地」になってしまうのではないかと懸念を表明していた。この問題への簡単な答えなどないのだ。

プレダッピオの多くの人々は、ムッソリーニの遺体が発見されなければ良かったと思っている。もしその遺体が遠く離れた無名の墓に残っていたら、自分たちの村をイタリア中で悪名高いものにした、このネオ・ファシストの行列から免れていたかもしれないというのだ。しかし、ムッソリーニの遺体がなかったからといって、プレダッピオにとっても、またイタリア全体にとっても、それが良いことであった保証はない。不在の問題点は、それ自体がある種の存在になる可能性を持つということである。別のいい方をすれば、どこにもない遺体は、逆にどこにでも存在することが可能となるのである。

次の章では、ファシストの独裁者の遺体がどこに埋葬されているのか、未だに発見されていない国ドイツの戦時中の過去に対する扱いは、多くの点で模範的なものとなっている。ナチスのシンボルマークやヒトラーへの賛美は厳しく禁止されている。プレダッピオがムッソリーニの聖地になったように、ドイツにはヒトラーの聖地のようなものはなく、毎年ヒトラーの名誉のために準宗教的な行列を容認している場所があるとは考えられない。

しかし、だからといってドイツ人がベッドの上で安心して眠れるわけではない。彼らの歴史はイタリアと同じように避けられないものである。ドイツの一部、特にベルリンでは、どこにいても歴史を感じることができるからである。

第16章

ドイツ 総統地下壕とテロのトポグラフィー

◆ベルリン

アドルフ・ヒトラーには墓がない。戦争末期、ベルリンが包囲され、絶え間ない砲撃を受けている時、ヒトラーは首相官邸の庭の地下に作られた壕に引きこもっていた。二〇世紀最大のモンスターと呼ばれたこの男は、もはや自分の支配が終わったことが明らかになると、自ら命を絶つことを決意したのであった。その決定は、ヒトラーが他の誰かに殺されることを避けるためでもあるが、むしろそうすることによって、自分の遺体がその後どうなるかをコントロールするためでもあったようだ。彼はミラノでムッソリーニの遺体がどのようになったかを聞いていたので、同じような辱めだけは受けたくなかったのである。

ムッソリーニの死から二日後の四月三〇日、ヒトラーは銃で自殺した。彼の長年の愛人であり、今や妻となっていたエヴァ・ブラウンもまた、同時に青酸カリのカプセルを噛むことで自殺した。その後、ヒトラーの書面による指示に従って、彼らの遺体は砲弾の爆発によってできた野外の窪みに運ばれ、ガソリンをかけて燃やされたのである。遺体が焼かれた後、その窪みは土と瓦礫で埋められた。

数日後、ベルリンがソ連軍に占領されると、ソ連防諜部隊の捜査官チームがヒトラーの遺体の探索を行った。彼らの遺体は浅く埋められた場所で発見され、また、ヒトラーの宣伝大臣であったヨーゼ

ヒトラー総統地下壕跡に設置された看板。

テロの
トポグラフィー。

フ・ゲッベルスとその妻（ゲッベルスはヒトラーの死後、妻や子供と共に自殺した）の遺体も発見された。彼らの遺体は検視のために運ばれ、ヒトラーはすぐに彼の歯型の記録から身元が判明したのであった。

その後、ソ連当局は、この遺体をどうするかという問題に直面した。最初はブランデンブルクの森に埋めたが、ここでは安全性が十分確保できないと考えられた。そこで数ヶ月後、遺体は掘り出され、マグデブルクの防諜部の施設に移された。一九七〇年、ヒトラーの埋葬地が聖地になる可能性に終止符を打つために、すべての遺体がもう一度掘り起こされた。そして、それらは徹底的に燃やされ、粉砕され、灰は近くの川に捨てられて、海へと流されたのであった。

遺体がなければ墓はできないが、ヒトラーのこの総統地下壕が聖地になってしまうのではないかという心配は残っていた。そこはヒトラーが自殺した場所であり、一種のトーテム的な力を持っていた。ソ連としては、この地下壕がネオナチの再結集のシンボルになることは何としても避けたかった。

そのため、ヒトラーの遺体を破壊したのと同じように、この場所を徹底的に破壊することにしたのである。これは簡単な作業ではなかった。この地下壕は、連合国の持つ最大級の爆弾にも耐えられるように作られていた。天井は厚さ三・五メートルの鉄筋コンクリートでできており、壁はさらに厚かった。一九四七年にソ連軍がこの場所を爆破した時、入り口と換気塔、そして内部の壁を破壊することには成功したが、肝心の主要構造はほとんど無傷で残ってしまった。

一九五九年に彼らは再びその解体を試みた。さらに爆破が行われ、入り口が埋められ、鉄筋コンクリートの上には土の山が積まれたのである。しかし、地下にはまだ様々なトンネルが存在しており、東ドイツの秘密警察は一九六七年にこの地下壕を再び開いて写真を撮ることができたほどであった。一九八〇年代、東ベルリン当局は、この地下の痕跡をすべて取り除くことを決定した。旧帝国首相官邸の基礎を掘ると同時に、地下壕のコンクリートの屋根部分を取り払い、砂利や砂、その他の瓦礫で建築物全体を埋めたのであった。この周辺は地面が均され、駐車場が作られた。目で見る限り、地下壕の痕跡はすべて消え去ったのである。

ここには今でも祭壇などは設けられていない。博物館もなければ、ヒトラーの地下壕を再現した観光施設もない。そしてここにはかつて地下壕があった場所を示すプレートや石碑も見られない。道路脇には、ただ、ドイツ語と英語で書かれたこの建物の歴史を説明する、かなりみすぼらしい案内板があるだけである。

私はこの場所を訪れたことがあるが、一度だけ、しかも一〇分程度だけであった。それはヒトラーへの「敬意を表する」ことに抵抗があったからということではなく、本当に見るべきものが何もなかったからである。それはまさに意図されているのだが、ここは、背筋が凍るような思いをしたり、総統やその遺産について空想したりしたい人が訪れる場所ではないのだ。ここには腰掛けられるベンチすら置かれていないのである。

しかし、この場所にはまだ少し気がかりなことがある。このようにしてヒトラーの痕跡をすべて消そうとする試みは、例えば、リディツェ村の消滅やワルシャワの破壊など、ナチス自身が行った全体主義的な行動の一部を連想させる。これは確かに適切なことなのかもしれない。しかし、それにもかかわらず、それは否定の練習のようにも感じられるのだ。ベルリンでは、この場所が普通の駐車場のある集合住宅であるかのように装いたいのかもしれないが、もちろんそうではないし、けしてこれからもそうなることはない。ヒトラーの地下壕は常にその下に存在しているのだ。

戦後のドイツでは、過去の出来事を過去のものにしたいという欲求がかなり強かった。ドイツ人は一九四五年を「零年」と呼ぶようになった。それは、戦争がそれまでのすべてを一掃し、国全体が最初からやり直す機会を与えられたかのようだった。ある種の粛清が行われた。ナチスの幹部が逮捕され、交代させられた。ナチスの法律は廃止された。ナチスのシンボルは禁止され、ヒトラーの像は取り壊され、通りの名前も変更された。過去の恥ずかしい部分は急いで葬り去られ、国全体が未来に目を向けようとしていたのである。

戦後、破壊された歴史的に重要な建物はこの地下壕だけではなかった。近くのヴィルヘルム通りとプリンツ・アルブレヒト通りには、親衛隊本部、国家保安本部、その他の国家テロの主要機関の建物が立ち並んでいた。これらの建物はナチス時代には悪名高いもので、特にプリンツ・アルブレヒト通八番地のゲシュタポ本部では、「国家の敵」が尋問されたり拷問されたりしていた。多少の爆弾被害があったものの、この建物が戦後に再建されなかった理由はない。その後、一九五〇年代初頭に、一部が取り壊され、一九五六年についに残りの部分が爆破された。かつてここに立っていたものを記念する試みは行われなかったのである。

冷戦がなかったら、この場所はヒトラーの地下壕跡と同じように、戦後、何の変哲もない集団住宅の敷地になっていたかもしれない。しかし、一九六一年にベルリンの壁がこの地域を貫いて建設されたことで、この土地は空き地になってしまったのである。

一九八〇年代になると、西ベルリンの雰囲気は大きく変化した。過去を直視し、その逃れられない影を認め、それを記念するという新たな欲求が生まれたのだ。かつてゲシュタポ本部があった場所に新しい通りを作る計画が立てられた時、西側の建築家や市民団体が抗議を行った。その代わりに、跡地は部分的に発掘された。そしてここにかつて何があったかを説明する一連の案内板が設けられた。

一九八七年、ベルリン市誕生七五〇周年記念行事の一環としてここは一般公開され、「テロのトポグラフィー」という新たな名称が付けられた。

一九九〇年のドイツ統一後、ベルリン議会はここを恒久的な記念施設にすることを決定した。何度かの失敗を経ながらも、新世紀の初めに、かつてゲシュタポ本部があった場所に研究センターが建設された。二〇一〇年からは、ナチスの犯罪を記録した常設展示が行われている。今ではベルリンで最も人気のある追悼施設の一つとなっており、毎年約一三〇万人が訪れている。

しかし、このプロジェクトの中心には、まだ不在の感覚が残っている。ヒトラーの地下壕に比べれば、はるかに積極的な不在ではあるが、それでも不在であることに変わりはない。「かつてのドイツを見てください」という一方で、「これは現在の私たちとは違うのです」ともいっているのだ。この点を強調するために、敷地の残りの部分は意図的に、そして堂々と空っぽのままに置かれている。かつて人々を恐怖に陥れるための施設があった場所には、今では瓦礫の敷かれた空き地が広がっている。ここでは何も育つことは許されていない。一本の植物も草の葉もなく、完全に不毛の地となっている。死・空虚・無、これらはナチズムの遺産である。

「総統地下壕」と「テロのトポグラフィー」というこの二つの場所は、現在のドイツにおけるナチズムの遺産を表す見事なメタファーである。

一つ目は、ドイツを歴史から解放しようとする試みである。東ベルリンのソ連当局は、ヒトラーの地下壕を葬り去ったように、過去も葬ることができると考えていた。西側でも、ドイツ人が新しい明るい未来を築くことに力を集中させれば、過去の恥は忘れられるという考えが強かった。しかし、彼らがどれだけ埋めたつもりでも、ドイツ人の歴史は常にその表面の下に存在しているのだ。

それ以来、数年おきに新しいスキャンダルが新聞紙上をにぎわせ、過去が浅い表土を突き破っている。時にはドイツの警察署長や会社の上司、ノーベル賞受賞者がナチスの過去を持っていたことが明らかになることもある。また歴史学者でさえも、一九八〇年代のように、ナチスはそれほど悪くなかったとか、ナチスの犯罪はどこか他の場所が起源であるとか、はたまた、純粋に罪を犯したのは少数の人間だけだったなどということもある。そして、今日起こっているように、誰もがとっくに死んだと思っていた人種差別主義者や民族主義者を支持する新しい政治団体が誕生することもある。このようなことが起こるたびに、全国民がショックを受けるのだ。なぜなら、これまで、過去のモンスターは既に打ち負かされていると自らにいい聞かせてきたからである。歴史とは、単に別の時代に別の人々の上に起こったことではなく、今日の私たちにも抗しがたい力を持っているということを、どの世代も苦労して学ばなければならないようである。

二つ目の「テロのトポグラフィー」は歴史を真正面から捉え、過去を打ち負かそうとしている。ここでは、ナチズムの犯罪にスポットライトが当てられ、それが科学的に詳細に検証されている。否定することはほとんど不可能である。この施設に敷かれた広大な瓦礫の上にいる怯えた動物のように、過去は完全に露わになっており、隠れる場所はどこにもないのである。

このような場所は「テロのトポグラフィー」だけではない。ベルリンには同じような場所が徒歩圏内に何十箇所も存在している。ホロコースト記念碑（第19章参照）、ユダヤ人博物館、シンティとロマの殺害記念碑、迫害された同性愛者の記念碑、ノイエ・ヴァッヘ、ベーベル広場の焚書の記憶記念碑、ドイツのレジスタンスの記念碑、連れ去られたユダヤ人の家の外の地面に設置された「躓きの石」などなど数えればキリがないほどである。ヴィルヘルム通りのほとんどすべての建物の外には、その歴史や第二次世界大戦中にどのように使われていたかを説明する案内板が設置されている。時には、ベルリンの中心部全体が、戦時中や冷戦時代の混乱した過去をテーマにした野外博物館であるかのようにも思えるほどである。

この圧倒的な情報量と、それに伴う普遍的な罪悪感は、部外者の人間にとっても何か息苦しさを感じさせる。私が初めて子供たちをベルリンに連れて行った時、子供たちの歴史に対する最初の熱意は、気が滅入るほど詳細な情報の重さのために、次第に打ち砕かれていった。彼らはそこから目を背けて、この街のより現代的な楽しみに注力せざるを得なかった。イギリスの一〇代の若者がこのようにドイツに歴史を体験するのだとしたら、その歴史と日々向き合わなければならないドイツの若者たちは、いったいどのように感じなければならないというのだろうか。

しかし、その代替案はあるのだろうか。自分たちの歴史を認めるか認めないか、その二択では何も変えることはできない。

ドイツ人も他の誰もがそうであるように、自分たちが生きている時代の状況や政治的な雰囲気の変化に応じて、この二つの立場、つまり「肯定」か「否定」かの間で行き来している。勇気がある時は、自分たちの歴史を直視するだろう。彼らは、ほとんどの組織、ほとんどの企業、ほとんどの建物、そしてほとんどの家族が何らかのナチスの過去を持っていることを厳粛に認め、その過去が現代に再び現れないようにするための永遠の戦いのために骨を折るのだ。私たちが行うすべてにヒトラーの小さな断片がある、と彼らはいうだろう。私たちは危険を覚悟で、このことを忘却するのである。

しかし、時折、過去の妥協のない荒涼とした雰囲気に彼らは耐えられなくなり、目を背けてしまうことがある。そして彼らは歴史的な重荷から解放される言い訳を探し始める。そのような時、ヒトラーの存在は一種の慰めともなる。もし国民社会主義のすべての悪事が一堂にヒトラーの前に置かれるならば、もしこの一人のモンスターが過去のすべての責任を背負うことができるのならば、他のすべての人々は再び自由に呼吸をすることができるのだ。このようにして、ヒトラーはある種の暗黒の救世主となり、その邪悪な存在は、過去の罪に対する罪悪感を、社会の残りの部分から取り除いてくれるのだ。

　一九四五年にドイツ社会から一掃されたにもかかわらず、ヒトラーのイメージが今も根強く残っているのは、そのためかもしれない。ヒトラーは、ヨアヒム・フェストやフォルカー・ウルリッヒのベストセラー本や、ギード・クノップやウルリッヒ・カステンの歴史ドキュメンタリーに登場する。オリバー・ヒルシュビーゲルの『ヒトラー　最期の12日間』などの受賞歴のある映画にも登場する。この映画では、ヒトラーの地下壕の様子が、どの観光名所よりも生き生きと再現されている。彼はまた、ジャーナリストや政治家の討論会にも登場する。そして、インターネット上の議論、ゴドウィンの法則によれば、彼の記憶がいずれかの集団によって呼び起こされるのは時間の問題なのである。

　私は時々、一九四五年に勝利した連合国は、このようなことをどう思うのだろうかと考える時がある。ヒトラーの銅像や胸像を取り壊し、ヒトラーにちなんで名付けられた通りや広場の名前を変えた時、彼らは、このモンスターのような主戦論者とは永久におさらばできたと考えたに違いない。人々が壁に掛けていたヒトラーの肖像画を急いで破棄し、かつては誰もが知っていた『我が闘争』の複写を燃やすのを見て、今後ドイツ人が恥ずかしさのために二度とヒトラーの記憶を呼び起こせなくなることを願ったに違いない。彼の遺体を完全に消滅させることは、これらすべてを象徴するものであり、決定的な終わりを告げるものであったはずだ。

　しかし二一世紀の今日、ヒトラーの記憶はこれまで以上に強固なものになっているようだ。彼を生き返らせるために必要なのは、伸ばした腕か、黒い歯ブラシのような口ひげの上に斜めに生えた前髪を描いたスケッチだけなのだ。二〇一二年、ティムール・ヴェルメシュが素晴らしい成功を収めた小説『帰ってきたヒトラー』（河出書房新社、二〇一四年）を発表した時、原題“Er ist wieder da”の「Er

（彼）」が誰なのかを説明する必要はなかった。彼の存在は今もドイツに生き続け、繁栄しているというこの本の中心となるメッセージは、ほとんどすべての人の心に響くものであったようだ。

これは、総統地下壕やテロのトポグラフィーの現場では伝わってこないことである。この二つの場所がアピールする「不在感」は、せいぜい半分くらいでしかない。ヒトラーには墓はないが、墓は必要ないのだ。肉体がなくても、彼を称える祭壇がなくても、彼の記憶は、私たちが好むと好まざるとにかかわらず、私たちと一緒に生き続けているのだ。

第17章

リトアニア スターリン像

◆グルータス公園

どんなに望んでも、過去のモンスターからは逃れることはできない。私たちはそれらを無視しようとしたり、埋めようとしたりするかもしれないが、遅かれ早かれ、それらは必ず水面に戻ってくるのだ。また、私たちは彼らを更生させたり、許したりしたいと思うかもしれないが、それでは彼らの犯罪に加担することになるだけである。私たちは彼らを消滅させようとするかもしれないが、そうすると、彼らの不在自体がある種の存在へとなってしまう恐れがある。最後の数章で紹介した記念碑が示すように、私たちが好むと好まざるとにかかわらず、モンスターたちは常に存在し続けるのだ。

私たちに残された最後の手段は「嘲笑」である。自分たちの歴史からたとえ逃れることができなくとも、その歴史を鼻で笑うことはできるかもしれない。

私は先日、公的な記念碑に関する会議に出席した際、ロンドンにあるフランシス・ガルトンに捧げられた講演ホールの名前についての質問を受けた。ガルトンは優生学の父であるから、すぐにホールの名前を変えるべきだと主張する参加者も何人か見られた。一方でガルトンは今日の基準で判断されるべきではなく、名前はそのままにすべきだと主張する者もいた。また、他の人たちの中には名前は残すが、ガルトンの遺産の有害な側面を説明するプレートやディスプレイを追加すべきだという妥協

案を求める人もいたのだった。議論は非常に白熱したものとなり、どの立場の人もとても真剣な様子であった。

その後、一人の代表者が昔、プライベートで、ガルトン像の下に書かれていた落書きを見たことがあるという話をしてくれた。そこには「What a Nob（何て高尚な奴なんだ）」と書いてあったそうである。彼女は、いささかの皮肉を込めて、この建物を「フランシス・ガルトン『何て高尚な奴なんだ』講演ホール」と改名することを提案した。

ここはフランシス・ガルトンが悪者扱いされるべきかどうかを議論する場ではない。私がいいたいのは、私たちがモンスターとみなす人々に対して抗議する方法は、その記念碑を取り壊すことだけでなく、他にもいくらでもあるということだ。その中でも「嘲笑」は、おそらく私たちの最も重要な武器となるものである。

第二次世界大戦が私たちにもたらした終末的なビジョンのいくつかに話を移す前に、ヨーロッパ中で私が最も好きな記念碑施設の一つとなった場所を紹介したい。リトアニアのグルータス公園には、ヨシフ・スターリンの像を含む、二〇世紀を代表するモンスターたちの記念碑が集められている。ここは、従来の博物館や記念施設の常識、ルールをすべて覆すような、奇妙な場所である。この場所を機能させているのは――おそらくそれを機能させている唯一のものは――これらの展示物を嘲笑するという方法である。この記念公園は、私たちの歴史の最も暗い部分を認識するための革新的な方法を偶然にも発見したのだ。

リトアニアには非常に厄介で波乱に満ちた過去がある。他のバルト三国と同様、リトアニアもロシアの一部として二〇世紀を迎えた。第一次世界大戦の混乱の中で、初めて独立を果たした。その二〇年後、第二次世界大戦が始まると、この国は再びソ連軍の侵攻を受けたのである。そしてその後、ナチス・ドイツが登場し、その支配が及んだ後、三年後にはまたソ連軍によって占領されたのであった。ここでは侵略のたびに新たな残虐行為が行われたのである。

一九四五年、この国はソ連にまるごと飲み込まれた。スターリンの支配を拒んだ者は逮捕され、シベリアに追放され、投獄され、処刑された。その後リトアニアは苦難の道を歩むことになる。ヴィリニュスのジェノサイド犠牲者博物館によると、一九四〇年代から五〇年代にかけて、約三〇万人のリトアニア人がソ連の収容所に送られた。そのうち三分の一から半分の人は戻ってこなかったという話である。

このような歴史を考えると、リトアニアではソ連の権力の象徴が非常に恐ろしいものとして認識されているのも不思議ではない。一九九〇年にようやく独立を果たしたリトアニアでは、レーニンをはじめとする共産主義者の記念碑のほとんどが取り壊された。数え切れないほどの像が首を切られたり、ハンマーで砕かれたり、瓦礫になったりしたのだ。中にはダイナマイトで破壊されたものもある。これらの彫刻を後世に残すために、リトアニアの新政府は、多くの彫刻を国有の倉庫や廃棄物処理場に保管するために運び出したが、誰もそれらに愛着を持っていなかったため、何年もの間、埃を被ってそこに放置されているだけであった。

記念碑を保管するにはお金がかかる。一九九八年、政府はその費用を節約するために、有名な像を四〇体ほど貸し出すことにした。公募したところ、ヴィリニュスのKGB博物館のような、自治体が持つ博物館からも申し込みがあった。しかし、この方法で政府が多くの費用を節約できるかどうかは不確かであった。ほとんどの提案には、記念碑を展示するためには国の資金が必要だとされていたからである。

しかし、その中には、国からの資金提供を全く求めない入札もあった。ヴィリウマス・マリナウスカスという企業家は、国の南部にあるドルスキニンカイの近くの自分の土地に、特別に彫刻公園を作って、そこに記念碑を展示することを申し出た。輸送費や維持費、そして修復にかかる費用もすべて彼が負担するといい、求めたのは彫像だけであった。彼は正式にその契約を獲得した。

ここからが論争の始まりであった。マリナウスカスは歴史家でも、美術評論家でも、そして博物館の関係者でもなく、この種の仕事に携わったことはなかった。実際、彼は元レスリングのチャンピオンで、キノコ農家として生計を立てていた。そして彼が提案した彫刻公園の構想はとても奇抜なものであった。ヴィリニュスからの観光客を、まるでソ連時代の収容所に強制移送するかのように列車で連れてくるために、特別な鉄道路線を作ろうとしていたのである。スタッフを雇って、兵士のふりをさせ、観光客を列車に乗せるようにしたかったのだ。収容所を完全に体験するために、グルータス公園は有刺鉄線と監視塔に囲まれ、記念碑はシベリアの収容所の一部であるかのように展示されるのである。当然のことながら、批評家たちはマリナウスカスのこの計画を「スターリンのテーマパーク」と呼ぶようになった。

苦情が殺到するのに時間はかからなかった。地元の政治家はこの公園の建設に反対した。国の政治家は鉄道建設に反対した。彼の彫刻公園の構想全体を糾弾する請願書が作成され、カトリック教会や全国のNGO、著名な学者、美術評論家など、世界中の一〇〇万人以上の人々がこれに賛同したのである。「この部分の歴史は苦しみに満ちている」。二〇〇〇年、国会議員の一人であるユオザス・カルディカスは、こう述べ、「これはショービジネスのために使われるべきではない」と断言した。

他にもいろいろな問題があった。展示される予定の像の一つは、リトアニアの「盗賊」（ソ連がパルチザンや自由の闘士を表現するために常に使っていた言葉）によって殺されたといわれている地元の犠牲者、オナ・スカッキエネと呼ばれる学校教師のものであった。一九七五年には、近くのラズディジャイの町に彼女を称える像が建てられた。しかし、独立後に新たに公開された公文書では、彼女は実はKGBの自作自演で殺されたことが明らかとなった。彼女の二人の息子たちは、記念碑の破壊を望んでいたが、それが観光地となるグルータス公園に展示されることに愕然としたという。彼らは国会へ出した手紙の中で、「記念碑を作った時、誰も私たちの許可を求めなかった。撤去された時も、誰も私たちに許可を求めなかった。そして今、誰も私たちに再設置の許可を求めようとしていない」と書いている。

おそらく、最も強い反対の声を上げたのは、かつての政権の犠牲者たちであった。元パルチザンや政治犯など三〇以上のものグループが、この彫刻展示に抗議するために団結した。彼らは、マリナウスカスが自分たちの悲惨さから利益を得ようとしていると非難し、これらの彫像を「ホラー映画のモンスター」と表現した。中にはハンガーストライキをした者もいた。「自分が小さな村の住人であると想像してみてください」。元独立運動家のレオナス・ケロシエリウスはそう語りかけた。そして「誰かが村を襲ってきて、あなたの兄弟を殺し、あなたの娘をレイプしました。隣人がこれらの殺人者や強姦魔のために公園を作ったり、これらの犯罪で金儲けをしたりすることをあなたは許すでしょうか」と問うのであった。

国会議員たちは、彫像を引き取り、国の手に残すことを議会で投票を求め、決議は賛成多数で受け入れられた。しかし、その勝利の喜びも束の間、この決議は憲法裁判所によって覆されてしまったのである。なぜなら、マリナウスカスは正々堂々と政府との契約を勝ち取ったのであり、議会には、単に好みの問題で彼からそれを奪う権利はなかったのだ。彼らにできることといえば、彫刻公園の建設を監督する政府の監視委員会を設置することぐらいであった。

この論争は瞬く間に国際的なニュースとなった。バルト諸国だけでなく、ヨーロッパの他の地域の新聞にも取り上げられた。また、アメリカやアジアの一部、オーストラリアの新聞にも掲載された。『シドニー・モーニング・ヘラルド』紙に掲載された見出しは、「Miss the Soviet Era? Come to Stalin World（ソ連時代が懐かしい？　スターリン・ワールドへおいでよ）」であった。

二〇〇一年に正式にオープンしたグルータス公園はすぐにリトアニア国内だけでなく海外からの観光客にも人気を博した。正式にオープンする前から、すでに約一〇万人が訪れていた。それ以来、コレクションも増え続け、ここは観光地としてすっかり定着している。

私が初めてここを訪れたのは、二〇一八年九月の良く晴れた日の午後であった。到着した瞬間から、これまで訪れたどの記念施設とも違うということが一目瞭然だった。マリナウスカスの当初の構想である、観光客のための列車を備えた特注の鉄道路線にはゴーサインが出されることはなかったが、それでも彼は、まるで収容所に到着したばかりのような列車の客車を公園の入り口に配置していた。

車両の向こうには、鉄条網の囲いがあり、その向こうには監視塔が建っている。塔にはソ連軍の制服を着たマネキンが配置されているが、兵士をリアルに見せようとするわけでもなく、明らかに衣服店のマネキン人形であった。そして、彼らはいったい何を監視しているのだろうか。彼らの足元の囲いの中には、レーニンや他の著名な共産主義者の巨大な彫像が並んでいる。ここでのメッセージは明確である。今日、収容所に送られたのはリトアニアのかつての反体制派ではなく、収容所の設計者たち自身であった。そして彼らの屈辱を増すかのように、この囲いの中で六頭のラマと一緒に展示されているのだ。

公園内に入ると、さらに奇妙な雰囲気に包まれる。入場料を払って最初に訪れる場所の一つが、鮮やかなペイントのブランコや滑り台がある子供の遊び場である。その周りには、エンジンや装甲車、砲弾、そして戦時中のソ連パルチザンに捧げられた巨大な記念碑が置かれている。私が訪れた日には、子供たちは彫刻も銃も滑り台もあまり区別していないようで、何にでも喜んで登って遊んでいた。近くのスピーカーから流れてくるソ連時代の歌曲が、その陽気な雰囲気をさらに高めていた。

この場所は、博物館なのか、子供の遊び場なのか、どちらかに決めかねているようである。片側には、収容所のバラック風に建てられたいくつかの小屋があり、そこには懐かしいソ連時代のポスターや旗、共産党の古い新聞『ティエサ』紙のコピーなどが並べてある。別の側には動物園があり、ヒヒ、エミュー、そしてかなりみすぼらしい、うつむき加減のヒグマなどが飼われている。鳥小屋では何十種類もの鳥がその鳴き声を響かせながら飛び交っている。

しかし、本当の魅力はその先の森の中にあるのだ。松や白樺の木の間を通り抜け、木製の歩道が社会主義リアリズム芸術の旅へと誘ってくれる。母なるロシアを寓意的に表現したものや、兵士や労働者、農民を描いたステンドグラスの窓がある。レーニンの像、フェリックス・ジェルジンスキーの胸像、ヴィンツァス・ミッキエヴィウス・カプスカスやカロリス・ディジウリスなどのリトアニアの共産党指導者たちの像が、まるでマリナウスカスが営むキノコ園かのように、木々の間に姿を現す形で展示されている。

私が訪れた時、公園内には八六個の記念碑があり、中には巨大なものもあった。高さ四メートルのマルクスのブロンズ胸像や、かつてヴィリニュスの中央広場にあった高さ六メートルのレーニン像である。また、独立後すぐに、誰かが爆破しようとするまで高速道路の傍に立っていた、高さ八メートル、重さ約一二トンのリトアニア人の「母」を表した像もある。訪れる人が彫刻を眺めている間も、ディズニー風の監視塔や、不吉な有刺鉄線、ソ連のプロパガンダを流す拡声器などが目に入ってくる。

今でも時々この場所を「スターリン・ワールド」と呼ぶ人がいるが、実際には園内に原寸大のスターリン像は一体しかない。私は動物園のすぐ先で、おとぎ話に出てくるトロールのように木の間から顔を出すスターリンを見つけた。(おとぎ話との比較は偶然ではない。子供たちの遊び場に近い木陰には、白雪姫と七人の小人の像がある。ここでは、民話と現実の違いが、厳密に区別されているわけではない。)

このスターリン像は、一九六〇年に撤去されるまで、ヴィリニュス駅の外に立っていたものである。これは、かつて中東欧の街角や広場を飾っていた何百体ものスターリン像の内の一つで、その中には本当に巨大なものもあった。しかし、一九五三年にスターリンが死去すると、ソ連でさえもスターリンをモンスターとして認識するようになった。その後、彼は世界中で糾弾され、信用を失った。彼の像はいたるところで撤去され、破壊された。これはその数少ない生き残りの一つなのだ。

公園の創設が最初に発表された時、なぜ多くの人々が動揺したのかは容易に理解できる。多くの反体制派の人々は、人生をかけてソ連の体制と闘ってきた。一九九一年、彼らは大喜びでこれらのソ連の権力の象徴を取り壊したのだ。そんな像が、愛情をこめて修復され、台座に戻されるのを見るのは、どんな状況であれ心が痛むにちがいない。

スターリン像の復活は、おそらく最も痛ましいものだった。この男には、東ヨーロッパ全体で何千万人もの死者を出し、何十万人ものリトアニア人を奴隷にした責任があった。何十年もの間、彼は公に展示されていなかった。しかし、彼はここで、日当たりの良い木陰に立って、観光客がやってきて自分と写真を撮ってくれるのを待っていた。批評家は、現代ロシアにおけるスターリンの記憶を回復させようという懸念すべき傾向を指摘している。プスコフ、リペツク、ノボシビルスクなどで、真新しいスターリンの記念碑が建てられているのだ。もしこの傾向がリトアニアやその他の国にも広がっていったとしたらどうなるだろうか。グルータス公園もまた、二一世紀になって、このモンスター的な独裁者を祀る施設となるとしたらどうだろうか。

もしこの像や他の像が別の入札者の手に渡っていたら、もしかしたら論争は起きなかったかもしれない。ヴィリニュスにあるユーロポス・パーカス社は、世界中のアーティストによる前衛的な作品とともに、純粋に芸術作品としてこの像を展示したいと考えていた。ここでは、スターリン像の美的性質は、政治的な意味から切り離されていたのかもしれない。

また、ヴィリニュスのKGB博物館もこのコンペに応募していた。この博物館は、メインホールと中庭に記念碑を展示する予定であった。もしスターリン像がここに置かれていたら、彼の犯罪をテーマとした他の大規模な展示と一緒に見ることができただろう。グルータス公園に抗議した人々の多くは、KGB博物館の落札を望んでいた。それは、スターリンのような一見穏やかに見える人物の像を、もっともっと厳しい文脈の中に置くことができたからである。

しかし、グルータス公園の彫像の展示方法には、非常に新鮮なものがある。スターリンの頭にやってきたリスが乗っているのを見ていると、彼が墓の向こうから私たちに与え続けている悪夢のような力が消えてしまう。レーニンの指に鳥が巣を作り、かつてはリトアニアのパルチザンに向けられていた銃の上に子供たちがよじ登るようになると、これらの国家権力の象徴は、もはやかつてのように恐ろしいものではなくなるのだ。

これはまさに、ヴィリウマス・マリナウスカスが実現しようとしていることのようだ。彼は、二〇〇〇年に『ガーディアン』紙のインタビューで、リトアニアの苦難の歴史に対する独特のアプローチについて、堂々と語っている。「人々はここに来て彫刻について冗談をいうことができる」。そして、「それはリトアニアがもはや共産主義を恐れなくなったことを意味するのです」と。

グルータス公園は、遊び場、動物園、そして残虐な博物館が混ざったような奇妙な場所である。特にディズニー風の監視塔や有刺鉄線など、過去の出来事をもっともおぞましい方法で些細なものへと転換している。バラック式の小屋の中には、政権への批判というよりもノスタルジックな展示があり、リトアニアの痛ましい過去を商業的に利用している点には疑問が残る。とはいうものの、私は帰りに土産物売り場でスターリンのマグカップとキーホルダーを買ってしまった。

実際、グルータス公園には、どこから手をつけていいのか分からないほど不快な要素がたくさんある。しかし、なぜか、そのありきたりさによって、ヨーロッパの他の地域で丹念に作られた真面目で思慮深いモニュメントよりも、この公園は私たちを歴史から解放することに近づいているのだ。

その魔法の成分は嘲笑である。この公園の創設者や所有者がどれほど意図していたのか、またどれほど滑稽な設定の機能にすぎないのか、私には分からない。しかし、そこにあるのは、この国を長年悩ませてきた恐怖の雰囲気に対する強力な解毒剤なのである。

ヨシフ・スターリン、ん？　何て高尚な奴なんだ。

第二次世界大戦の犯罪者を記念するのに良い方法はない。もし彼らを悪魔のように描けば、彼らに相応しい以上の力を与えてしまうことになる。彼らを嘲笑すれば、多くの人々にとって耐え難い苦痛を伴う歴史を軽んじてしまう危険性を孕むことになる。もし私たちがニュアンスを変えようとしたり、そのような犯罪者は単なる人間であり、おそらく自分たちとそれほど変わらないであろうという歴史的現実を描いたりしようものなら、私たちはすべての道徳的な力を失うことになる。彼らの人間性を認めるような記念碑もまた、戦争犯罪者を更生させ、彼らの犯罪を否定し、彼らがけしてモンスターではなく、単に誤解された英雄であったという振りをすることだけを唯一の望みとする修正主義者たちに扉を開くことになる。

この問題に対する私たちの解決策は、一般的にいって、ひとえに戦争犯罪者を全く記念しないことである。どのようなものであれ、記念するということは名誉なことであり、そのような人々は私たちの公共空間にはふさわしくない。しかし、これもまたある結果をもたらす。ヒトラーやスターリンのような人物の記憶はすでに社会全体に分散してしまっている。彼らはその場に居なくても、私たちの想像力を支配し続けているのである。

このことは、私たちの記念碑の風景に大きな影響を与えている。第二次世界大戦の犯罪者に対する私たちの記憶は、私たちが考えるよりも、はるか広範囲に広がっている。

英雄や犠牲者の記念碑を可能にしているのは、これらの人々、つまりモンスターの記憶の存在である。チャーチルやダグラス・マッカーサーのような人物を称える時、私たちは彼らが直面し、戦った悪を同時に思い出している。そして、死者や被害者を追悼する時、私たちはまた、彼らを犠牲にしたモンスターを思い出しているのだ。これらの悪との対比によって、英雄はより英雄的になり、犠牲者はより悲劇的になるのだ。モンスターがいなければ、彼らがこれほどまでに崇められることはなかっただろう。

私は本書の冒頭で、近年、世界中で取り壊されている数々の記念碑を紹介した。そして、なぜ、第二次世界大戦の記念碑は、このような偶像破壊の波と比較的無縁でいられるだろうか、と問いかけたのであった。

その答えは、これらのモニュメントが何を表しているのかではなく、それらが何に反対しているのか、にある。ウィンストン・チャーチルが未だに英雄として崇められている理由は、彼の勇気や決断力のおかげではなく、彼がヒトラーに立ち向かった人物だったからである。もしチャーチルの敵がそれほど巨大でなかったならば、私たちはチャーチルの多くの欠点、例えば彼の傲慢な物言い、恒常的な飲酒、あるいは人種や帝国に対するヴィクトリア朝的な態度などを思い出す気になっていたかもしれない。現在のチャーチルを作ったのはヒトラーなのだ。

英雄に当てはまることは、犠牲者にも当てはまる。しかし、この戦争の犠牲者をこれほどまでに悲劇的なものにし、彼らを純粋で無垢なシンボルに変えているのは、彼らを迫害した人々の性質にある。韓国人女性が戦時中にレイプされたことと、組織化された性奴隷制度に飲み込まれたことは全く別のことである。そして、ポーランド人将校の戦死は、降伏後にポーランド人将校が大量に虐殺されたことと同じではないのだ。これらの犠牲者が私たちの共同体の記憶の中で重要な位置を占めている理由は、彼らが苦しんだという事実だけではなく、彼らがこのようなモンスターの手で苦しんだからである。

このことは、私たちの第二次世界大戦の記念碑に関するもう一つの重要な事実を強調している。私たちの英雄、犠牲者、モンスターの記憶は、単独ではなく、それらはお互いに強化し合っているということである。私たちがこれらの人々のために作った記念碑は、より大きな記念碑の枠組みの一部なのである。これは単なる歴史ではなく、神話なのだ。私たちは、戦争と苦しみの物語だけでなく、善の力と悪の力の間の壮大な闘争の物語を構築してきたのである。

これこそが、記念碑の役割なのだ。記念碑は、平凡な日常的の物語を、人間の条件についての重要な真実を教えてくれる、永遠の原型へと変貌させるものなのである。

次の第4部では、第二次世界大戦の記念碑のもう一つのカテゴリーを探っていきたい。ただ今回は、戦争を戦った人々ではなく、戦争そのものが伝説的な形象に変えられている事例である。

第4部

破壊

第二次世界大戦が善と悪の壮絶な戦いであったとするならば、最終的に善が勝ったことに対して、私たちは当然、大いに満足することができる。しかし、その代償はいったいどのようなものだったのだろうか。

アメリカでは一般的に、この戦争は、自国を世界の超大国に変え、世界の平和と民主主義の覇者にした、という輝かしい出来事として記憶されている。それはイギリスでも同じであり、ウィンストン・チャーチルの言葉をもって「最も輝ける時」として記憶されることが多い。しかし、世界の他の地域では全く異なる記憶が定着している。マニラ、ワルシャワ、東京、そしてベルリンのような都市の徹底的な破壊は、戦後、戦争への称賛の余地をほとんど残さなかった。その代わりに、これらの地域では、戦争は他に類を見ない、二〇世紀のアルマゲドンのような唯一無二の破壊力を持ったものとして記憶されている。

次の章からは、戦争を引き起こした犯罪人や英雄がもたらした破壊に関する、世界で最も心を動かされる記念碑をいくつか紹介する。それぞれの記念碑には同じような座右の銘があり、ものによっては文字通り「Never Again（二度と繰り返さない）」と刻まれている。

第18章

フランス オラドゥール＝シュル＝グラヌ

フランス中西部、リモージュの北西約二〇キロに、ヨーロッパでは他に類を見ない村がある。遠くから見ると、木々や畑に囲まれた典型的なフランスの村のようだが、近づいてみると、そこには屋根のある家など一つもないことが分かる。それどころか建物には扉や窓もなく、風が吹き抜ける空っぽの空間があるだけである。また、村の通りにも何一つ動くものはない。唯一の乗り物といえば、誰もいない市場の近くに放置されたままの朽ち果てた古い車であるが、そのメーカーとモデルから推測するに、四半世紀前にここに駐車されてから一度も動かされてはいないようである。また、廃墟となった郵便局と村役場からほど近い、村の西端に路面電車の駅があるが、大通りの中央に敷かれた線路の錆びた状態からは、ここ数十年もの間、電車が通っていないことが分かる。

ここは、かつて明らかに田舎町としてにぎわっていた場所である。大通り沿いの家々や店先には、かつてここに住み、働いていた人々の名前や職業が書かれたプレートが貼られたままである。そして窓から覗くと、古い自転車の残骸、壁に掛けられた鍋やフライパン、窓辺には錆びたミシンなどがあり、彼らの生活の痕跡を垣間見ることができる。

ここには、何かの自然災害を受けて、村全体が慌てて放棄されたような、まるで現代のポンペイの

ような、そんな雰囲気がある。ある意味では、まさにその通りなのだが、この場所を巻き込んだ災害に、何一つ自然的な要素はない。ここで何が起こったのかについての手がかりは、村の南東の端にある、放置されたままの廃教会にある。祭壇の横には、焦げて炭化した乳母車が転がっており、その背後の石の壁には弾痕が見られる。オラドゥール＝シュル＝グラヌの、小さな市場を有するこの村での生活は一九四四年六月一〇日の午後、突如終わりを見た。この日は土曜日であり、村は日々の活動に精を出す人々でにぎわっていた。また、タバコの配給日でもあったために、地元の人の中には、農場や畑での仕事を休んでいる人もいた。学校では午後から健康診断が予定されていたので、周辺の集落の親たちは、子供たちをちゃんと登校させようと朝から躍起になっていた。このような、平凡なる土曜日の穏やかさは、午後二時頃、突如、かの悪名高き武装親衛隊、「ダス・ライヒ」師団の連隊が村に襲いかかってくることにより打ち砕かれたのである。オラドゥールの住民には知られていなかったが、兵士たちはフランス人への復讐心をかきたてていた。ノルマンディー上陸作戦のあと、フランス全土で、特にこの地域ではレジスタンス活動が盛んとなっており、ドイツ軍はたびたび、報復を受けるようになっていたからである。

兵士たちはすぐに村を取り囲み、家から家へと回って、皆を市場が立つ広場へと集めた。単純に身分証明書の確認か何かだろうと考えて、オラドゥールの住民のほとんどはそれに快く応じた。数人の若者は、ドイツ軍が強制労働の担い手として自分たちを徴集するために来たのではないかと恐れ、地下室や屋根裏に隠れたのであった。八歳の小学生、ロジェ・ゴドフリンは学校の裏口から川へと逃げ、彼はこの日の午後、この村で生き残る唯一の小学生となった。

全員が集合すると、武装親衛隊は女と子供たちを男たちから分けて、教会へと連行した。その後、ドイツ軍将校が前に進み出て、残された男たちに話しかけた。彼は通訳を通して、村に武器の隠し場所があることを知っていると伝え、銃器を持っている者は全員名乗り出るよう要求した。これに誰も反応しなかったため、将校は村長の方を向き、村の男たちの中から人質を選ぶように指示を出した。村長はこれを拒否し、自分自身と息子を人質に差し出すことにした。小休止のあと、さらなる議論の末、将校は人質をとるという考えを改め、代わりに村の探索を決定した。男たちは六つのグループに分けられ、市場の周りの様々な納屋や車庫へと連れて行かれた。

次に起こったことは、オラドゥール＝シュル＝グラヌの村を永遠に変えてしまうことになった。男たちが納屋に連行されると、兵士たちはすでに外でマシンガンを構えていた。そして、将校の合図とともに一斉に射撃したのであった。一瞬のうちに、二〇〇人以上の村人たちが射殺されたのである。その後、ドイツ軍の兵士たちは、この事態を片付けるために動き出した。彼らは死体の中を歩きまわり、まだ息のある者を確実に殺し、それらを藁と燃料で覆い、死体と建物に火を放った。

この大虐殺を生き延びたのは、最初の発砲で床に倒れ、五六人もの死体の下敷きとなっていた、一つのグループの中のたった六人の若者だけであった。煙と炎が納屋に充満する中、彼らは死んだ友人や隣人の下から這い出し、小さな裏口から飛び出したのである。五人はどうにかして村の裏庭を通り抜けて安全な場所へ逃げることができたが、残る一人はドイツ兵に発見され、射殺された。

男たちが全員死んだあと、親衛隊は村の女と子供たちに目を向けた。彼らは教会の中で身を寄せ合い、おびえていた。午後五時頃、二人の兵士が教会へと入っていった。彼らは祭壇の上に大きな箱を置き、長い導火線を敷いてそれに火をつけ、ドアを閉めたのである。大爆発で教会が煙と音に包まれたあと、兵士たちはドアを開け、生き残った人々に銃声を浴びせた。そして、死体の周りに教会の祭壇を積み上げ、火を放った。生き残った唯一の女性は、四七歳のマルグリット・ルファンシュであり、彼女は兵士が発砲している間、祭具室に隠れていた。教会が燃えている時、彼女は椅子を見つけ、爆風で吹き飛ばされた窓の一つへ登ったのである。彼女がそこから地面に飛び降りた時、後を追おうとした女性と赤ん坊は機関銃で撃たれ亡くなった。

それから数時間にわたり、親衛隊は村の隅々を捜索した。家や商店からあらゆるものを略奪し、見つけ出した村人を根こそぎ射殺し、組織的にすべてのものに火をつけたのであった。煙の中から逃げ出てきた者はすぐに殺され、何体かの死体が井戸に投げ入れられた。

最終的に、武装親衛隊は一二三の家、四つの学校、二二の商店、二六の作業場、一九の車庫、四〇の納屋、三五の農作業小屋、五八の格納庫、そして路面電車の駅を焼き払った。これらが、今日、さびれた村、オラドゥール＝シュル＝グラヌに建つ廃墟である。そして、ここには六四二人の遺体が、個々や集団で廃墟の中に積み上げられていたのであった。

オラドゥール＝シュル＝グラヌはドイツ軍による占領が終わりへと向かう中で、残虐行為を受けたフランス各地のうちの一つであった。オラドゥールが焼き討ちされてから一一日後、今度はドルドーニュ地方のムレディィエが、それほど多くの死者が出なかったとはいえ、同様の運命をたどった。それから一ヶ月後、今度はスイスとの国境近くにあるドルタンの町でも同じことが起こったし、また一ヶ月後、親衛隊はトゥーレーヌのマイレ村を包囲し、機関銃と手榴弾で一二四人の男女と子供を虐殺したのであった。そして、最も恐ろしい虐殺の一つは、ドイツ守備隊がたびたびレジスタンスからの攻撃を受けていた、オラドゥールから一〇〇キロほど離れたトゥールの町で起こった。攻撃への報復として、武装親衛隊は町から九九人を徴集し、大通り沿いのバルコニーや木や橋から吊るしたのである。

他の国にも同じような話がある。チェコスロバキアのリディツェ村はプラハ近郊でのラインハルト・ハイドリヒ暗殺に関わった報復として、徹底的に破壊された。男たちは虐殺され、女や子供たちは収容所に送られるか、連れ去られた後に他の場所で殺害されたのである。ノルウェーでは、ゲシュタポの将校二人が殺されたことへの報復として、北海沿岸のテラヴォグの村が破壊された。イタリアでは、地元のレジスタンス運動への報復として七七〇人がマルザボットで虐殺された。ギリシアでは、オラドゥールでの虐殺と全く同じ日、一九四四年六月一〇日にディストモ村で二〇〇人以上もの民間人が殺されている。そして、おそらく最悪の破壊と虐殺は一九四四年の末にドイツ兵によって行われた、ポーランドの首都、ワルシャワでの組織的報復であろう。彼らは爆薬と火炎放射器を持って、家から家へと回り、地球上から街を一掃しようとしたのである。

これらの場所の大半は、戦後、地元の人々が過去を背後へと置き、未来へ向かって進むために再建された。しかし、オラドゥール＝シュル＝グラヌは、村全体が廃墟として、大虐殺の翌日と全く同じ姿で保存されているのが特徴である。

オラドゥールの廃墟を国定史跡に変える決定は、非常に早い段階で行われた。一九四四年一〇月、町が焼失してからわずか四ヶ月後、地元のさまざまな著名人がすでに計画を立てていた。彼らは、オラドゥールが地域社会だけでなくフランス全体にとって非常に重要なものを象徴していることを認識しており、その見解は、一九四五年三月に村を訪れたシャルル・ド・ゴール大統領によって支持された。彼は「オラドゥールはこの国そのものに何が起こったのかを象徴するものである」と短いスピーチの中で述べ、「このような場所はすべての人々に共有されるものであり、二度と同じことがフランスのどこかで起こってはならない」と続けた。

この後、数ヶ月で、実際にこの廃墟は公的記念碑となった。しかしこれは何の記念碑なのだろうか。一九四五年の勝利を祝う雰囲気の中で、ここをレジスタンスの記念碑として顕彰するのは魅力的なことではあった。しかし、結局、ここはこの地域でのレジスタンス活動への報復として破壊された場なのである。『セ・ソワール』などの新聞には、レジスタンスの英雄たちと並んでオラドゥールの人々が掲載されることも多く、人々は村の「栄光の光輪」を誇らしげに語った。しかし、これは、レジスタンスがフランスのどこかで実際に活動していたのであれば、ここで起こった報復行為に対する責任の一部は彼らにもあるのではないのか、といった難しい問題を棚上げすることになった。

また、村で殺された人たち、特に子供たちの純粋さと無邪気さを強調したい人たちもいた。生存者の多くは一九四四年に、オラドゥールで実際にレジスタンスの活動があったことを否定しているし、何より、六月のあの悲劇的な日まで、誰も村の近くでドイツ兵など見たこともなく、彼らに抵抗する必要もなかったのである。これらの人々にとって、この村はフランスの、いわゆる殉教者の純粋なシンボルであり、これからもずっとそうであり続けるだろう。また、オラドゥールを極悪非道な国家によってフランスに負わされた不快な記念碑として解釈した人々もいた。この記念碑創設に尽力したピエール・マスフランによると、記念碑化の目的は「ナチスの残忍な蛮行を象徴する」ことであった。また、一九四五年にこの廃墟の保存を担当した建築家ピエール・パッケによると、オラドゥールは「神聖な場」であり、犠牲者だけでなく、「ドイツ民族の残虐性」にも捧げられているということである。

しかし、その後の数年間で、このフランス人の犠牲者とドイツ人の残虐性についての慰めの物語は、誰もが信じたいと思っていたほど、正しいものではないことが判明した。一九五三年に軍事裁判が行われたが、そこに登場したのはドイツ人だけではなかったのである。出廷した二一人の内、一四人がフランスの国境地帯、アルザスの出身者であった。そこは戦時中、ドイツに併合されており、ほとんどが不本意ながらも、若者たちの多くがドイツ軍へと徴兵されていた。それにもかかわらず、このフランス人たちはオラドゥールにおいて、虐殺に参加していたのである。彼らの裁判は、フランス国内の分裂を痛感させ、戦時中のナチスとフランスの協力というこれまた痛ましい遺産を、想起させたのであった。

結局、オラドゥール＝シュル＝グラヌの廃墟は、さまざまなものを一気に連想させてしまうために、英雄や犠牲者、そして極悪非道な犯罪者を想起するためのごく単純な記念碑にはならなかった。そして、それらは何よりも否定の象徴となった。一九四四年六月にここで起こった大惨事は、より大きな何かの先駆けに過ぎなかった。対独協力によって汚される以前のフランスは、その強さ、純粋さ、そして美徳を備えていたが、それらはもう事実上存在しなくなっていた。

私たちは皆、何らかの形で自分たちの歴史の囚人となっているが、オラドゥール＝シュル＝グラヌの人々は他の多くの人々よりもいっそう、それに囚われている。本書でこれまでに取り上げてきた場所は、それぞれが過去の幻影に囚われていた。過去の偉大さの理想に向かって生きていこうとしている所もあれば、過去の苦しみと折り合いをつけたり、罪を償おうと必死になったりしている所もあった。いずれの場合も、第二次世界大戦の歴史は、現在と未来の両方に弊害をもたらす恐れを持つ。しかし、オラドゥールには現在も未来もなく、村全体があの虐殺と破壊の瞬間に凍り付いてしまった。それは永遠の黙示録となり、今も存在し続けている。

オラドゥールとは異なり、ヨーロッパの他の場所は、それらが被った荒廃の惨事に屈することを拒否した。砲撃によって瓦礫と化した何百ものヨーロッパの都市は、グラスゴーからオデッサまで、レニングラードからマルセイユまで、すべて再建されて繁栄している。ワルシャワの中心部も丁寧に再建され、今では戦前と変わらぬ街並みとなっているし、それはドレスデンも同様である。しかし、オラドゥールはそうではないのだ。この荒廃したフランスの村は、こうした他の場所の誰もが直面することへの覚悟ができていないことを認めている。第二次世界大戦ですべてが破壊され、いくら復興したとしても取り戻せないものがあるということである。

このことは、オラドゥールの虐殺を生き延びた者以外、理解している者は誰もいないといえよう。戦後、彼らの多くはこの廃墟となった村の隣に建てられた、同じ名前の新しい村に定住した。ここでの生活は、必然的に快適さと呪いの両方をもたらした。廃墟が目の前にあることによって追悼がしやすい一方で、古い村は新しい村に影を落とし続けていた。長い間、特に六月は追悼が厳格に行われた。例えば、一九五二年に新しいホテルがオープンした時、オーナーは祝賀会を開きたいと企画したが、ライフル銃を携えた家族の一団が会の進行を阻止するためやってきたのである。喪に服している村では、このような祝い事など許されるものではなかったのである。

犠牲となり、殉教した村、オラドゥールの遺産について書かれた素晴らしい本の中で、サラ・ファーマーは、地元の一〇代の子たちが暗い色調の服しか着ることを許されない村で育ったことが、いかに憂鬱であったことかと述べている。特にこの記念日となると、いつも気の滅入る陰鬱な日であったという。一律に禁止していた六月の結婚式を犠牲者遺族会が解禁したのは一九八八年のことであった。

今日でも、一九四四年六月に起きた出来事の記憶が、オラドゥールの住民にとって前に進むことの足枷となっている。特に大虐殺の生存者にとっては、そのような状況がずっと続いている。二〇一三年のインタビューで、納屋での銃撃で隣人の死体の下敷きになって生き残った男性の一人、ロベルト・ヘブラスは、「ここに来るのはいつも困難なことだ」と語っている。「私は頭の中で自分の村を追体験している」、「かつての音を聞き、廃墟に顔を押し当てるのだ」といった。
しかし、彼の記憶の中の古い村はもう存在しない。残っているのは廃墟だけなのだ。

第19章

ドイツ
虐殺されたヨーロッパのユダヤ人のための記念碑

◆ベルリン

いわゆる黙示録的な惨事が、ある国の共同体すべてに影響を及ぼすのではなく、その中の一部だけに降りかかるとしたらどうだろうか。そして、それが非常に選択的な種類の惨事であった場合はどうだろうか。

オラドゥール＝シュル＝グラヌのように戦争の終末論的な破壊に捧げられた記念碑の多くは、戦争というものの無作為で、無差別的な性質を強調している。暴力はあらゆる人の命や物を区別することなく奪っていった。しかし、ユダヤ人の大量虐殺はそれとは異なるものであった。無差別にではなく、特定の集団を標的にして、彼らを集団からつまみ出し、故郷から遠く離れた収容所へと集め、より効率的に殺害できるようにしたのである。ある地域では村全体が一掃されることもあった。他の場所では、ユダヤ人以外の人々には、特に非日常のことなど何も起こってはいないのだと、自らにいい聞かせることができるほど、それは一握りの人へのものだったのかもしれない。しかし、間違いなく、ホロコーストは完全に異常なものであった。彼らの共同体にとって、それは他のどのようなものよりもはるかに規模の大きい、戦時下における惨事、つまり、真の黙示録となったのである。

今日では、世界中にこの典型的ともいえる大量虐殺の記念碑が作られているが、その中で、おそら

く最も重要なものの一つがベルリンの中心部に存在する。虐殺されたヨーロッパのユダヤ人のための記念碑には、何一つ控えめで地味な要素はない。これは、本書で取り上げる記念碑の中で、単一の目的のために建てられた最大の記念碑であることに間違いはない。面積は一万九〇〇〇平方メートルにもおよび、ワシントンDCにある海兵隊記念碑の一〇〇倍、ロンドンの爆撃機司令部記念碑の二〇倍の大きさであり、アメリカの第二次世界大戦記念碑ですら、この半分以下の大きさである。

しかも、この記念碑が建つ広大な土地は、ドイツの片田舎の原野にではなく、ベルリンの中心部、ブランデンブルク門から徒歩二分圏内にある。その土地価格は数億ユーロにも上るが、おそらくその歴史的な価値はもっと大きい。第二次世界大戦中、この場所は戦争の遂行全般、特にホロコーストを計画した省庁が立ち並ぶ場所であり、ゲッベルスのいた地下壕はこの真下になる。そして、冷戦中は共産主義の東ベルリンと民主主義の西ベルリンの間に位置する無人地帯であった。二〇世紀の終わりに未だここが空き地のまま残されていた理由は、そこにベルリンの壁が通っていたからである。何十年もの間、この土地はベルリンの中心であるだけでなく、世界の出来事の中心地でもあったのだ。

そのように広大で、重要な土地を捧げるということは、ドイツがいかに過去の罪を償おうと決意しているかを表している。それは、すべての壮大な意思表示の源、つまりは悔恨の国家的行為になると考えられている。しかし、二〇〇五年五月に完成して以来、私はいつも、この記念碑について、何か腑に落ちないものを感じてきた。本書で取り上げている他の記念碑と同様に、その制作意図が完全にごまかしのないものであるとはいい切れないのである。

虐殺されたヨーロッパのユダヤ人のための記念碑は一九九〇年代終わりに、アメリカの建築家ピーター・アイゼンマンによって設計された。二七一一個の長方形のコンクリートブロックが、敷地内全体に格子状に配置されている。各ブロックの幅と長さは全部同じに作られているが、高さが少しずつ違っている。敷地の端の方のものは一メートル以下だが、中央のものはかなり高く、五メートル近くになるものもある。

設計者自身はこのブロック自体に具体的な意味を持たせてはいないが、「妥協することなく厳格なシステムを景観に課した時に起こる人間性の喪失」を表現したと述べている。ブロックの数にも意味はなく、ブロックそれ自体が何かを表しているわけでもない。実際、この記念碑には象徴的なものは何一つないのである。

記念碑の端から眺めると、広大な立方体のブロックが映し出す光と影の造形がとても美しい。それは、何か巨大で、満足のいく幾何学的な模様のように見える。また、少なくとも外から眺める限り、この記念碑は長方形の墓石が立ち並ぶ巨大な空間に見えるとの意見も多い。しかし、アイゼンマンは、それは自分の意図したことではないと強く否定している。もっとも、彼は、これらのブロックに墓石に見られるような名前も記号も記してはいない。とはいえ、これは私が最初にこの記念碑を見た時の感想でもあるのだが、ベルリン中心部の重要な場所が、まるでヨーロッパのユダヤ人のための広大で、象徴的な墓地になったかのように思えたのであった。

しかし、この記念碑の中に足を踏み入れ、ブロックの間をさまようと、また異なる視点が浮かび上がってくる。地面が沈み込み、ブロックが高くなるにつれ、窮屈で閉塞感のあるコンクリートの峡谷に入り込むことになる。その向こうには木々や建物が遠くに見えるだけである。ここは私に方向を見失わせてしまう。四方を同じコンクリートで囲まれていると、まるで迷宮の中に迷い込んでしまったかのような感覚に陥るのだ。一つの角を曲がり、また別の次の道、そしてまたその次の角を曲がっても、どこも同じように見えて、自分がどこにいるのかすぐに分からなくなってしまうのである。誰かとここへ来ても、いつもすぐに、彼らを見失ってしまう。そして時には三〇分後、この記念碑の反対側でないと再会できないようなこともある。

ここには不穏な響きがある。不毛さ、閉塞感、そして記念碑内部の影のような光はすべて、私たちの共同体の記憶の中にある負の経験を示唆している。しかし、その記憶はけして明確に綴られているわけではなく、ヨーロッパの戦時中にユダヤ人たちの身に何が起こったのか、そして、最終的に彼らの大量虐殺がどのようにして世界中に明らかにされたのかを考えてみる必要がある。

ホロコーストは第二次世界大戦の途中で考案されたものではない。それは、ドイツがユダヤ人という存在を問題視し始めたその瞬間から暗黙の了解となっていた。すでに開戦前から、ナチスはユダヤ人を選別し、孤立させ、公共空間から排除していた。ポーランド侵攻後、ドイツが世界でもっとも多くのユダヤ人人口をその支配下に置くようになると、「その問題」はさらに大きくなった。ユダヤ人をより効率的に隔離するために、彼らは強制的にゲットーへと追いやられた。彼らをヨーロッパから完全に追い出し、シベリアかマダガスカルにでも連れて行こうという計画も盛んに話し合われた。しかしこれは常に不可能であったために、論理的で最終的な解決策は一つしか残されていなかった。つまり、彼らは皆、殺されるべきであるというのである。

最初の大量虐殺は、一九四一年のソ連への侵攻直後に行われた。オラドゥールでの虐殺はそれに比べると取るに足らないもののように見えるほどである。ウクライナ中部の深い渓谷、バビ・ヤールでは、その近郊、キエフ出身の約三万三〇〇〇人のユダヤ人が二日間続いた殺戮の嵐の中で射殺されたのである。死体の数が多すぎたために、殺人者たちは、それらを全部埋めるために渓谷の側面をダイナマイトで爆破したほどであった。

翌年、アインザッツグルッペン（武装親衛隊の分隊）は、主に銃殺によって、東ヨーロッパで一〇〇万人以上のユダヤ人を手にかけた。渓谷や採石場は死体で埋め尽くされ、広大な原野や森全体が巨大な墓場となった。最終的にナチスは殺人の工業化を可能とすべく、トレブリンカ、ソビボル、ベウジェツ、アウシュヴィッツなどの場所に絶滅収容所を設置した。彼らは終戦までに六〇〇万人近くのユダヤ人を殺害し、さらに何十万人ものユダヤ人たちを故郷から追放したのである。

連合国はヨーロッパ全土で起こっているこの状況について報告を受けてはいたが、ドイツから領土を奪還し始めるまで、大虐殺の規模は明らかにされなかった。赤軍がウクライナとポーランドに進軍すると、彼らは人々が完全に一掃された村を次々と発見したのである。ソ連のジャーナリスト、ヴァシリー・グロスマンは、これら人ひとりいない村や町を通過した時の苦悩を語っている。そして「もはやウクライナにユダヤ人はいない」と、彼はソ連のユダヤ人反ファシスト委員会のジャーナル『アイニカイト』に記している。

ポルタヴァ、ハリコフ、クレメンチューク、ボルィースピリ、ヤグチンなど、どこの都市、何百もの町、何千もの村においても、少女たちの涙を流す黒い目を見ることはなく、老婆の苦しそうな声を聞くこともなく、お腹をすかせた赤ん坊の暗い顔も見ない。すべてが沈黙であり、すべてが静止している。すべての人々が残忍に殺害されたのである。

一九四四年七月、赤軍がマイダネク強制収容所を制圧すると、彼らは死者から奪い取った何十万足もの靴で埋め尽くされた一連の巨大な倉庫の最初の一つを発見した。それからほどなくして到着したトレブリンカでは、彼らは元収容所の看守を捕らえ、ここを、九〇万人ものユダヤ人が「巨大な火山を連想させる炉」で焼き殺された「地獄」と表現した。最大の収容所であるアウシュヴィッツが解放されるのは、それから半年後のことである。

西ヨーロッパでは、イギリス軍やアメリカ軍が、他の収容所においてそれと同じような光景を目撃することとなった。ブーヘンヴァルト、ダッハウ、マウトハウゼン、そしてベルゲン・ベルゼン強制収容所に入った戦争犯罪調査官たちは、そこで同様の残虐行為が日々繰り返されていたことを確認した。二〇一六年、この調査官の一人であったベン・フェレンツにインタビューした時、彼は、その日々の繰り返しがとても辛かったと述べた。そして「どれも基本的には似通っていた」、「死体は収容所内に散らばり、骨と皮の山、燃える火葬場の前に薪のように積み上げられた死体、下痢、赤痢、チフス、結核、肺炎、その他の病気に罹って無力な痩せこけた人々がシラミだらけの寝床や地面で嘔吐しながら哀れな目だけで助けを乞うていた」と証言している。

これらの光景はカメラに収められ、ニュース映画として世界各地の映画館で上映された。特に西ヨーロッパにおいて、一九四五年は地獄のような光景であったという集合的記憶が定着している。しかし、ヨーロッパ大陸のユダヤ人共同体にとって、これは単なる地獄ではなく、それ以上の、つまりは世界の終わりを思わせた。何世紀にもわたるユダヤの伝統、学問、職人の技などが一瞬にして途絶えたのである。そして東ヨーロッパのユダヤ人特有の言語であるイデッシュ語は死に絶え、文化全体が根絶されたように思われたのだ。

終戦時の統計はけして喜ばしい読み物ではない。一四万人のオランダ系ユダヤ人のうち、戦争で生き残ったのは二万人だけであり、オランダのほとんどの地域で、この戦争によって八〇〇年以上のユダヤ人の歴史に事実上の終止符が打たれた。ギリシアでは一九四五年に一万二〇〇〇人のユダヤ人しか残っておらず、この地で二〇〇〇年以上にわたって生き延びてきた文化は、今や消滅の危機に瀕していた。そして、かつて世界最大のユダヤ人共同体があったポーランドとウクライナは、もはや荒廃した地域以外の何ものでもなかった。ポーランドのユダヤ人はホロコーストで三〇〇万人が犠牲となった。生き残ったユダヤ人の大多数は、その後数年の内に祖国を後にした。もはやその地で身の安全を確保できなくなったことも理由の一つではあるが、根本的にもはやその地に残るべき理由が何もなくなってしまったのである。戦前に見知っていたことすべて、そこから消え去っていたのだ。

一人のユダヤ人の物語はそれを明確に示している。一一歳のセリーナ・リーバーマンは家族の中で唯一生き残った子供であった。一九四二年、ウクライナで、彼女を保護すると約束してくれたキリスト教徒の女性に引き取られたのである。すぐに彼女は、まるで敬虔なカトリック教徒のように教会へ通うことには慣れたが、時々、私的にユダヤの神に祈りを捧げていた。数年後、バンクーバーのホロコースト教育センターのインタビューを受けた彼女は、それが殺された他のユダヤ人への謝罪のつもりだったと告白した。彼女は「終戦時一四歳だった自分が地球上に残された唯一のユダヤ人だと信じていた」といったのであった。

虐殺されたヨーロッパのユダヤ人のための記念碑は、この黙示録を記念したものとなっている。このコンクリートブロックの立ち並ぶ広場における秩序の厳格な硬直感は、ナチ体制の厳格さを思い起こさせることを意図している。そして、この記念碑の中に足を踏み入れた時に感じる疎外感は、セリーナ・リーバーマンのようなユダヤ人が終戦時に経験した孤独感をも想起させてくれるはずである。

私はベルリンに行くと、必ずこの記念碑を訪れるが、この注目に値する空間を評価する一方で、いつも何か独特の奇妙さを感じずにはいられないのである。これがユダヤ人のための記念碑であるということならば、それは確かに多くの事実を上手く隠してしまっている。ここには、バビ・ヤールでの

これは墓か？ それとも遊び場なのか？ 設計者による説明はなく、訪れた人が自由に解釈することができる。

大量虐殺やアウシュヴィッツのガス室を思い起こさせるものは何もないからである。ホロコーストの収容所からの土や灰の納められた壺も置かれていない。そして失われたユダヤ人の世界に対する郷愁や嘆きも感じられない（設計者によれば、これは意図的なものだという。ノスタルジアは彼が避けようと主張した感情の一つであったようだ）。また、ここにはユダヤ教のシンボルも、個々のユダヤ人のシンボルも、そして彼らの大虐殺を組織した政権のシンボルもない。それどころか、ここには記念碑のタイトルを示す看板すらないのである。私が一二歳の娘を初めてここに連れてきた時、娘はここが何なのか分からなかった。彼女がまず、ここは何らかの巨大な遊び場に違いないと思い、ブロックに登って、次から次へと飛び移ろうとしていた。私が、その行為がいかに不適切なものかを説明すると、彼女は愕然としたのであった。

本当のところ、ここで何が起こっているのだろうか。なぜ、この記念碑は私たちに具体的なことを思い出させないようにしているかのように見えるのだろうか。そして、それがユダヤ人への追悼の碑であるのならば、なぜ彼らについて一言も言及していないのだろうか。

ピーター・アイゼンマンによると、彼のデザインにはある種の論理があるという。伝統的な記念碑は、しばし歴史を一つの見方で捉え、それを永遠に石に刻もうとする傾向にあるが、これこそ、アイゼンマンが避けようとしていたことである。「ホロコーストの巨大さと恐ろしさは、従来の方法ではそれを表現しようとしても、どうしても不十分になってしまう」と彼は最初の記念碑計画で説明している。「この記念碑にはゴールもなければ突き当たりもなく、入り口も出口もない」のである。そしてこの記念碑を完全に抽象化し、すべてを自由に解釈できるようにすることで、訪れた人々が自分の記憶を自然に呼び起こすことができるような空間を提供したいと考えた。アイゼンマンは人々に何を記憶すべきか、といったことをいいたくはなかった。それはあなた方次第だ、ということである。

これは崇高な心情ではあるが、現実世界においては次から次へと新たな問題が出てくるものである。そもそも、人々が先入観なしに経験できるような記念碑を作ることは本当に可能なのだろうか。ホロコーストを知っている人は、すでに何らかのイメージを持ってここを訪れるだろう。そして、記念碑が持つ言語に精通している人なら誰でも、すぐに同様の他の場所との類似性を見出すだろう。ベルリンを訪れる多くの人々が、この記念碑を本能的に広大な墓地になぞらえるのはそのためだろう。私自身、この記念碑と、近くのユダヤ博物館にある「亡命の庭」との類似性に気づかずにはいられなかった。この記念碑もまた、傾斜地に立つ背の高いコンクリートブロックで構成されている。完全に抽象化された記念碑というものは存在しない。それが故意であろうとなかろうと、鑑賞者は常に、他のそれほど難解ではない場所から選んできた記念碑の持つ言語をそれに負わせるだろう。

しかし、記念碑について、そしてホロコーストについてほとんど知らない人にとっては逆に問題が生じる。何のシンボルも標識もないために、このブロックの立ち並ぶ風景が、実質的に、何を意味しているのか分からないのである。ひょっとすると、コンクリートブロックは環境問題への提言なのかもしれない。また、格子状の意匠は、私たちの格子状の現代都市を象徴しているのかもしれず、その中へと足を踏み入れた時に感じる疎外感は社会的孤立の象徴であると捉えることもできる。いや、逆にそこには全く、疎外感などないのかもしれない。もしかすると、かくれんぼをしたりする、子供の巨大な遊び場のような、どこかそういった楽しい場所なのかもしれない。このように、設計者の指示がなければ、これらのどれもが事実である可能性がでてくるのである。実際、これがホロコーストに関する記念碑だと誰がいいきれるだろうか。

この問題を最初に指摘したのは、アイゼンマンの抽象案に完全に同意しなかったドイツ政府である。彼らがどのようなものを首都の中心部、一等地に期待しているかは非常に明確であった。それは死者に敬意を表し、「ドイツの歴史におけるこれらの想像を絶する出来事の記憶」を生かし続けられるようなものでなくてはいけないというものである。この記念碑を承認するかどうかの投票において、政府は具体的にその建設の目的を述べている。「将来のすべての世代に、二度と人権を侵害することのないように諭すこと」、そして「あらゆる形態の独裁と暴力に基づく体制に抵抗することを勧告すること」である。

この記念碑が堅固で妥協のない秩序を意味しているだけでは不十分であり、政府が要求したのは、ナチズムの悪害に関しての確固たる事実の提示であった。そのため彼らは、アイゼンマンの抽象的な記念碑の隣に情報センターを設置し、ホロコーストに関する常設展示を行うべきだと主張した。

アイゼンマンは当初、この考えに強く反対した。もし、訪問者に何を記憶し、どのように感じるべきかを正確に伝える情報センターを設けたら、心を解放するように設計したこの抽象的な記念碑を建てる意味はいったい何だったのかという話になってしまうからである。しかし、結局、彼は引き下がらざるを得なかった。結果として、記念碑の下に地下壕のような形式の情報センターが建設された。虐殺過程の年表、一五の家族の物語を詳細に紹介する展示、そして「名前の部屋」があり、そこでは六年半にわたるサイクルで、現在判明している殺害されたとされるすべての人の詳細が一人ずつ読み上げられている。設計者にとって唯一の救いは、この情報センターへの入り口をなるべく目立たないようにすることが許可されたことであった。(実際、あまりにも目立たないので、二〇〇五年の開館直後のアンケートでは、「ここに情報センターがあることに気づかなかった」という回答が多数寄せられたほどである。)

その次にこの記念碑を批判したのは、他国のユダヤ人と共に声を上げたドイツのユダヤ人住民であった。彼らはこれを、黙示録的大事件の象徴として不十分だと訴えたのだ。ここには破壊された世界や耐え忍ばなければならなかった苦悩を想起させるものが何もなかったからである。彼らは、この記念碑は自分たちとは関係のない、ドイツ人のための碑であって、ユダヤ人のためのものではないとした。特にドイツ・ユダヤ人中央評議会のシュテファン・クラマー事務局長は、「私たちはそれを求めてはいない。それを必要としていない」と声を大にしたのであった。また、他の評論家もこの記念碑はドイツの美徳を誇示したものであり、ドイツが過去を「綺麗に洗浄する」ための試みにすぎないと指摘した。

これは辛辣な言葉づかいだが、すでに第16章で紹介した記念碑のような、他の記念碑のことを考えると、彼らの主張を否定することはできない。ベルリンにある第二次世界大戦に関するほとんどの記念碑の真の意図は、ユダヤ人がすべていなくなったことではなく、ナチスがすべていなくなったことを想起させることにある。それは確かに祝福されるべきことではある。しかし、おそらく、それはこの記念碑でというわけではないだろう。ここでは何か全く異なる、もっと暗い別のものを記念することになっているからである。

ピーター・アイゼンマンの記念碑をめぐる論争から学ぶべき教訓はいくつかある。一つ目は、抽象的なデザインの利点にもかかわらず、歴史の中には、解釈の余地がないほどに繊細にならざるを得ない領域があるということだ。社会が儀式を発展させていくのには理由があり、死にまつわる儀式は特に神聖なものである。もしそれが石に刻まれる儀式の一つの形態でないのであれば、記念碑とはいったい何だというのだろうか。

ホロコーストに関するある種の言語は、数十年にわたって発展してきた。世界中の主要なホロコースト博物館では、その歴史を語るにあたって、同じ基本パターンを採用する傾向があり、ホロコーストの記念碑もまた、それと同様に、ある種の慣習を生み出していた。そこには多くの場合、抹殺された村や町、または国の共同体の名前が記されている。また、しばしば殺されたユダヤ人の数を示す統計が組み込まれていることもある。そして、アウシュヴィッツやその他の強制収容所から採取した土や灰が入れられていたり、多くの場合、ダビデの星や、儀式用の七本立ての燭台といった、ユダヤ教のシンボルが刻まれていたりするのである。また、オベリスクやモノリス、傾いた壁や床、有刺鉄線や家畜用の貨車、そして煙突などをイメージするものが多用されるのだ。長い年月をかけてユダヤ人はそのようなシンボルに慣れ親しんできた。時にはそこから逃れられないような息苦しさを感じることもあるが、少なくともそれらの儀式には、ある種の慰めがあるのだ。だからこそ、ピーター・アイゼンマンが、自分のデザインする記念碑から、それらのシンボルをすべてなくした時、多くの人々がそのアイデアを嫌ったのは当然のことであった。

一方、ドイツ人もまたこの歴史の囚人ではあるが、そこで強調されているのは自らが被った被害ではなく、犯した罪の方である。ドイツの子供たちは、修学旅行でかつての強制収容所を訪れ、祖父や曾祖父の犯した罪について学んでゆく。そして街にはいたるところに、連行されたユダヤ人が、かつて住んでいた家の前の舗道に埋め込まれた真鍮の「躓きの石」から、より大きな、より共同体的な犯罪を表象したプレートや彫像などの記念碑が存在する。ベルリンの「虐殺されたヨーロッパのユダヤ人のための記念碑」は、罪悪感に満ちたこの景観の中のほんの一つのアイテムに過ぎないのだ。次の章で紹介するように、ドイツでは、ホロコーストとは関係のない第二次世界大戦の記念碑でさえ、ホロコーストという事実によって評判が傷つけられている。好むと好まざるとにかかわらず、ドイツ人とユダヤ人はこの歴史から逃れることはできず、お互いを逃れることもできない。ホロコーストは、彼らを無限の抱擁で結びつけたのである。

それは、どんなに抽象的な記念碑でもけして断ち切ることのできないつながりなのだ。

第20章

ドイツ 空襲犠牲者慰霊碑

◆ハンブルク

長年にわたって私が最も魅了されてきた記念碑の一つが、ドイツ、ハンブルク市のオールズドルフ墓地にある。それは、本書で紹介してきた他の記念碑とは異なり、特に議論を呼ぶようなものではない。しかし、それにには不思議な、まるで別世界のような美しさがあり、私にはとても魅力的に感じるのだ。過去二〇年間に訪れたすべての記念碑の中で、この記念碑にだけは、何度も何度も引き戻されれ、私はこれを見るたびに新たな意味を発見し続けている。

私がこの場所に初めて巡り合ったのは二〇〇五年、連合国軍の空襲についての文献を研究していた時であった。私はちょうど一週間かけて生存者にインタビューし、様々な地域の歴史資料館で目撃者の証言を調べていた。流暢には解せないドイツ語の文書を延々と読み進めるのは大変な労力であり、その中で見つけた話には悲惨なものもあった。そこで、息抜きとして、この墓地にやってきたのだ。ここは空襲犠牲者の多くが埋葬されている場所で、自分の考えをまとめるには最適な場所だと思ったのである。

墓地の東端にある四つの巨大な共同墓地の中心に、空襲犠牲者慰霊碑は立っている。そこへは、三万六九一八人の遺体が埋葬されている共同墓地の前を通り過ぎなければ近づくことができない。慰霊

碑の前にはオーク材の梁が一定の間隔で各墓を横切って設置されており、各梁には空爆で破壊された地区の名前が記されている。ローテンブルグスオルト、ヴェッデル、ホーン、ハム、ハンマーブック……そしてハンブルクといった一八の地区名である。

遠くから見ると、この慰霊碑自体は、固い砂岩の大きなブロックで作られた、長方形の厳粛な霊廟のように見える。しかし、近づいてみると、そこには屋根がないことが分かる。実際には四つの石の壁が舗装された中庭を囲んでいる構造となっている。そして正面の壁には錬鉄製の門があり、そこから足を踏み入れて、中を覗きこむことができる。門をくぐると、内壁の一角に彫刻が設置されているのが目に入るが、これはギリシア神話に登場するカローン神が死者の魂を冥界に運ぶ様子を彫ったものである。

この彫刻は、この記念碑の最も重要な要素を形成しており、「Fahrt über üden Styx（ステュクス〔三途の川〕渡り）」と題されている。四月の午後、ようやくこの彫刻と対面した時、まず最初に驚いたのは、この彫刻が非常に無感情なものに見えたことである。この一週間ずっと、私は凄まじい暴力と恐怖の物語を発掘してきたわけだが、ここにはそのようなものは何もなかったのだ。船の上の人物たちは悲しそうに見えたが、犠牲者が死の瞬間に経験したであろう恐怖や、砕け散った街に取り残された人々の苦痛や苦悩は全く感じられなかった。これは慰霊のための記念碑であって、過去を呼び起こすためのものではないように思えた。

死の渡し守、カローンの他に、ここには四人の人物が登場する。船の先頭には一人の老人が立っており、彼だけが目的地の方を向いていて、どうやら自分の運命を諦めているようだ。彼の後ろには、現実を直視できないほどに怯える子供を、厳かな表情で慰める母親の姿がある。その隣では若い男女二人が、お互いを支え合うように抱き合っている。

それぞれの人物は非常に形式化されており、それらが実在の人物ではなく、犠牲者たちの代表例を表していることは明らかである。換言すれば、空襲で亡くなったあらゆる種類の個人の姿がそこには存在するのだ。愛する人を追悼するためにこの墓地を訪れた人は誰でも、彫刻の中にその人の姿を見つけることができるだろう。

確かに追悼する者にとって、それは慰めになるかもしれないが、しかし、この考えには酷く暗い何かが漂っている。彫刻の中の老人は一人の老人ではなく、何千人もの老人を表している。母親も一人の母親ではなく、何千人もの母親を表しているのだ。一九四三年に共同体全体が破壊され、老若男女、そして既婚者も独身者も、すべてが失われたのであった。

空襲を目撃した人たちの話がまだ私の耳の中でこだましている状態で、この慰霊碑の門の前に立った時、私はここに描かれていることの規模の大きさを突如理解した。カローンによって冥界に連れて行かれるのは、個々の集団ではなく、ハンブルク全体だったのだ。そして、この彫刻は単なる死と追悼の描写ではなく、アルマゲドンを描いているのだと。

一九四三年の七月末にハンブルクで起こったことは、世界がこれまでに経験したことのないものだった。軍事理論家は長い間、空襲による主要都市の破壊について推測してきたが、それが実際に大規模に行われたのはこれが初めてのことであったのだ。これは現在でも、ヨーロッパ史上最も破壊的な空襲であることに変わりはない。

ゴモラ作戦とはよく名付けたもので、英米空軍による複合攻撃作戦であった。イギリス空軍は夜間にハンブルクを爆撃し、アメリカ陸軍航空軍は昼間、ハンブルクのドック内の標的を攻撃した。わずか一週間半の間に、彼らは九七八五メートルトンの爆弾を投下したが、これは戦時中、イギリス全土に投下された爆弾のほぼ四分の一に相当する。

その中でも特に悪名高いものとなっているのが、この空襲である。七月二七日の夜、七二二機のイギリスの爆撃機が街の上空に現れ、市内中心部の東側、労働者階級の人々が多く住まう地区に集中して爆弾を投下した。この時の爆弾の大部分は焼夷弾であった。数分以内に数万もの火災が発生。それらの火はすぐに合流し、その規模、約一〇万平方キロを越える一つの大火となったのである。

次に起こったことは、大規模火災に慣れている人でさえも理解に苦慮するほど凄まじいものであった。火は非常に激しく、連鎖反応のようなものを引き起こした。過熱した空気が街の上空へと急速に上昇すると、不足した分の空気を補うためにより多くの空気が周辺から吸い込まれたのである。この空気が新鮮な酸素をもたらし、火はさらに激しく燃え上がった。火災の温度が上がるにつれて風もどんどん強くなり、街全体がハリケーンの風が吹き抜ける炉のようになっていった。新たな現象、「火災旋風（ファイヤーストーム）」が出現したのである。

その日の夜、主管消防署の主任技師が記録した時系列表によると、ハンブルクの火災旋風は、爆撃が終わる前から起こっていた。一時間もしないうちに、ハリケーンは非常に強力なものとなり、駅から出てきた消防士たちは、風の力に逆らって手と膝で地面を這うことしかできなかったという。通りに出てきた人たちも、風と炎に対してなすすべもなく、多くの人が車を捨て、爆弾でできた窪みに身を隠すことを余儀なくされた。

ある消防士は、「通りに煙はなく、吹雪のように厚みのある炎と火花だけ」を見たと報告している。また、他の目撃者によると、この旋風は「火花の吹雪」であり、逃げる人々の髪や服に火をつけたという。多くの人々は、運河に身を投じたり、街の公園広場に向かってもがいたりすることでしか生き延びることができなかった。走っているうちに火だるまになった話や、子供たちが風で火の中に吸い込まれた話、そして道路を横切って逃げた人たちが、猛烈な熱で溶けて沸騰したアスファルトの中で立ち往生し、「ろうそくの溶けた熱い蠟の中のハエのように」死んでいったというような目撃談は数え切れない。また、地下室や避難所に残った人たちも、多くの場合が酷い状況であった。ハンブルク警察署長の報告書によると、恐怖で逃げられなかった人たちは、しばしば焼死したり、煙を吸って一酸化炭素中毒で死んだりしたという。

この大空襲における犠牲者の数を正確に把握することは不可能だが、様々な警察の報告書、国勢調査データ、戦後の空襲調査から得られた最善の推定では、この一夜だけで三万人以上が死亡し、一連の空襲では三万七〇〇〇人から四万五〇〇〇人が死亡したとされる。わずか一〇日間で、ハンブルク市の東側地域は完全に破壊され、西側地域の大部分も破壊された。これはハンブルクの全居住の約六一パーセント（合計四万棟以上の住宅）が破壊されたことになる。またその後の数日間で約一〇〇万人の難民が街を後にし、あらゆる意味で、ハンブルクは消滅したのであった。

その後、数ヶ月の間に街に戻った人々は、完全に荒廃した光景を目の当たりにした。目撃者の一人は、「見渡す限り、どこもかしこも廃墟だ。通りの瓦礫、崩壊した家の正面玄関、縁石の上の広範囲にわたる石、焼け焦げた木、荒廃した庭……人々は言葉を失った」と証言している。小説家のハンス・エーリッヒ・ノサックは、自分がハンブルクにいることが信じられないほど、廃墟に疎外感を覚えたという。彼は「私たちを取り囲むものは、何も失われたものを思い出させてくれなかった」と書いている。「それはそれとは何の関係もない。それは何か他のものであり、それは奇妙さそのものであり、本質的に不可能なものであった」。彼は、破壊についての回顧録を『Der Untergang（没落）』と題し、あたかも自分が目撃したものが黙示録そのものであるかのように表現した。

ハンブルクで起きたことの規模の大きさを考えると、ベルリンや広島、オラドゥール＝シュル＝グラヌにあるような大規模で野心的な記念碑を設置して、ことさら印象的な方法で記念することを期待してしまう。しかし、ここには「平和公園」もなければ、街の中心部の数ブロックを占めるような巨大な記念碑もない。何十年もの間、墓地の静かな一角にあるこの小さな寡黙な彫刻以外には、何も存在せず、この彫刻も、まるで恥じているかのように、閉じられた中庭の中に身を隠しているのである。

忘れてはならないのは、この空襲による大火災で街が廃墟と化してから九年の歳月が流れるまで、ここには全く記念碑が存在しなかったということである。ナチスが一九四三年に記念碑を建てなかったのは、すでに彼らが絶望的なまでに疲弊していたことに加え、自分たちがいかにこの戦争に負けていたかということに注目を集める動機がほとんどなかったからである。一九四五年にイギリスがこの街を占領した時も記念碑は建設されなかった。資源が乏しかったことと、地元の人々が過去のトラウマを引きずることを好まなかったからである。（特にイギリス人自身がこのトラウマの責任の多くを負っていたからである。）オールズドルフの記念碑が計画されたのは、一九四九年のあと、ようやく民主的な政権が地元の人々の手に戻ってきてからである。しかしドイツ人たちも後ろではなく、前を向くことに必死だった。誰も巨大で壮大な記念碑を望んではいなかった。過去のことはほとんどの人が忘れたいと思っていたのである。

戦後のドイツが抱えていた羞恥心は、現代人には理解しがたい。ドイツを襲った黙示録には、物理的なものだけでなく、精神的なものも含まれていた。ドイツ人は、戦争に負けたことを恥じていたし、負けた相手の足元にひれ伏さなければならないことも恥じていたが、何よりもナチスが自分たちの名の下に行ったことを恥じていた。彼らは今や、他国の人々から見て、社会ののけ者であることを知っていたのである。

さらに悪いことに、彼らは自分自身の目から見ても、のけ者になっていた。戦後、戦争の余波でドイツ人は自分たちの社会のほとんどすべての面に疑問を抱かざるを得なかった。芯から腐っていた政府だけでなく、軍、司法、大企業、そしてニュルンベルク裁判でホロコーストの犯罪に関与したとされた医療関係者まで、あらゆる機関が腐敗し、搾取されていることが明らかになった。ナチズムはすべてのものにその痕跡を残しているように思えた。オールズドルフにある合同墓地も、地元の強制収容所の収容労働者が掘って埋めたものであった。もはや、死者を埋葬することすら神聖なこととは思えなくなっていた。

このような羞恥心の痕跡はこの慰霊碑自体にも見て取ることができる。世界中の多くの記念碑に見られるような憤りが、この慰霊碑には見られないのはなぜなのか、私はいつも不思議に思っている。そして、オラドゥールや広島のような殉教の感覚はここにはない。ニュージャージー州のカチン記念碑や、ソウルの「慰安婦」像に見られるような憤りもない。表現されている人物たちは、何の抗議もせず、自ら進んで死に向かっているように見えるのである。これはなかなかにぞっとする光景だと感じないだろうか。

おそらくここには、戦争末期に起こった暴力と破壊は、ドイツが犯した罪に対して払わなければならなかった代償に過ぎないという無言の認識があり、また、その暴力が最終的にナチスの敗北につながったのだから、払う価値のある代償であったという示唆もあるのだろう。この慰霊碑を制作したゲルハルト・マルクスは、彼自身が熱狂的な反ナチス主義者であった。戦前、彼はナチスに反対したために ブラックリストに載せられ、彼の彫刻は「退廃芸術」とされていた。ある種の神の正義に従って、自分たちが蒔いたものを刈り取っただけだということを、ハンブルクの人々に示すための彼なりの方法だったのかもしれない。

一九五二年八月に行われた慰霊碑の落成式では、確かにこれが主となるメッセージであった。戦後初のハンブルク市長であるマックス・ブラウアーは、集まった人々に向けたスピーチの中で、悲しむ遺族たちに自分自身をじっくりと見直すように求めた。「あなた方の父、母、兄弟、姉妹の死の本当の理由を見る勇気を持ってください」と彼は述べたのである。「彼らは犠牲になる必要はありませんでした。暴力的な犯罪者の側に身を投じたからこそ、私たちの家族や平和な街が暴力に支配されてしまったのです」と。

このことを念頭に置いて、最後にオーズドルフ墓地のこの慰霊碑を見てみる価値がある。後年、この慰霊碑はナチスとその犯罪を公然と非難していないと批判された。その後作られたこの空襲に関する他の記念碑は、確かにもっとその意図が明確なものとなっている。ハンブルク中心部にある廃墟となったニコライ教会は、一九七〇年代から八〇年代にかけて記念館に改装され、その敷地内には近くの強制収容所の犠牲者に捧げる彫刻が設置されている。また、北東部の郊外にあるバーンベックのハンブルガー通りにある空襲犠牲者のための記念碑には、「ファシズムを二度と繰り返すな」、「戦争を二度と繰り返すな」という言葉が台座に刻まれている。しかし、オールズドルフの慰霊碑にはこれらの感情が表現されていないと考える人は、もう一度、この碑を見直す必要がある。

ゲルハルト・マルクスの彫刻には、冥界に向かう一連の典型的な人物が描かれている。それぞれが特定の美徳を象徴しており、老人は知恵を、女性は母性と女性らしさを、若い男女の一組は愛と忠誠を表している。他の時代には、これらの美徳は神聖なものと考えられていたかもしれないが、戦時中には、ナチスのためにねじ曲げられてしまったのである。知恵はプロパガンダに取って代わられた。母親は、帝国のための兵士を生み出すために徴用された。忠誠心のような概念までもが取り込まれ、利用されていた。気がかりなのは、過去に汚されてしまったこれらの美徳が、今や神聖な資質を失っており、冥界こそがそのための最良の場所であるということだ。

おそらくこの中で最も魅力的な登場人物は、カローンの船の後方に座っている「壮者」だろう。戦時中のナチスドイツで崇拝されていた美徳の中でも、この人物に象徴される精神力、男らしさ、力強さは、最も大切にされていた。しかし、彼は他の乗客のように船上に立つことはなく、頭を抱えてまるで絶望しているかのように座っている。これが、戦時中の武骨な栄光の姿である。彼はドイツ国民に約束された「千年帝国」のように、忘却の道を歩んでいるのである。

この黙示録は、ハンブルクの人々からすべてを奪った。それは彼らの家族や友人も亡きものにした。彼らの家庭や仕事を破壊し、街を荒廃させた。しかし、それ以上に、彼らの誇りを奪ったのだった。オールズドルフ墓地に立つ記念碑がささやかなものであるとすれば、それはハンブルクの人々が大きなものを望まなかったからだ。彼らは過去とその問題にうんざりしていたのであった。

この点では、ドレスデンやベルリン、広島や長崎の人々、あるいは戦争の影響を受けた世界中の都市の数多くの人々とさほど変わらなかった。長年にわたる破壊と死の後、彼らはもはや黙示録の記念碑を建てることには興味がなかった。それよりも、未来の可能性を祝福するものを作りたいと考えていたのである。

第21章

日本
原爆ドームと平和祈念像
◆広島・長崎

終戦直後は、「追悼する」という気持ちと「忘れる」という気持ちがいたるところで拮抗していた。ハンブルクのように、できるだけ早く戦争から立ち直ろうとする所も見られた。また、他方で、オラドゥールのように、過去を受け入れようとする過程で、どうしようもないほどの苦痛を感じざるを得ない場所もあった。しかし、広島や長崎のように、自分たちが経験した惨状を受け入れ、それを変化の機会として利用しようとした場所も一つ、二つ存在しているようである。

本書で紹介する大変動の中で、一九四五年八月の初めに日本を襲ったものほど、黙示録的で、完全なものはない。八月六日に広島の街を襲った熱風は、世界がこれまでに見たことのないものであった。広島市の中心部、上空約六〇〇メートルの高さで起きた一回の爆発によるものである。一瞬のうちに街の九〇パーセントが消滅し、何万人もの人々が亡くなった。あまりにも完全な破壊、しかも突然のことであり、目撃者たちはこれを合理的に説明することができなかった。この惨事を生き延びた小説家の大田洋子は、「戦争とは関係ない何かかもしれないと思った」と書き、「世界の終わりに起こると言われている地球の崩壊」と記している。また他の生存者も、「空から太陽が落ちてきたような気がした」とか、「突然、『死者の世界』というパラレルワールドに連れて行かれたようだ」と証言し

原爆ドーム、広島。

ている。その三日後、八月九日午前一一時二分、二度目の原爆投下により長崎は壊滅した。広島の時と同様に、目撃者たちには何が起きているのか、理解するすべがなかった。大学病院では、医師たちが、「太陽が爆発したんじゃないか」といいながら、粉々になった建物の中でうずくまっていた。彼らの同僚である看護師は、街を歩いていると、根こそぎ倒された大木の周りに裸の遺体があちこちに転がっているのを見て、一時は「世界で生き残っているのは自分だけだ」と思ったという。

これまで私が述べてきた他の出来事とは異なり、このアルマゲドンの予感は、暴力を直接体験した人々だけに留まらず、急速に世界中へと広まっていった。世界中の人々が、もしこのような兵器が広く利用できるようになったら、将来の戦争はどのようなものになるのだろうかと想像し始めたのである。広島に原爆が投下された直後の『ニューヨーク・ヘラルド・トリビューン』紙は、「自分の世界の基盤が震えているのを感じると、日本への影響は忘れてしまう」と書いている。『タイム』誌によると、戦争そのものが突然「小さな意義」に縮小した。原子の力の新事実に比べれば、勝利の見通しなどは「道行く子供の叫び声」にすぎなかった。フランスの哲学者、ジャン＝ポール・サルトルは原子爆弾を「人間の否定」と呼び、アルバート・アインシュタインはこの新しい状況を「人間がこれまでに経験したことのないような恐ろしい危機」と考えた。突如、全滅といったものが単に一つの村や一人の人間を襲うものではなくなったのである。他の黙示録的な出来事に比べて、広島と長崎の壊滅的な被害は、人類全体の未来に影響を与えるものであった。

このような出来事は、いったいどのように記念されるのだろうか。被災直後、日本の人々はそれを試みようともしなかった。一部の生存者は、身内が亡くなった場所を示すために個々に墓石を建てた。長崎では、原爆が炸裂した場所、爆心地を示すために、瓦礫の中に一つの石柱が置かれた。しかし、それ以外には、ほとんど何も行われなかった。両都市ともに、ショックから立ち直れず、ただ生き延びることに精一杯だったのである。

正式な慰霊碑がない中で、廃墟そのものが特別な意味を持ち始めた。広島では、ほとんどの建物が爆風で吹き飛んでしまったため、広島県産業奨励館の焼け焦げた残骸が、都市を突然飲み込んだこの終末的出来事の象徴となった。骸骨のようになったドームは、周囲で最も高い建物であったが、周りはすべて灰になっていた。どちらの都市も、立ち直るために何年も苦労を重ねたのである。広島と長崎の人々が、自らの経験をどのように記念するかについて、きちんと考えることができるようになったのは、一九四九年に国会で復興のための具体的な法律が可決された後のことである。

広島では、かつて商業の中心地であった旧中島地区に、重要なメモリアルスペースを設けるという新しい計画が立てられた。原爆の歴史を紹介する資料館、起こってしまった惨劇を静かに考えるための「平和公園」、破壊と死、そして再生への希望を示すモニュメントが設置されることになった。設計コンペが行われ、応募のあった一四五の案の中から、モダニズム建築家、丹下健三のものが採用された。

丹下は、当初から産業奨励館跡（現在の原爆ドーム）を設計の中心に据えていた。平和記念公園は、一端が資料館、もう一端が原爆ドーム、そしてその間にアーチ型の慰霊碑を配置するという構造で作られた。そして、この三点を結ぶ中心軸上では、どこに立っても原爆ドームが前方に見えるようになっている。さらに、毎年八月に行われる平和記念式典のように、慰霊碑の前に立って犠牲者に祈りを捧げると、自動的にそのアーチの間からこの記念空間の主役である原爆ドームと対峙することになるのである。

日本のデザイナーや歴史家がよく指摘するように、この一連の記念施設の全体的な効果は神棚のそれと良く似ている。平和記念公園の南端にあるメイン・エントランスへは、ピロティと呼ばれる柱だけの吹き放ちにして建てられた平和記念資料館の下を、まるで鳥居の下をくぐるように通って入ることになる。公園内の中央の道は、神社の参道のようであり、慰霊碑は参拝者が祈りを捧げるオラトリオ（拝殿）のような役割を果たす。そして、その先にある原爆ドームは、神社で最も神聖な建物である「本殿」のようなものとなっている。丹下はこのようなデザインで公園を作ることで、原爆ドームを単なる廃墟から、神聖なものへと昇華させた。それはまるで、広島の一四万人もの原爆犠牲者の魂がここに祀られているかのようである。

神道建築のことを知らない人でもこの建物には何か神聖な魅力を感じるだろう。広島市中心部の他の地域が再設計され、ゼロから再建されている中でこのドームだけが、被爆以前の街の様子を思い出させてくれるのである。本当に、この建物が残っているのは奇跡としかいいようがない。爆心地からわずか一六〇メートルしか離れていないため、爆風の影響を最大限に受けている。溶けた時計や焦げた子供用三輪車など、資料館に保存されている遺物と同様に、この建物は他の多くのものを消し去った神の力が永遠に刻まれている。

戦後二〇年ほどの間、多くの市民は原爆ドームの撤去を望んでいた。その存在が、彼らが受けた恐怖を常に思い起こさせ、もうその経験を過去のものにしたいと思わせたためである。しかし、「広島折鶴の会」の学童らが、この廃墟を正式な記念碑にするよう市議会に何度も陳情し、一九六六年についにその願いが叶ったのである。一九六六年、市議会は全会一致で遺跡を「永久保存」することを決議。補強工事の費用として寄付金が寄せられ、翌年に完成を見たのであった。

それから三〇年後の一九九六年、原爆ドームはユネスコの世界遺産に登録された。ここは世界中の人々の巡礼地となっており、毎年一〇〇万人以上の観光客が訪れている。大半の人は、写真や自撮りのためにこの遺産の横で少し立ち止まるだけだが、ここには宗教的な厳粛さが漂っている。原爆ドームの真ん前に置かれた石版に刻まれる「人類への戒め」という主要なメッセージを、ほとんどの人が受け止めているようである。

長崎では、都市を破壊した原爆を記念することが、広島とは異なる形で行われてきた。終戦直後の数ヶ月、その廃墟は広島と同じように、いや、それ以上に象徴的な存在であった。浦上天主堂は、広島の原爆ドームと同様に爆心地のすぐ近くに立っていたため、大きな被害を受けた。長崎のキリスト教徒にとって、この廃墟は、この地が被った大きな犠牲の象徴のように思えてきた。しかし、原爆ドームとは異なり、この大聖堂は戦後に再建されたものであり、廃墟となったオリジナルの断片はわずかにしか残っていない。その代わりに、この街は、感情的なエネルギーを、新しい目的をもって建てられたモニュメント――「平和祈念像」――に注いだ。

この像は、街の大部分とは別の独自の空間に立っている。広島とは異なり、長崎の慰霊の風景は市中心部の繁華街ではなく、主要な港から北へ数キロ離れた浦上市の郊外にあり、三ヶ所に分かれて広がっている。まず、原爆資料館と原爆死没者追悼平和祈念館であるが、この二つは隣接しており、地下通路でつながっている。二つ目は、そこから歩いてすぐのところの原爆爆心地で、現在は小さな公園になっており、さまざまな記念碑や遺物が点在している。さらにその先、他の二つの場所からは見えないところにあるのが、平和公園である。この公園の北端に、あの「平和祈念像」が鎮座している。

この像は、長崎で最も重要な原爆記念碑である。像の土台には、原爆犠牲者の名簿が入れられた黒い大理石の奉安箱が置かれている。広島市の代表者が原爆ドームに面した慰霊碑の前で平和記念式典を行ったように、長崎市の代表者は毎年この像の前に立つのである。原爆ドームと同様に、この像も象徴的に死者を祀るものとなっている。

平和祈念像は、彫刻家の北村西望がデザインし、一九五五年八月、原爆投下一〇周年に長崎市によって落成された。この像は、高さ約一〇メートルの石の上に座った力強い男性の、まるで神のような姿をしている。筋骨隆々とした片方の足は、静かな瞑想の象徴として下に折り畳まれているが、もう片方の足は、人類を助けるために立ち上がるよう求められた時のために、行動を起こす準備をしている。右手は天を指し、核兵器の脅威を訴えているが、伸ばした左手は、静寂と世界平和を象徴している。また、目を閉じているのは、「戦争の犠牲者への厳粛な祈り」を表している。作者いわく、この像は、世界の調和への希求と、戦争からの脱却を象徴しているという。

ここを訪れる観光客は、より規模が大きく、中心的な存在である広島の平和公園への訪問者よりも少ないかもしれないが、同じように敬虔な巡礼の雰囲気が見てとれる。私が初めてこの場所を訪れたのは三月の雨の月曜日の午後だったが、それでも数十人の観光客が傘を差しながら厳かに像の前に佇んでいた。ある人は中国語を、ある人は韓国語を、またある人は英語を話していた。ここはユネスコの世界遺産ではないが、世界中から観光客が訪れている。

しかし、地元では、この像はみんなに愛されているわけではないといわざるを得ない。ある言語学者は、これを「ギリシア・ローマ時代の神々の不器用な近似性」と称し、「ほとんどが非戦闘員であった二つの都市に故意に原子爆弾を投下した文明」に敬意を表したものになっているという。また、これが仏教的な象徴であるとして注目されることもあるが、原爆で最も大きな被害を受けたのが、長崎で長い間迫害を受けてきた少数派キリスト教徒であったことを考えると、それは適切ではないという意見もある。郷土史家の阿南重幸は、『ジャパンタイムズ』のインタビューの中で、この像

平和祈念像、長崎。

は日本政府が他に優先すべきことがあった時期に建てられたと指摘している。「像の建設には四〇〇〇万円かかったが、当時はまだヒバクシャ［原爆生存者］に対する法的な保護も全くなかった」という。これらの人々は、長崎が浦上天主堂の廃墟を市の主要な記念物として保存しなかったことを嘆いている。

しかし、彫刻家自身は、そのような批判は的外れだという。北村西望は、東洋と西洋のスタイルを意図的に融合させ、「仏と神の両方の性質」を呼び起こすことを目指していた。人種や宗教の壁を越えて、長年争ってきた二つの文化の間に調和をもたらそうという意図があったのだ。彼は、単に失われたものを嘆くだけのモニュメントではないものを作りたかったのである。「あの悪夢のような戦争、血みどろの殺戮、耐え難い恐怖を経験した後で、誰が平和を祈らずに立ち去ることができるだろうか」と彼は記している。

今日、広島と長崎の様々な記念碑を訪れると、記念事業の中にそれぞれテーマを見出すことができる。まず、最も重要なのは、北村が強調した「平和への祈り」というテーマであり、これは両都市の記念碑の景観を支配するライトモチーフである。

広島には、原爆ドームの他にも数十個のモニュメントがあり、そのほとんどが平和への思いを込めたものである。「世界の子どもの平和像」、「平和の石塚」、「平和の灯」、「平和の鐘」、「平和の時計塔」そして「平和の泉」などがその代表例である。また、「平和への祈り」を直接表現した像も見られる。公園の中央付近には、原爆犠牲者の名前や写真、体験談を集めた平和記念館が建てられている。そして、それを越えた向こう側には「平和の門」と呼ばれるインスタレーションが存在する。ちなみに、この公園と街中を走る幹線道路は「平和大通り」と名付けられている。原爆ドームを中心としたこれらの風景は、平和の道を踏み外した国に、その後何が待ち受けているのかを示す、身にしみる事例であろう。

一方、長崎の「平和祈念像」も似たようなものだ。これもまた、平和公園の中にあり、近くには「平和の泉」、「平和の碑」、「乙女の像」、いくつもの千羽鶴など、そこには平和、愛、友情、生命をテーマにした多くの彫刻が建ち並んでいる。

これらすべてに意味がある。現在の日本は、世界でも有数の強力な平和運動を展開しており、実際、日本国憲法にも平和への取り組みが明記されている。戦争の経験、そしてそれが日本、特に広島と長崎にもたらした驚異的な破壊は、この国のけして忘れることのできない教訓となった。

この両都市の運命から生じる二つ目の大きなテーマは、被害者としてのメッセージである。広島と長崎は、日本が戦争の加害者ではなく被害者であることを疑うことなく示している。現在、日本政府や新聞は、日本を「唯一の被爆国」と日常的に表明しているが、これは少なくとも一九七〇年代からのことである。原爆ドームは、特に、このような被害者意識において重要な役割を果たしている。それは日本の原爆受難における最大の象徴なのだ。

しかし、この考えは、自動的に日本国全体に対するある種の赦しを意味するために、かつての交戦国であった国々の多くの怒りをかうことになった。現在の日本人は必ずしも、過去の責任を取ろうとはしていない。理由として、その必要性を感じていないからであり、広島と長崎はすでに自分たちが代償を払った証拠だと考えているのだ。

これに憤慨するのは簡単だが、このような被害者意識の考え方には、もっと賞賛に値する裏の面もある。少なくとも、広島と長崎の慰霊碑には、誰かを非難する言葉は一切ないのである。

原爆ドームは、オラドゥールの廃墟のように、敵の野蛮さを示すために保存されているわけではない。それどころか、敵のことはほとんど書かれていないのである。原爆ドーム前の石版には、街を「廃墟」にした「一個の爆弾」のことは書かれているが、その爆弾を投下したアメリカ人飛行士のことは何も書かれていない。また、近くにある資料館も全く同じで、「核兵器の恐怖や非人道性」をテーマにしており、核兵器の使用を敢行したアメリカの指導者を中傷するものではないのだ。

同様に、長崎の平和祈念像では、「原爆」と「戦争」という抽象的な概念だけが敵として語られている。公園を歩いていても、アメリカやトルーマン大統領、アメリカ陸軍航空隊のことは一切出てこない。さらに、関東学院大学の奥田博子が指摘しているように、長崎平和祈念式典で使われている「ギセイシャ（犠牲者）」という言葉は、「ヒガイシャ（被害者）」ではなく、「被害を受けた人」という意味での「犠牲者」である。それはまるで、原爆は敵の仕業ではなく、地震や津波などの自然災害の結果であるかのようだ。このようにして、日本は戦争に対する自らの責任を回避するだけでなく、かつての敵の責任をも回避させている。これは、許しや和解とは全く異なるが、一九四五年以来、日本とアメリカの関係で役立ってきた新しい友情の基礎を形成している。

広島・長崎、最後の大きなテーマは、もう少し繊細なものであり、それは、国家の再生という考えに関わるものである。

長崎の平和公園には、巨大な平和祈念像から少し離れたところに「世界平和シンボルゾーン」が設けられている。これは、一九七八年に市当局が世界各国からモニュメントの寄付を募って設立されたものである。ここには、ヨーロッパの国々をはじめ、中国、ソ連、アルゼンチン、ブラジル、アメリカ、オーストラリア、ニュージーランドなど、さまざまな国から贈られた彫刻が置かれている。それぞれの彫刻が異なる国を代表したものであるならば、メインの平和祈念像はいったいどの国を代表しはないのではないか。もしかしたら、日本そのものを象徴しているのではないだろうか。

ているのかという疑問が湧いてくる。彫刻家が主張していたように、それは国際的な調和の象徴では

終戦直後の日本は、これまでのやり方を早急に変えなければならないと考えていた。歴史的な降伏から二週間も経たないうち、アメリカがまだ日本を占領する前に、日本政府の情報局総裁は、原子爆弾の経験が世界における日本のイメージを変える鍵になるだろうといっている。そして彼は、日本の全国紙である朝日新聞の記事の中で、「悔い改め」を示す最良の方法は、平和の概念を心から受け入れることだと表明している。将来の核兵器の使用を禁止する運動に率先して参加することで、日本人が「戦争の敗者」から「平和の勝者」になることができるかもしれないと提案したのであった。

長崎の巨大な「平和祈念像」を見ると、私はこの言葉を思い出さずにはいられない。この巨大な筋骨隆々とした像は、ある意味では「平和」ではなく、「国家の力」を表しているように思えてならない。その明らかな身体能力は、戦前・戦中の日本が常に目指してきた武勇の美徳を反映しているように感じる。この像が落成された時、日本はすでにかつての経済的、国家的な健全さを取り戻す道を歩んでいた。一九五〇年代から六〇年代にかけて日本は国力を高めていったが、このような像は、日本が新たに手にした力を心配する必要はないということを近隣諸国に確信させる効果的な手段であった。また、近隣諸国だけでなく、日本国民にとっても同様である。日本の象徴的な戦争記念碑が、武勲ではなく平和の概念に捧げられている限り、日本が自らの力を恐れる理由はなかった。

広島の原爆ドームでさえ、そのような考えをちらつかせている。この廃墟と、その灰の中から立ち上がってきた輝かしいビルとのコントラストが、常にこのドームの感動的なパワーの一部となっている。また、この原爆ドームは、日本の人々、そして世界の人々が、一九四五年からの日本の歩みを確認するための物差しでもあるのだ。

広島と長崎は、一九四五年八月の出来事と永遠に結びついている。善し悪しは別として、これは日本が戦争を終わらせるために払わなければならなかった犠牲だと多くの人が考えるようになった。日本人の中にも、時折このようないい方をする人がいる。長崎で最も有名なヒバクシャの一人である永井隆は、自分の街を「第二次世界大戦中のすべての国の罪を償うための、犠牲の祭壇の上の全焼した供物」〔「世界大戦争という人類の罪悪の償いとして、日本唯一の聖地浦上が犠牲の祭壇に屠（ほふ）られ燃やさるべき潔き羔（こひつじ）として選ばれた」〕と呼んだ。

広島と長崎の例は、現代化し、自己改革し、そしてかつての敵を受け入れるという、日本の解放にとっての教訓となった。これまで述べてきた他の多くの場所と同様、広島・長崎は歴史の囚人になってしまった。しかし、その過程で、ある程度、日本を自由にすることができたといえる。

今日、広島の原爆ドームと長崎の平和祈念像は、日本だけでなく世界を舞台に響くシンボルとなっている。それらは、一九四五年以降、初めて世界を脅かす新たな危機、すなわち核戦争の脅威を表象している。しかし、それらはもっと希望に満ちたもの、つまり戦争の廃墟の中から生まれた新しい時代、新しい世界秩序を象徴しているのだ。このように、それらは、国家的な規模だけでなく、国際的な規模において、終末の象徴ではなく、むしろ再生の象徴なのかもしれない。

これは、本書の第5部の部分で私が探求する概念でもある。

第5部

再生

一九四五年の第二次世界大戦の終結は、世界中に新たな希望の波をもたらした。何年にもわたる戦いと破壊の後、恒久的な平和の可能性がようやく手の届くところに見えてきたのだった。爆弾の投下は止むだろう。殺戮はもう行われない。そして、戦いに人生を捧げてきた人々は、今、家に帰ることを許されるのだ。

敵対行為が終わったことで、全世界には普遍的な希望に満ちた雰囲気が広がった。それは、戦争中にほとんど暴力を受けなかった地域にまで広がっていった。ファシズムと戦うために世界を鼓舞した自由のレトリックは、今度は他の形態の抑圧を排除するために必要となった。例えば南米では、一九四五年から四八年の間、この大陸の国々では前例のないペースで独裁者が倒され、民主主義の新時代が幕を開けたかのように見えた。同じく、アジアやアフリカの国々の指導者たちも、民族自決の新時代の到来を語り始めた。植民地の人々は帝国主義の束縛から解き放たれて、自分たちのことは、自分たちで決定する時がやってきたのである。戦争によって物理的、制度的なインフラの多くが破壊されていたヨーロッパでは、どこの国の人々も、戦争を引き起こした古い伝統にとらわれない、より優しく、より公平な社会を構築する機会を得たのであった。一九四五年には、この大陸全体で社会保障や公営住宅計画、そして医療制度が誕生している。

最も感動的な第二次世界大戦の記念碑の中には、戦争そのものではなく、希望と平和のこの新しい時代の幕開けを祝うものも存在する。多くの伝統的な記念碑にもまた、特筆すべきものがある。ドイツのロストックにある「生命の喜びの泉」やイギリスのバーミンガムにある「生命の樹記念碑」は、いずれも戦争中の爆撃で破壊された都市の瓦礫の中から新たな生命が誕生する様子を描いている。世界各地には、戦時下、両親が赤ちゃんを抱いている姿を描いた像が数多く建てられているが、これは戦後のベビーブームによって実生活で再現された象徴でもある。例えば、広島の平和記念公園には、三日月の上に立つ母親に抱かれた赤ちゃんの像がある〔円鍔勝三制作の平和祈念像〕。赤ちゃんがラッパを吹いて、新しい平和な時代の始まりを告げている。悲劇と破壊をテーマとした記念碑の中にも、再生といったアイデアを盛り込む余地があるのだ。例えば、南京大虐殺記念館の庭には、高い柱の上に平和の女神が立っている。彼女もまた、微笑む子供を抱き上げている。

　このような像は非常に感動的なものであるが、多様性のためにも、私はもう一度、記念碑とは何かについての理解を広げてみたい。これから見る最後のいくつかの章では、けして伝統的なものとはいえない記念の空間を探ってみたいと思う。絵画、バルコニー、教会、ハイキングコースなどである。時にモニュメントは、思いがけない形で私たちの前に現れることで、より大きな力を発揮することがあるのだ。

第22章 国際連合 国連安全保障理事会会議場の壁画

ニューヨークには、戦後の世界を代表する建造物の一つである国際連合の本部がある。この複合的な建物は、世界中の建築家が協力して作り上げたものであり、ここにはコンクリート、スチール、ガラスといった新時代の素材ばかりが使われている。そして、一九四五年以降に建設された他の多くの建物と同様に、自由、希望、近代化、国際協力、そして何よりも再生という、戦争中に勝ち取ったすべてのものを象徴するよう設計されている。

今日、国連本部の周りを歩けば、戦争の終結と平和の新しい時代の誕生を象徴する記念碑的な芸術作品をたくさん目にすることができる。そこには武器を平和のために使う巨大な彫刻像や、銃身が結び目になっている銃の彫刻などが置かれている。事務局ビルの前には「善は悪を打ち負かす」と題して、聖ゲオルギオスがドラゴンを退治している――このドラゴンは廃棄された核ミサイルの破片から作られている――彫刻もある。

しかし、国連が何を象徴しているのかを最も雄弁に表現しているのは、建築物や敷地内に散らばる彫刻ではなく、国連で最も重要な部屋の装飾作品であろう。国連施設の奥にある会議棟には、国連において最も強力な機関である安全保障理事会のための大きな会議室が設けられている。ここには世界

国連安全保障理事会会議場、ニューヨーク。

の主要国が集まり、世界の平和と安全について議論を繰り広げている。円形の討論台の上の壁には、幅約九メートル、高さ約五メートルの巨大な絵画が掲げられており、この会議室を完全に支配している。この絵は、第二次世界大戦後にノルウェーの画家ペール・クローグによって作成されたもので、そこには長年の戦いを経て息を吹き返した世界が描かれている。国連とそれを象徴する芸術作品を探しているのならば、それは間違いなくこの作品であろう。

この絵には二つの部分がある。下の部分は暗く陰鬱な色で描かれており、砲弾の穴や捨てられた武器でいっぱいの荒廃した風景が描かれている。この場面はこの絵の中の前景に描かれている。中央下の地下壕の柱に巻き付いているのは、自らの身体に剣を突き刺すドラゴンである。この瀕死の獣の両側には、悲惨な状況に置かれた人間の姿が描かれている。ある者は洞窟の中でうずくまり、ある者は暗い奈落の底から抜け出そうともがいている。そしてある者は鎖につながれ、まるでゾンビのようによろめいているのだ。

絵の上部には、これらの人物たちがこれから向かうであろう世界が描かれている。鮮やかな色彩で描かれたこの世界は、秩序と豊かさに満ちた環境の中、健康で幸せそうな人々で溢れている。登場人物の中には、下の方で苦労している人を助けようと手を差し伸べる人物も描かれている。例えば左側では、男性が奈落の底から這い上がってくる女性にロープを垂らしている。右側では、アジア人の男性と西洋人の女性が、鎖につながれた奴隷たちを抱きしめようと手を伸ばしている。

この明るい世界のすべてが、自由、幸福、平和を物語っている。左側では、女性が窓を大きく開けて光を取り込んでいる。中央に近い長方形のパネルの中では、地域のお祭りが開催されており、様々な人種の子供たちがはしゃぎ、太鼓を叩き、花を撒き、その後ろでは親たちが列をなして踊っている。参加者の内の一人は国連旗を掲げている。そしてこの絵の一番上部、左手には穀物を計量する

ペール・クローグの壁画の詳細画像。

人々、右手には望遠鏡や顕微鏡を覗き込む科学者、その間には様々な芸術家、建築家、音楽家など、平和的な活動の場面が描かれている。

絵の中央には、混沌とした古い死の世界から立ち上がる不死鳥の姿が見て取れる。この古典的な再生のシンボルの背後には、アーモンド型のパネルがあり、そこにはすべての国が目指す理想、すなわち、愛と優しさに満ちた平和的な生活が描かれている。キリスト教の宗教画、特に教会のフレスコ画では、最も神聖な像は必ずこのような形をしたパネルの中に配置されており、「マンドルラ」と呼ばれている。キリスト教の宗教美術に多大な影響を受けたペール・クローグにとって、このパネルは絵の中で最も重要な部分である。ここには、愛に満ちた家族の理想的なイメージが描かれている。男と女がひざまずき、子供たちに囲まれ、お互いの腕を抱き合っている。一人の子供が木から手を伸ばして妹に果物を渡しているのは自愛の象徴である。また、末っ子は両親の足元に寄り添い、平和の鳩を抱いている。これらの重要で中心的なイメージは、安全保障理事会の議長が座っている椅子の真上に掲げられている。再生、慈善、繁栄、民族間の兄弟愛、そして何よりも平和という、安全保障理事会が目指すべきもののすべてが描かれているのだ。

第二次世界大戦が終盤にさしかかった一九四四年や四五年において、全世界が求めていたのはこのような映像であった。世界平和を推進するための組織の設立は、長年の苦難と暴力に対する適切な答えであると思われた。ワシントンDCのダンバートン・オークスで開催された会議では、英国、中国、米国、ソ連の代表者が、まさにそのような組織の青写真を打ち出した。この使命の精神を最もよく表しているのは、おそらく中国代表団長の顧維鈞（ウェリントン・クー）博士の言葉だろう。彼は、「効果的な国際平和組織の設立は、生命と血と努力において英雄的な犠牲を払ってきた自由を愛するすべての人々の一致した希望と願望である。私たちは彼らにだけでなく、人類全体のためにも、他のすべての事柄を、私たちの共通の目的達成のために優先させる義務があるのです」と述べたのであった。

半年後の一九四五年四月、この使命を実現するために、五〇ヶ国の代表団がサンフランシスコに集まった。それから九週間かけて、彼らは共同で国際連合の設立文章である国連憲章の草案作成に取り組んだのだ。この成功は、世界中から熱狂的な喝采を浴びることになった。世界中の新聞は、これを「偉大な歴史的行為」(『ローザンヌ・ガゼット』紙)、「平和のための偉大な連合」(『インド・タイムズ』紙)、さらには「ユートピアの庭」(『ストレーツ・タイムズ』紙)と称賛した。ナイジェリアの運動家エヨ・イタは『ウェスト・アフリカン・パイロット』紙において、「人類は、このような自由で平等な人々の世界共同体のための、より大きな、より良い機会をかつて見たことがない」と述べている。

国連を最も熱狂的に支持したのは、それまで世界的な問題には関与しないようにしてきた国、アメリカであった。アメリカの両政党の政治家たちは、お互いを凌駕するかのように称賛を表した。テキサス州選出の民主党トム・コナリー上院議員は、国連憲章を「世界の政治の歴史の中で最も重要な文書」と称した。共和党のチャールズ・イートン下院議員は、国連憲章は「自由、正義、平和、社会的幸福の黄金時代」をもたらすものだと主張した。一九四五年七月に行われたギャラップ社の世論調査では、国連憲章に賛成の人が反対の人を二〇対一で上回っていた。全世界が、ペール・クローグがまもなく国連安全保障理事会の会議室の壁に描くことになるイメージと同じものを想像しているようだった。

しかし、戦争で引き裂かれたままの世界において、将来の平和と調和のへの期待は、今日では正当に評価することが難しい深い憧れを呼び起こしていた。その中には、ほとんど宗教的ともいえるものもあった。あるフランス兵の語った話は、人々が国連のような組織をどれほど切望していたかを如実に物語っている。ジャン・リシャルトは、フランス北部の戦場にいた時、国連創設の話を初めて耳にした。彼は壕に身をひそめていたが、破れて泥だらけになった新聞の切れ端が飛んできたのであった。彼は自分の苦境から気を紛らわせるためにそれを手に取ったのである。そこには、連合国が新しい世界組織を設立しようとしており、その目的が「地球上から戦争を永遠になくすこと」であるという記事が載っていた。後に彼はこのニュースを回想録の中で、「神からのメッセージのように、私にとてつもない衝撃を与えました。その時、私はその場で平和とこの偉大な事業の成功を祈り、この壕の中で厳粛に、もし生きて戦争を乗り切ることができたら、この新しい組織に参加するために全力を尽くすことを自分に誓った」と書き記している。戦後、その言葉の通り、リシャルトは国連の仕事に応募した。二万人の応募者の中の一人となったのである。

残念ながら、国連はそのような理想を実現することはできなかった。国連がどのような志を持っていようとも、平和と調和を促進するような仕組みになっていないのだ。

そもそもこの組織は、戦前に設立された国際連盟を忠実に再現していた。一九三〇年代に国際連盟が戦争を防ぐことに大失敗していたことを考えると、なぜこの時、国連がこれ以上の成果を上げられると信じる人がいたのか、その理由は不明である。

国連の最も強力な機関は、間もなくペール・クローグの絵画の下で開かれることになる安全保障理事会であった。安全保障理事会は、事実上、国連の心臓であり、頭脳でもある。そして、安全保障理事会は、すべての加盟国が実行しなければならない拘束力のある決定を下す権限を持つ唯一の機関でもある。しかし、それは対等の評議会ではなかった。

五ヶ国、すなわちイギリス、中国、フランス、アメリカ、ソ連がそこでは特別な特権と責任を持つことになっていた。他の理事国とは異なり、これら五大国は二年ごとの選挙で選ばれるのではなく、世界がどう思おうと、常に常任理事国として、安保理の席に座ることができるのである。さらに、国連憲章では、安全保障理事会の決定は全会一致でなければならないとされているため、この五ヶ国は事実上、自分たちが同意できない提案に対して永久的な拒否権を持つことになったのである。

第二次世界大戦がまだ継続中であった一九四五年には、これにはまだ一定の意味があった。この五ヶ国は、戦争で最も多くの戦闘を行っていた国であり、戦争が終われば世界の警察官としての役割を果たす可能性が最も高い国でもあったのだ。そのため、人員や資源の配置について、他の国よりも大きな発言力を持つのは当然のことであった。しかし、安全保障理事会をこのように構成することは、今後、世界の平和を最も脅かす可能性が高い国にその権力が委ねられるということも意味していた。当時、いくつかの小国が指摘していたように、この五大国を警察官に任命するのは非常に良いことだとしても、彼らを取り締まるのはいったい誰なのだろうかという話である。

ペール・クローグの絵が公開された一九五二年八月には、国連安全保障理事会はすでにその役割を果たしてはいなかった。それまでの七年間、国連安全保障理事会は数々の失望を繰り返してきたが、その主な理由は、この五ヶ国の持つ拒否権によってほとんど行動を起こすことができなかったからである。一九四〇年代には、国連はソ連が中東欧諸国の大半を奴隷化していくのをただ傍観していただけであった。そしてフランスがアルジェリアとインドシナに再び植民地支配を課すことを許し、このことはそれから数年のうちに、これらの国々に悲惨な結果をもたらすこととなった。また、イギリスが一九四七年にインドを分割するという破滅的な政策を追求している間も無言のままであり、同様に東ヨーロッパからのドイツ人やその他の少数民族の追放、民族浄化をも許していた。唯一断固とした行動をとったのは、一九五〇年の朝鮮戦争に介入した時であった。しかし、これはとても喜ぶべき状態ではなかった。戦争は血の海と化し、一九五二年の夏にはすでに膠着状態に陥ったまま終わるかのように見えた。

さらに最悪なのは、安全保障理事会が、アメリカとソ連の間に生じているこの苦々しい対立を終わらせることができないことであった。二つの超大国は、ほとんどすべてのことで意見が食い違っていた。ペール・クローグの絵が公開されるまでに、ソ連は四七回もの拒否権を行使し、安保理は事実上、機能不全に陥っていた。双方のパラノイアが強まり、核兵器を背景とした新たな冷戦が始まっていたのである。(核拡散は、国連が防げなかったもう一つの危険な事態である。)

これらはすべて、ペール・クローグがこの絵画を描く前に行われていた。そのことを念頭にこの絵を見ると、全く別の意味を持つようになる。もはやそのような世界は明らかに存在しないために、これが第二次世界大戦から生まれた明るい新世界を描いたものとは思えなくなってくるのだ。クローグ自身は、この作品が戦後の世界を描いたものだとは主張せずに、ただ未来のどこかにある理想を描きたかっただけだといっている。彼は、「国連と安全保障理事会の活動は、新しく、より価値ある生活のための種を提供しなければならないことだ」と書いており、可能であるならば、この偉大な絵画が、その目標に向かって努力するように彼らを鼓舞するものでありたいと考えていた。

そのことを考えると、安全保障理事会の議長がいつもクローグの絵に背を向けて座っているのは、痛々しいほどの意味があるように思える。それもそのはずで、絵の上半分に描かれている明るく調和のとれた世界は、安保理の会議場に立っている人々の手には文字通り、届かないところにあるからだ。委員たちが後ろを見れば、絵の下の方に描かれている寂しげな人影の中に自分たちも座っていることに気がつくだろう。一九五二年の夏、この前景は暗闇と闘争の場であり続けていた。

国際連合を遠くから眺めて冷笑的になるのは簡単だが、この冷笑は国際連合自体が許容できるものではない。一九五〇年代初頭、ニューヨークの国連本部の門をくぐった代表団にとって、それへの期待は大きく、また、その後の失望はなおさら大きかった。そうでなければ、妥協と合意を求める終わりのない闘争を続ける多くのエネルギーをどこから得ることができるというのだろうか。

このように考えると、理想主義がどこにでもあるかのように見えるのは当然のことである。二一世紀になってこの場所にやってきた観光客にも、この理想主義の雰囲気は伝わってくる。それは他の芸術や建築にも表れている。ペール・クローグの絵にも確かにそれが存在している。この場所を自ら体験したことのない人に説明するのは難しいが、ここには新しいコベントリー大聖堂（第24章参照）と同じくらい明確な希望の雰囲気があり、少なくとも広島の平和記念公園に負けないぐらいの切実さがある。しかし、他の場所とは異なり、各代表者が政治的な意志を持って行動することができさえすれば、ここには真の変革のチャンスがあるという感覚もあるのだ。

しかし、国連が世界平和の実現に向けて前進するためには、まず国連自身の改革に取り組まねばならない。私が初めて国連安全保障理事会の会議室を訪れた時、最も印象に残ったのは、その古風な佇まいだった。赤い革張りの椅子とドラマチックな照明は、まるで一九五〇年代に作られたタイムカプセルのようであった。そして部屋の東端に飾られているクローグの絵画は、絶望的なほど時代遅れに見えたのである。服装や帽子、髪型がすべて一九四〇年代から五〇年代のものであるということだけなく、その鮮やかな色彩も今では漫画のように見えてしまうのであった。また、絵画の中の各部分にも、すでにそれは過去の時代のものだと思わせるものがいくつか描かれている。例えば、右上にある無骨な望遠鏡や顕微鏡はもはや未来的ではなく、ソーシャルメディアが普及した現代では、ここに描かれている昔ながらのコミュニティの概念ももはや現実味を帯びていないのだ。

もし、この部屋を全面的に改装することが無理だとしても、少なくとも今あるものに現代的なテイストを加えることはできないのだろうか。このように象徴的で重要な場所は、現代の私たちの生活に合ったものでなくてはならない。

さらに国連自体も時代遅れになってきており、この会議場にある組織ほどその傾向が強いものはない。現在、安全保障理事会の中核をなす五大国は、もはやかつてのような力を持ってはいない。イギリスとフランスはもはや帝国を支配しているわけではなく、現在では世界の同規模の十数ヶ国の国々の内の一つにすぎない。ソ連はもはや存在せず、それに代わってロシアが安全保障理事会の地位を保持しているが、それは前任者の影でしかない。現在世界を支配し続けているのは、アメリカと中国の二ヶ国だけである。一方、ドイツ、日本、インドなど、一九四五年以降に成長を遂げた国は、リヒテンシュタインやミクロネシアのような相対的な小国に比べても、国連での発言力はないままである。

何度も改革が試みられたにもかかわらず、安全保障理事会は一九四五年の創立以来、ほとんど変わっていないのだ。現在、権力を握っている国々は、世界情勢における真の立場にかかわらず、その権力を手放そうとはせず、新興国との権力の共有をどうするかについても、合意できないままである。ペール・クローグの絵のように、それはまるで時間が止まっているようである。

不思議なことに、この壁画は、ペール・クローグが意図した形ではないにせよ、非常に象徴的であり続けている。前景の暗さは、未だに不愉快なほど近くに感じられる。また、背景のユートピアの未来像は、これまで以上に手の届かないところにあるように感じられる。そしてその上には、この絵の中の登場人物のように、私たちを歴史の囚人にし続けるような何か麻痺した雰囲気が漂っている。

第23章

イスラエル ヤド・ヴァシェムのバルコニー

◆エルサレム

すべての記念物が彫像や芸術作品であるわけではない。そして、すべての記念物には、それらが何を表しているかを説明する銘板が掲げられているわけでもない。私たちの記憶の場所は、時に意外な形でも存在している。橋、門、地下壕、廃墟、壁など、非常に単純な建築物であったとしても、それらを正しい文脈で見れば、それの持つ意味を伝えることができるのである。

この章では、まさにそのような建築物の一つ、エルサレムのヤド・ヴァシェムにあるホロコースト博物館のバルコニーについて紹介する。これまで紹介してきた他の建築物とは異なり、このバルコニーはこれまで何か歴史的な出来事が起こった場所でもなく、また二〇〇五年に建てられたばかりである。にもかかわらず、ここは歴史的に大きな意味を持っている。それは、民族だけでなく、政治的な国家再生の強力なシンボルであり、本書の他の記念碑と同様、多くの議論の的となっている。

ヤド・ヴァシェムは一風変わった機関である。一九五三年、イスラエルの国会がホロコーストの犠牲者のための追悼施設を作ることを満場一致で決議した後に設立された。そして、その後、数十年をかけて、ここは様々な方法で発展してきた。研究機関、図書館、出版社、そしてホロコースト研究の

ための国際学校が設けられた。また、敷地内に点在する記念碑の複合的な建設を統括し、一般市民のための博物館も開設した。ノーベル平和賞を受賞したエリ・ヴィーゼルの言葉を借りれば、ヤド・ヴァシェムは「ユダヤ人の記憶の心と魂である」ということになる。

毎年一〇〇万人もの人々が訪れるホロコースト歴史博物館は、圧倒的に重要な施設である。これは一九六〇年代に建てられた古い博物館に代わるものとして二〇〇五年に開館したが、その建築様式はここの最も重要な要素の一つとなっている。博物館の建物は、三角柱を倒したような形状の細長い構造となっており、ヘルツェルの丘を左右に切り裂くように横たわっている。建物の大部分は丘の中腹に埋もれているが、両端は野外に突き出している。片方の端はトブラローネのチョコレートバーの箱のように閉じられている。しかし、もう一方の端には森林に覆われた谷を眼下に見渡すことのできる、大きなオープンバルコニーが作られている。

博物館に入って最初に目にするのは、このバルコニーである。それは、博物館の中心軸を形成する暗くて厳かな通路の一番奥に設置されている。文字通り、それは長いトンネルの先に見える光なのである。本能的にはすぐにでもこの光に向かっていきたいのだが、そうはいかない。コンクリートの床に刻み込まれたワイヤーや溝によって、通路は何度も遮られているのだ。バルコニーへの近道はなく、中央の通路の両側にある一連の暗い部屋をジグザグに行ったり来たりすることによってしかそこへはたどり着けない構造となっている。

これらの部屋には、ヨーロッパにおいてユダヤ人の絶滅が試みられた本当に悲惨な歴史が記されている。ここでの展示はホロコースト以前のユダヤ人の生活を痛切に描くことから始まり、迫害、投獄、虐殺、ゲットー化、英雄的な抵抗、強制収容所の恐ろしさ、そして最終的に解放されるまでの流れを紹介している。中央の通路を渡るたびに、一番奥にあるバルコニーに目がいくが、それはまだ手の届かないところに位置している。

部屋は進めば進むほど次第に暗くなり、閉塞感が襲ってくる。ビデオ映像や写真、案内板などが灰色の打ちっぱなしのコンクリートの壁に展示されている。戦後、ヨーロッパからイスラエルへのユダヤ人の脱出を描いた展示が終わる頃になると、部屋は再び開け放たれるようになる。最後にある「名前の部屋」と呼ばれる円形の保管庫には、何百万人もの犠牲者の経歴が保管されている。そしてこの部屋を後にして、コンクリートの急な坂道を上ると、ようやく博物館の一番奥に位置するバルコニーへとたどり着くことができるのだ。扉を開けて光の洪水の中に出ると、そこにはユダヤの丘のパノラマが広がっている。その景観は驚くほど心を落ち着かせてくれる。暗闇、コンクリートの壁、閉鎖された空間、そして酷く恐ろしい歴史を見た後で、しばらくの間この場所に立ち、眼下の木々を照らす太陽の光を見ていると、非常に大きな安堵感を覚えるのだ。

この博物館の建築は、教育的な体験からより深い感情的な体験へと変えてくれる。ヨーロッパの恐怖からイスラエルでの解放まで、暗闇を抜けて光の中へ、終末から再生へと、私たちを旅に誘うのである。バルコニーからの眺めは、この博物館最後の展示となっている。これがホロコーストの生還者がその苦しみを癒すために与えられた報酬である。イスラエル、それは最終的に彼らが安全な我が家を見つけるために向かった土地であった。

バルコニーが伝えるメッセージは、ヤド・ヴァシェム全体が伝えるメッセージとほぼ同じである。この博物館の存在自体が、再生と救済の象徴なのだ。ヤド・ヴァシェムは一九五三年にイスラエル政府によって設立されたが、当初、その資金の半分は「対独ユダヤ人請求権会議」からのものであった。換言すれば、かつてのユダヤ人を迫害したドイツからの賠償金が、その迫害の恒久的な記念施設る。

を作るために使われたのである。請求権会議はそれ以来、ヤド・ヴァシェムに資金を提供し続けている。

ヤド・ヴァシェムはヘルツェルの丘に建てられたが、ここもまた非常に象徴的な場所であった。エルサレムやその周辺の他の多くの場所とは異なり、ヘルツェルの丘は古代や聖書の歴史とは無関係である。換言すれば、エルサレムにあるもう一つのホロコースト博物館である「ホロコーストの部屋」のように、死と破壊の長い歴史の中に位置づけることはできず、新たなスタートを切ることになった。この博物館の創設者たちは、ユダヤ人への歴史的な迫害がここで終わり、最終的には新しいものに置き換わるだろうと、事実上いっているのだ。

しかし、それだけではなかった。ヘルツェルの丘はイスラエルのナショナリズムの象徴でもある。ここはシオニズムの創始者の一人であり、「ユダヤ国家の精神的な父」と呼ばれたテオドール・ヘルツェルにちなんで名付けられた。ヘルツェルの自身の遺体も、一九四九年にウィーンの墓から移され、ここに再び埋葬されているのだ。この丘には、他にもイスラエルの国家指導者や殉職した兵士が埋葬されている。ヤド・ヴァシェムが設立された時には、このような伝統がすでに確立されていたのである。

今日、ヤド・ヴァシェムは、イスラエル国家に属する近隣の施設と密接につながっている。それらをつなぐ記念の小道も作られている。そのメッセージが十分明確に伝わらない場合に備えて、掲示板にはそのことがはっきりと書かれている。

この道は、ヤド・ヴァシェムと国立軍事墓地、国家指導者の埋葬地、そしてヘルツェルの墓を結んでいる。「この道を通ることは、大惨事から再生への時間の旅を象徴するものである。そして、それはディアスポラからユダヤ人の故郷への旅、亡命と破壊からイスラエル国家での努力と希望に満ちた生活への旅をも表している」。

これが今日のイスラエルが説く公式メッセージである。ホロコーストは一種の黙示録であったが、それは同時に再生への道でもあった。ホロコーストがなければ、イスラエルという国家は誕生しなかったかもしれないのだ。

イスラエルを訪れる要人たちは、公務の前にヤド・ヴァシェムを見学するのが通例となっている。外国の首脳たちは、まずホロコースト博物館を訪問してから、近くにある「追悼のホール」で花輪を捧げるのだ。これらへの訪問は必須であり、イスラエルの上席外交官タリヤ・ラドール＝フレッシャーによると、参加したくない外国人首脳には、「イスラエルに来ていただかなくて結構です」と丁重に伝えているという。「ヤド・ヴァシェムは私たちの歴史の重要な一部です」、「ホロコーストを理解せずして、今日のイスラエルを理解することはできません」と彼女は二〇一二年に『タイムズ・オブ・イスラエル』紙に語っている。

そのため、各国の大統領や首相は、エルサレム郊外の丘に切り込まれたこの長い三角柱型の建物に定期的に連れて行かれることになる。彼らは、暗くて閉塞感のある一連の部屋が続くルートをたどり、最後にユダヤの丘を見渡せるバルコニーに出て、安堵感を味わうのである。彼らはユダヤ人が見た歴史を見なければならない。そして、ユダヤ人が感じているように、それを感じなければならないのだ。ヤド・ヴァシェムとそのバルコニーは、今や重要な外交手段となっている。

すべての国がそうであるように、イスラエルもその歴史の中で揺れ動いている。そして、すべての国と同様に、イスラエルは、肯定的なメッセージを示す歴史の側面には敬意を払い、あまり魅力的ではない側面は避けようと懸命に努力をしている。イスラエルが無視し、ヤド・ヴァシェムが省略しているものこそ、この再生と救済の公式メッセージを議論の的にしているのである。

第一に、戦後のイスラエル（または一九四八年まではパレスチナと呼ばれていた）に到着したホロコースト生還者がどのように扱われていたかについて、ここではかなりバラ色に描かれている。ハイファの港に到着した船から降り立った貧しくボロボロのヨーロッパ系ユダヤ人の多くは、パレスチナ生まれのユダヤ人（サブラと呼ばれるようになっていた）によって冷たく歓迎された。ほとんどのサブラは、戦時中のヨーロッパの状況がいかに絶望的なものであったかについて、ほとんど理解していなかった。彼らの中には、ヨーロッパのユダヤ人は弱く、従順な人々であり、「屠畜のために連れて行かれる子羊のように」自ら喜んで連れて行かれたと考える人もいたほどである。その結果、ホロコーストの生還者たちは、ヨーロッパから離れた新しい場所で生活できることに感謝はしていたが、ここでの生活には馴染めないことが多かった。最終的にサブラとヨーロッパ系のユダヤ人がより緊密に統合され、イスラエルという国の兄弟姉妹としてお互いを受け入れるようになったのは一九六〇年代に入ってからのことであった。

第二に、イスラエルの新国家がユダヤ人にとって安全な場所であるという考えもまた、絶望的に理想主義的なものであった。ヤド・ヴァシェムには、博物館からほど近い場所に「最後の親族への記念碑」と呼ばれる碑が立っている。この記念碑は、家族の最後の生き残りとしてイスラエルに到着し、新国家建設のために戦って命を落としたホロコースト生還者たちに捧げられている。このことは、第二次世界大戦直後のパレスチナがいかに危険な状況にあったかを示している。一九四七年にはすでにパレスチナはユダヤ人とアラブ人との間の内戦に巻き込まれていた。翌年、イスラエルが独立を宣言すると、近隣諸国から侵攻を受けることとなった。もしあなたが一九四八年にヤド・ヴァシェムのバルコニーに立つことができたとしたら、あなたを迎えたその光景は、けして平和で平穏なものではなかっただろう。イスラエルは戦争中であり、残りの世紀を通して何度も何度も戦争を繰り返すことになることに気がつくだろう。

最後の点は、おそらくすべての中で最も議論の余地があると思われるものである。ヤド・ヴァシェムに展示されている歴史は、ユダヤ人だけの歴史に特化しているのだ。世界中の国立博物館と同様に、ヤド・ヴァシェムでも、その直接的な物語に関連性のない歴史の側面は排除されている。ここでの場合、最も目立つ排除はパレスチナ・アラブ人の歴史である。しかし、そのことで私はヤド・ヴァシェムを批判するつもりはない。どんな博物館であっても、その焦点を維持しなければならず、この博物館の目的はホロコーストの恐怖を描写することであって、アラブとユダヤの関係の歴史を説明することではないからである。それにもかかわらず、イスラエルの土地を、ホロコーストの生還者の苦しみを和らげるための一種の神からの贈り物のように提示する建築には、やはりどこか腑に落ちないものがある。イスラエルは一九四八年に植民地化されるのを待っていた空の土地ではなかった。また、心に傷を負った人々の更生のために用意された療養所でもなかった。イスラエルは、それ自体が長く豊かな歴史を持つ領土であり、その多くはユダヤ人とは何の関係もなかったのである。

ユダヤ人がこの土地と精神的、歴史的に密接なつながりを持っていることには間違いないが、一九四〇年代には、それだけではユダヤ人の土地とはいえなかった。それまでの一五〇〇年は、人口の大部分をアラブ系パレスチナ人、ベドウィン、キリスト教徒が占めていた。その間、この地域はローマ人、ペルシア人、イスラム教徒のカリフ、マムルーク朝のスルタン、オスマン帝国の皇帝、そして一九一八年からはイギリス人によって支配されてきた。ユダヤ人は何世紀にもわたってこれらの人々と共存してきたが、その数はそれほど多くはなかった。ユダヤ人の人口が再び増加し始めたのは、ヨーロッパからの移民が入ってきた一九世紀末になってからのことであった。一九二〇年代から三〇年代にかけても、迫害を逃れたヨーロッパからのユダヤ人が次々と移住してきたが、一九四五年においても、彼らは総人口の三分の一以下であり、パレスチナはまだ圧倒的にアラブ人の多い土地なのであった。

シオニストが移住してきた初期には、ユダヤ人とアラブ人はそれほど問題なく共存していた。しかし、必然的にアラブ人の中には多くの外国人がやってくることに対して恨みに思う人もいた。特にユダヤ人がここを自分たちの祖国とするだけでなく、最終的には政治的な支配権を確立することを目的としていることを知ると、怒りを感じるようになったのである。一九二〇年代初頭、エルサレムやヤッファにおいて、ユダヤ人とアラブ人の間で暴動が起こり、何十人ものユダヤ人が殺害された。その数年後、今度はヘブロンでもアラブ人の暴徒が女性や子供を含む無防備なユダヤ人六七人を虐殺した。これによって、危険な前例ができてしまったのである。

報復として、ユダヤ人たちは独自の民兵組織を設立した。これらの準軍事組織のほとんどは、純粋にユダヤ人の村を攻撃から守ることに重点を置いていたが、悪名高いイルグン（ユダヤ民族軍事機構）を含むいくつかの組織は、より攻撃的な戦術を取ることを決意していた。ユダヤ人に対する暴力への報復として、彼らはアラブの民間人をテロ攻撃で恐怖に陥れ始めた。彼らはバスや喫茶店、市場などの公共の場所にいる人々を標的にしたのである。アラブ人の群衆に手榴弾を投げ込み、できるだけ大きな恐怖を与えようとしたこともあった。ここに、さらにもう一つの危険な前例ができあがってしまったのである。

第二次世界大戦後、双方の緊張はさらに高まり、暴力をコントロールできなかったのはイギリスの責任だと非難した。イルグンのような強硬派のユダヤ人組織は、自分たちの身を守る唯一の方法は、イギリスをパレスチナから追い出し、国の支配権を握ることだと考えていた。彼らは、エルサレムのキング・デイヴィッド・ホテルにあるイギリス軍の本部を爆破するなど、英国に対する一連のテロ攻撃も開始した。やがて、両者の間の仲介に疲れたイギリスは、この問題を国連に委ねたのである。

その後の展開に関しては、それ以来ずっと、論争の的となっている。国連がパレスチナをユダヤ人とアラブ人居住区の二つに分割することを決議した時、アラブの指導者たちはその決定の受け入れを拒否した。そして、国中でユダヤ人への攻撃が増加した。ユダヤ人部隊は、この問題をきっぱりと解決しようと、自分たちの領土とされる場所を占領し、そこに住むアラブ人を追い出したのである。ユダヤ人社会を守るためには、罪のないアラブの人々も含めて、できるだけ多くを追放する方法が取られたのである。

イスラエルの歴史の中で起こったこの事件の公式見解によると、アラブ人は正式に追放されたのではなく、自らの意思で逃げ出したとされている。しかし、これらの作戦に参加したユダヤ人兵士でさえ、アラブ人が意図的に追い出されたこと、そして過激な暴力が彼らの脱出を促したことを認めている。このようにして何百もの村が更地にされ、開拓されていった。

必然的にそこでは残虐行為が発生した。最も有名なのは、エルサレムからそう遠くないデイル・ヤシーン村で起きた事件である。一九四八年四月、イスラエルが正式に独立を宣言する一ヶ月前に、ユダヤ人の準軍事組織がこの村に入り、銃や手榴弾で住民の大半を殺害したのである。この時もイルグンが中心的な役割を果たした。女性や子供を含む少なくとも一〇〇人が虐殺された。一九二九年のヘブロンの大虐殺がアラブ人がふるったユダヤ人に対する暴力の象徴となったように、デイル・ヤシーンの大虐殺はやがてユダヤ人がふるったアラブ人に対する暴力の象徴となった。

それから一ヶ月後、イスラエルの建国が宣言された。新しい国が確立する前にこれを崩壊させようとしたアラブ諸国との、短いながらも決定的な戦争の後、不安な平和が訪れた。その不安は、それ以来、現在までずっと続いている。

ヤド・ヴァシェムでの展示では、これらのことは一切触れられていない。それは、ホロコーストの記憶に特化したこの場所ではなく、別の機関が扱うテーマだからである。しかし、政治的な理由でこの博物館に連れてこられた外国の首脳たちは、イスラエルの過去についての他の物語が、ここで紹介されている物語と並んで存在していることを忘れてはならない。展示の最後にあるバルコニーからは、ユダヤの丘を見下ろすことができるが、これはけしてハッピーエンドではないのだ。

アラブ人には、過去を忘れないようにするための独自の組織がある。彼らの多くは、ヤド・ヴァシェムのバルコニーに立って北を見ると、かつてデイル・ヤシーン村があった丘の上が見えると指摘するのが好きだ。

一部のユダヤ人組織もまた、この過去を忘れないように努力している。そのうちの一つ、「デイル・ヤシーン・リメンバード」という組織は、ヤド・ヴァシェムについて次のように述べている。

このホロコースト博物館は美しく、「人間の人間に対する非人道性をけして忘れてはならない」というメッセージは時代を超越する永遠のものです。ロウソクと鏡で埋め尽くされた暗い部屋の中では、ホロコーストで亡くなったユダヤ人の子供たちの名前が出生地とともに読み上げられています。どんなに冷酷な人でも涙が出てきます。博物館のこの部分を出ると、訪問者は北を向いてデイル・ヤシーンを真正面から見ることになります。目印もプレートも記念碑などもなく、ツアーガイドも言及しませんが、しかし、何を見ているのかを知っている人にとっては、その皮肉さは息を呑むほどです。

イスラエル人は、第二次世界大戦中に起こった出来事の歴史から逃れることができないように、この歴史からも逃れることはできない。イスラエルにおけるユダヤ人の再生は、確かに優しく美しいものであったが、ヤド・ヴァシェムの象徴的なバルコニーが示すほど単純なものではなかった。それは勝者と敗者の存在する、厄介で暴力的な事業だったのだ。

イスラエル人が本当に自分たちの過去を受け入れたいと願うならば、ホロコーストが今でもイスラエルの記憶の中で恐ろしい力を持っているにもかかわらず、それが、自分たちの国の誕生に先立つ唯一の痛みを伴う出来事ではなかったことを、折に触れて思い起こさなければならない。

第24章

イギリス　コベントリー大聖堂と釘の十字架

第二次世界大戦中にイギリスが爆撃を受けた中で、特に際立っていた都市がある。コベントリーは、一九四〇年に空襲を受けた後、国際的に有名になった都市である。ドイツのドレスデンや日本の広島にも近い象徴的な役割を果たしている。

コベントリーの中心部には、この大きな悲劇を象徴する記念碑が建っている。コベントリー大聖堂の廃墟は、おそらくこの街で最も有名なランドマークであり、第二次世界大戦の影響を永久に想起させるものとして存在している。赤い砂岩の壁の残骸が、ギザギザの歯のように地面から突き出している廃墟である。

ゴシック様式の窓は、古いガラスが割れたり、取り除かれたりして空っぽになっている。かつて礼拝堂、身廊、通路に囲まれていた空間は、今では風雨にさらされ、かつて教会の床であった石材の間には草が生えている。中央には折れた柱の切り株が通り道を形成し、少し片側には教会の他の部分と同様、焼失してしまった説教壇があった場所を示す石の階段の跡が残っている。

この遺跡は、フランスのオラドゥール＝シュル＝グラヌのように、恐怖と終末の象徴となったかもしれない。しかし実際には、これはその主要なメッセージにはならず、それとは別の、より宗教的な

コベントリー大聖堂の廃墟。

感情が勝っている。コベントリー大聖堂の廃墟は、これまで私が取り上げてきた他のどの遺跡よりも、はるかに豊かで希望に満ちた記念碑である。

このような変化を理解するためには、戦争中にここで起こった大惨事と、それがコベントリーのその後の歴史に与えた劇的な影響をもっと詳しく見ておく必要がある。

一九四〇年一一月一四日の夜、ここで行われた空爆は、この時点までに英国が被（こうむ）った爆撃の中でも最も長いものであった。それは午後七時過ぎに始まり、一晩中続いたのである。約一〇時間後、最後の爆弾が投下されるまでの間に、四〇〇機以上のドイツ軍機が飛来し、五〇〇トン以上の爆薬と焼夷弾をこの街に投下したのであった。後にハンブルクやドレスデンのような都市に投下された爆弾の量と比べるとわずかなものではあるが、この当時の基準からすればこれは膨大な量であった。

爆撃機は革新的なレーダービームのシステムによって目標に誘導されたが、大多数の爆撃機はそれを利用してはいなかった。その結果、街は瞬く間に明るく燃え上がり、数キロ離れたところからでも、その姿が確認できた。その夜飛行したドイツ人パイロットの一人であるギュンター・ウンガーは、「ロンドンでさえも、空襲時にこれほどの集中砲火を見たことがない」と語った。通常、目標となる都市では、火災の範囲は分散しているが、この時は違っていた。目標を外す可能性は皆無であった。

ドイツ軍がコベントリーを爆撃するのにはそれなりの理由があった。この街にはイギリス国内でも有数の大規模かつ重要な工業地域があった。航空機のエンジン、装甲車、防空気球、電気機器、工作機械、VHFラジオ、その他イギリスの戦争遂行に不可欠な多くの機器を生産する工場があった。しかし、爆撃の理由はこれだけではなかった。ドイツのプロパガンダによると、この爆撃は以前にイギリスがミュンヘンを空爆したことへの報復として行われたという。換言すれば、爆撃機戦が始まって以来ずっと続いていた報復と反撃のサイクルの中で、コベントリーは単に最も新しい犠牲者になっただけであった。

コベントリーの工場のいくつかはドイツ軍の爆撃によって大打撃を受けた。そこにはトライアンフという自動車のモーターメーカーやゼネラル・エレクトリック社のケーブル工場などが含まれており、これらは完全に破壊された。しかし、これらの軍事的目標とは別に、何千もの民間の建物も破壊された。コベントリー市立図書館、真新しいデパート、学校、病院も焼け落ちた。数多くの商店、公共施設、会社が破壊され、二五〇〇軒の一般住宅も焼失した。さらに二万軒もの家が居住不可能なほどに酷く損傷したと考えられている。

このすべての破壊の真っただ中にこの大聖堂は立っていた。大司教リチャード・ハワードは、この火災から大聖堂を救うために最善を尽くした。彼と他の三人の協力者は、焼夷弾を見張るためにこの夜の恐怖に耐えていた。しかし実際には爆弾がどんどん落ちてきたため、四人はすぐに圧倒されてしまったという。消防隊が到着したのはすでに火災が発生してからであったが、水道管の故障で、彼らもこの建物を救うことができなかった。結局、消防士や聖職者たちは、大聖堂とコベントリーの中心部が燃え尽きるのを見守ることしかできなかった。

その後の数日間、両陣営の情報機関はこの出来事をプロパガンダに利用しようとした。ナチスはすぐにこの空襲を自らの強さの象徴として宣言した。あるラジオ放送では、コベントリーの街は「完全に破壊された」といっていた。別の放送では、コベントリーの工場は二度と稼働できなくなるほど酷い損害を受けたとし、「これはコベントリーの部分的な破壊ではなく完全な破壊だった」と伝えている。ヒトラーのプロパガンダ機関は「コヴェントリーレン（coventrieren）」という新しい言葉まで作って、この行為を何度でも自由に繰り返すことができるとした。これは、最終的にはドイツが勝つことになるので、イギリスは遅かれ早かれ降伏したほうがいい、ということを示唆していたのである。

一方、イギリスの新聞はコベントリーをナチスの強い残虐性の象徴として利用した。『タイムズ』紙は一一月一六日付の社説において、コベントリーを「殉教都市」――この表現は戦争中のコベントリーを特徴付けるものであった――と呼んだ。ほぼすべての新聞が、この廃墟となった大聖堂の写真を掲載した。その理由の一つには、廃墟となった工場の写真よりもはるかに情緒的であったことが挙げられるが、ドイツ軍の空襲がことさら野蛮なものであったことを印象付けるためでもあった。

これらの写真が大西洋を渡ってアメリカに伝わると、イギリスを支援するための有効な手段となった。『ニューヨーク・ヘラルド・トリビューン』紙に掲載された記事は、典型的なもので、「写真の中のコベントリーの聖ミカエル大聖堂の荒れ果てた廃墟は、西洋文明に放たれた狂気と計り知れぬ野蛮さの声なき象徴である。米国が英国の手に渡すことができるいかなる防衛手段も差し控えてはならない」と宣言したのである。

また、この写真は、イギリス国内の復讐を願う人々の叫びにもなった。一一月一七日の『サンデー・エクスプレス』紙の一面はそれを物語っていた。それにも廃墟と化した大聖堂の写真が掲載されており、その上には紙面の幅いっぱいに、「神よ、どうかあの夜私たちに行われたことに復讐してください」という見出しが書かれていた。

両陣営ともに、コベントリーをそれぞれの目的の象徴として利用しようとしていた。しかし、戦時中のプロパガンダと並行して、全く異なる種類の象徴化を望む声もあった。コベントリーでは、街の有力者たちの一部が、キリスト教の伝統に基づく、より精神的な価値観を訴えていた。

爆撃の翌朝には、リチャード・ハワード大司教が信徒たちに向けて厳粛な宣言をした。「大聖堂は再び立ち上がるだろう」、「それは再建され、過去の世代と同じように、将来の世代にとっても偉大な誇りになるだろう」と彼は語った。一般的にはこれは真っ当な反抗の意思表明に聞こえるかもしれないが、彼は、大聖堂が破壊されたにもかかわらず、敗北を認めることをしなかった。しかしそれだけではなかった。ハワードはキリスト教の中心的な教義である「復活」のビジョンを表現していたのだ。彼は大聖堂をキリスト自身のメタファーとして使っていた。大聖堂もまた死から蘇るのだ。

六週間後、ハワードはさらに一歩踏み込んだ発言をした。大聖堂の廃墟からラジオで放送された国民へのクリスマス・メッセージの中で、彼は未来がどのようなものであるべきかというビジョンを語ったのだ。「私たちが世界に伝えたいことは、今日、私たちの心の中にキリストが新しく生まれたということです。それは難しいかもしれませんが、私たちは復讐への考えをなくすために懸命に努力しています。……私たちは、この争いの先にある日々の中で、より優しく、より単純で、よりキリストの子供としての世界を作ろうとしているのです」と。

コベントリーの多くの人々がハワードに倣った。爆撃から数週間後、大聖堂の石工であるジョック・フォーブスは、瓦礫の中から大きな石をいくつか集めて、仮設の祭壇を作り、廃墟となった教会で礼拝を続けられるようにした。そして、彼は焦げたオーク材の屋根の梁を二本拾い上げ、十字架の形でつなぎ合わせた。この焼け焦げた十字架は保存され、現在も教会の中に展示されている。

一方、地元のアーサー・ウェールズという地元の司祭は、瓦礫の中から拾ってきた中世の屋根の釘三本を使って、もう一つの十字架を作った。最初は針金で結びつけていたが、後に溶接してメッキを施すようになった。この「釘の十字架」は祭壇の上に置かれた。それ以来、この十字架は、この大聖堂とその象徴となる強力なシンボルなっている。

戦後、聖堂の石材には「父よ、お赦しください」という言葉が刻まれた。この言葉は今でも壁に金色の文字で書かれているのを見ることができる。

残念なことに、一九四〇年当時の世界にはまだこの赦しのメッセージを受け入れる準備ができていなかった。目の前にはまだ勝利すべき戦争があったのだ。それからの数ヶ月間、爆撃は激化していく一方であった。コベントリーは最終的に、電撃戦で大きな被害を受けた英国の都市の中の一つの標的に過ぎないことが判明した。その報復として英国空軍はリューベック、ロストック、ケルン、ハンブルク、ドレスデン、その他一〇〇以上のドイツの町や都市を対象に壊滅的な爆撃を加えた。第二次世界大戦は、ヨーロッパ中の都市を廃墟としてしまったのである。

本格的に復興に取り組めるようになったのは、終戦を迎えた一九四五年になってからのことである。多くの場所で、瓦礫を片付けるのに何年もかかった。例えば、コベントリー大聖堂の瓦礫が最終的に撤去されたのは、破壊から約七年後の一九四七年のことであった。

ヨーロッパ各地で、どのように再建を行うべきかの議論が交わされた。多くの人々は、単に自分たちの都市を戦前の状態に戻すことを望んでいたが、破壊された都市を、戦後の時代のニーズに合わせた、より新しい、より良いものを建設する機会と捉えていた人々もいた。その一人がコベントリーの都市計画者、ドナルド・ギブソンである。彼はこの爆撃を「不幸中の幸い」と呼んだことで有名である。ドイツ軍は「都市の中核部を一掃した」といい、「これで新たなスタートを切ることができる」と語った。

後年、コベントリーはイギリスの近代的な都市計画の先駆者として評価されるようになる。車で街に乗り入れるのではなく、特別に作られた新しい駐車場に停めて、徒歩で各店舗を回るという、イギリスで初めて街の中心部を完全に自動車乗り入れ禁止にした都市であった。ギブソンの新しい都市計画では、戦争で傷つき破壊された古い歴史的な街並みは一掃され、騒音や公害のない広い通りや広場を備えた近代的なショッピングセンターに取って代わられた。

まもなく、街は新しいシンボルである「不死鳥」を採用した。一九四六年にコベントリーの復興が始まったことを記念して、「レベリング・ストーン」が中心部に敷設され、そこには不死鳥の像が刻まれた。不死鳥はコベントリー市の紋章にも加えられ、ランチェスター・ポリテクニック（現在のコベントリー大学）のロゴにも採用された。また一九六〇年代の初め、地元の芸術家、ジョージ・ワグスタッフは、マーケット・ウェイの中心部に不死鳥の像を建てるよう依頼された。今日では、この神話上の鳥は街のいたるところに登場している。

おそらく最も偉大な不死鳥は、大聖堂そのものであった。爆撃の翌朝、ハワード大司教があの有名な宣言をして以来、この歴史的建造物を再建する計画が立てられたが、戦中戦後の物資不足のために、なかなか進まずにいたのである。

大聖堂の再建方法については、様々な議論が交わされたが、最終的には公開コンペが行われることになった。一九五〇年、全国の建築家から計画案が募集された。応募要項によると、旧大聖堂廃墟のほとんどを残す理由はなかった――ここには塔と尖塔しか残っていなかった。そのため、応募者の大半は、この廃墟を新しい建物に取り込むか、あるいは完全に撤去してしまうかのどちらかを想定していた。

優勝したバジル・スペンスの作品は、古い建物の廃墟をそのまま残した数少ないデザインの一つだった。スペンスのアイデアは、この廃墟の傍らに全く新しい大聖堂を建設し、それら二つの空間を

旧聖堂の隣に建つ新聖堂。大きなコンクリート製のポーチで結ばれている。

巨大なポーチでつなぐというものだった。彼の言葉を借りれば、「復活の勝利を象徴するもの」、すなわち、キリストが死から蘇るという宗教的なイメージを具体的な形にすることが目的であった。もっと世俗的な言葉づかいをすれば、彼は都市計画家が他の場所でやっているのと同じように、コベントリーの街が灰の中から不死鳥のように蘇ることを表現したのである。

こうして、新しい大聖堂の建設が進められた。一九五六年にはエリザベス二世によって礎石が設置された。その六年後に完成した新しい大聖堂は、赤い砂岩、磨き上げられた大理石、鉄筋コンクリート、そしてステンドグラスの窓の輝きを持つモダニズムの傑作となった。現在まで、オリジナルの「釘の十字架」は主祭壇の上に置かれており、一九四〇年の破壊とそれ以降に行われている復活を永久に想起させるものとなっている。

計画と再建が行われている間、ハワード大司教は、「より優しく、よりキリストの子供としての世界」を作るという戦時中の約束を果たそうと努力を続けていた。戦争が終わった今、彼はついに国家間の赦しと和解というビジョンを追求する自由を得ることになった。一九四六年には早くも、ハンブルク大司教も参加しての礼拝を無線配信で行った。翌年、彼は北ドイツのキールと強い結びつきを築き、和解のシンボルとして「釘の十字架」を送った。その後、ドレスデン、ベルリン、その他イギリス軍による爆撃を受けたドイツのいくつかの都市にもこの十字架が送られたのである。

何年にもわたって、ハワード大司教と彼の後継者たちは、ドイツ各地で廃墟となった教会や再建された教会を利用して、被災者同士のコミュニティを築き上げていった。ベルリンのヴィルヘルム皇帝記念教会も含まれているが、この教会もまた、コベントリー大聖堂と同様に廃墟として保存され、その隣に新しいモダニズム教会が建設されている。また、ハンブルクのニコライ教会の廃墟も含まれているが、これは大火災の記念として保存され、同市の聖カタリナ教会は再建された。そしておそらく

FATHER FORGIVE
FOR
'ALL HAVE SINNED AND COME SHORT OF
THE GLORY OF GOD'

釘の十字架。

最も重要なのは、ドレスデンの聖母教会が含まれていることである。聖母教会とコベントリー大聖堂は、特にお互いの空襲の記念日に、定期的な交流訪問を行っている。

今日、コベントリー大聖堂のすべての活動の中核には「和解」の概念がある。旧大聖堂の廃墟を歩くと、破壊のシンボルではなく、再生と和解のシンボルが目に飛び込んでくる。北西の角には、ドレスデンの聖母教会から寄贈された、爆撃を受けた生存者を表す彫刻が設置されている。その近くには「和解」と題されたもう一つの像があり、これは広島の平和記念公園にある像と対をなしている。身廊の南側にある案内板には、一九四〇年の破壊について簡単に説明されており、その後、大聖堂が世界各地で行っている和解のための活動について、詳しく記述されている。一九四五年以来、この大聖堂は世界各地の一八〇以上の志を同じくする団体とつながりを持ち、民族間の和解という考えに献身してきた。その起源がコベントリーにあることにちなみ、この世界的なパートナーシップは「釘の十字架の共同体」と呼ばれている。

コベントリーは、都市としても同様の活動を行っている。コベントリーは公式に自らを「平和と和解の都市」と名乗っており、本書ですでに紹介したいくつかの都市を含め、世界中の多くの犠牲都市――ヴォルゴグラード、ワルシャワ、ドレスデン、広島などである――と連携している。市の劇場は、一九四一年にドイツ軍の爆撃によって破壊されたユーゴスラビアの都市に敬意を表して「ベオグラード劇場」と命名されている。また、一九四二年にナチスによって壊滅されたチェコのリディツェ村や、一九四五年にアメリカ空軍によって破壊されたドイツの町メシェデにちなんで名付けられた通りもある。

私は、コベントリーが和解の活動を通じて、過去の悲劇を乗り越えることができた、と書きたいのだが、もちろん物事はけしてそう単純ではない。歴史とは誰も逃れることのできない監獄なのだ。

コベントリー大聖堂の廃墟にどれだけ和解と再生のシンボルが点在していたとしても、最も雄弁に語るのは廃墟そのものである。隣の新しい大聖堂が復活の象徴であるならば、廃墟は純粋な破壊の象徴である。空を背景にしたギザギザの輪郭は、一九四〇年一一月にコベントリーが殉教したことを永久に思い出させてくれるのだ。

今日のコベントリーはドイツのドレスデンや日本の広島に最も近いイギリスの都市であり、これらの都市と同じように語られることが多い。それはここで起こった破壊がとても酷いものであったからではない。なんといっても、ドレスデンではコベントリーの四〇倍、広島ではコベントリーの二五〇倍もの人が亡くなっているのだ。しかし、コベントリーの方が先に起こったために、これが後に起こる惨事の前兆となった。英米の人々の想像力の中では、コベントリーとその有名な大聖堂の破壊は、爆撃戦全体の縮図となっている。

この街で行われた復活もその一部は神話である。コベントリーの再生は一九五〇年代、六〇年代のパンフレットや絵葉書で約束されていたほどに輝かしいものではなかった。その頃、確かに街の中心部は繁栄していたが、その数十年後には衰退し、灰色の街並みになってしまった。一九九〇年代に、部分的にこの街の再生が行われ、私がこれを書いている間もさらなる再生が行われている。しかし、どんなに近代的な計画を立てたとしても、一九三〇年代、四〇年代、そして五〇年代にドイツの爆撃機とイギリスの都市計画家の両方によって破壊された、かつての絵のように美しい中世の都市の代替にはならない。大聖堂の廃墟は、まさにその失われたものを想起させてくれるものとなっている。

この街にはもう二〇世紀半ばの好景気の頃のような繁栄はない。かつてドイツ空軍の怒りをかった何十もの工場は、英国全土と同様にとっくの昔に姿を消している。この数十年、コベントリーは英国の産業衰退の象徴となっている。一九八〇年代には、国内で最も高い失業率を記録し、現在でも英国の平均をはるかに上回る失業率を記録している。市民団体や宗教団体がいくらこの街の再生を訴えても、第二次世界大戦がこの街に与えた影響や戦後のヨーロッパのコンセンサスがコベントリーの人々を失望させたという思いが、未だに残っているのである。こうした幻滅は、コベントリーの有権者の大半がEU離脱を選択した二〇一六年のブレグジットの国民投票に反映された。

旧大聖堂の廃墟の中に立つと、これらのものと、教会当局が熱心に指し示す再生の物語が目に入らないわけがない。破壊の歴史は、必ず和解の歴史に先行するのだ。

本書で取り上げた他の多くの場所と同様に、コベントリーとその大聖堂は、常に第二次世界大戦の歴史によって明確に定義されている。しかし、コベントリーはその歴史を乗り越えようとする努力を続けている。この街は、例えそれがどんなに掴みどころのないものであったとしても、再生を夢見続けているのだ。また、この大聖堂は、果てしない困難に直面しながらも、この地域と世界との両方で、和解のための活動を追求し続けている。

それは八〇年以上前から変わらずこのコミュニティの中心にある記念碑、すなわち、世界で最も複雑な記念碑の一つである旧大聖堂の感情的な力を利用して、そこの人々によって続けられているのだ。

第25章 ヨーロッパ連合 解放の道・ヨーロッパ

記念碑には様々な形や大きさのものがある。私は本書の中で、従来の彫像だけでなく、抽象的な彫刻、壁画、建築物、博物館、記念公園、廃墟や廃村、強制収容所、墓地や墓、神社など、さまざまな記念碑の背後にある意味や動機を探ってきた。これらはすべて、第二次世界大戦の私たちの記憶の保管庫となっている。そして世代を超えてその記憶を伝達するために利用されており、たとえ、現在も存命である退役軍人たちがいなくなったとしても、前世紀の最も悲劇的で劇的な出来事の中で彼らが目撃したことを記憶し続けることができるのだ。

最後に紹介したいモニュメントは、これまでとは一味違うものである。それは、一九四四年から四五年にかけて、西側連合国がヨーロッパ解放の際に通った、複数の国にまたがる二〇〇〇キロにもおよぶルートに沿ったハイキングコースである。これは国境を越えたモニュメントとして、本書に記載されているものの中で最大のものである。また、このモニュメントは最も新しいものであり、実際、この文章を執筆している時点ではまだ完成を見ていない。このルートはドイツ降伏とヨーロッパにおける戦争終結から七五周年を迎える二〇二〇年五月に開通する予定である。

「解放の道・ヨーロッパ」はハイキングコースと称しているが、実際には西ヨーロッパの解放の主解放の道・ヨーロッパの国際的なハイキングコース。

な場所を結ぶ記憶の道である。このルートは、ヨーロッパ侵攻の作戦が最初に議論されたロンドンのチャーチル戦時執務室から始まり、ナチスが最終的に破滅を迎えたベルリンで終わる。途中、ノルマンディー、パリ、ブリュッセル、アーネム、バルジの戦いの舞台を巡り、ドイツへと渡る。厳密にいえば、この道は一つのルートではなく、複数のルートに分かれていて、主要な戦いが行われた数々の場所へも多くの分岐が存在している。

このコースを歩く人は、一九四四年から四五年にかけて大陸を縦断した大規模な軍隊の足跡をたどることになる。それゆえ、彼らの旅は、何十年も前に行われた別の、より過酷な旅の記憶へのオマージュのようなものになるのだ。このコースでは、途中で何百もの記憶の場所を訪れる。旅行者は、このコースに沿って点在する主要な記念碑、墓地、博物館を訪れることができるのだ。また、何万人もの人々が犠牲になった戦場をも歩くことになり、その間に、それぞれの場所で起こった重大な出来事だけではなく、それに参加した多くの人々の物語も蓄積されていくことになる。

このコースの最も重要な点は、それに付随するウェブサイトとモバイルアプリであり、コースの最も辺鄙な場所であっても、これらの使用者は自分が今、立っている場所で起こった出来事のストーリーや説明をダウンロードすることができるのだ。つまり、これは物理的な現実の世界と同様に、デジタルでバーチャルな世界にも存在するモニュメントなのである。

このハイキングコースを制作した団体「解放の道・ヨーロッパ」のディレクターであるレミ・プラウドによると、このプロジェクトにはデジタルの側面が不可欠だという。「これは新しいやり方ですね」と彼は私に話してくれた。そして「このような国境を越えて様々な場所をつないだモニュメントは今まで存在しなかったのです。私たちはそれを、毎年記念式典に来るような人たちだけでなく、若い世代やハイカー、観光客や家族連れなど、あらゆるタイプの人たちにとって、より現代的で、より魅力的なものにしたいと思っています」と。

全行程を歩く時間がない人のために、ルートの様子はオンラインでも公開されている。しかし、このコースの本当の意味での感動は、戦争の歴史的な出来事が起こった場所を実際に訪れる体験にこそある。

このコースには、これらの物語や出来事に対して一つのメッセージと目的を持ったハイキングコースであることを示すために、共通のデザインで作られた道路標識が設置されている。建築家ダニエル・リベスキンドによって特別に考案されたこの標識は、金属とコンクリートの螺旋状のもので構成され、中心の「ベクトル」と呼ばれる鋭利な三角形を囲んでいる。これらはコース沿いの地面や壁に取り付けられているが、いくつかの重要な地点では、それが大きく拡大されたものが設置され、それ自体が記念碑として機能している。

これらのベクトルに込められたメッセージは明確である。小さいバージョンのものは鋭い金属の尖ったもので作られている。より大きな記念碑バージョンのものは、地面から突き出た刃のようなものとしてデザインされているが、これらは両方とも、ベルリンを指し示している。これらの鋭利な金属の物体には本質的に脅威の感覚を覚える。しかし、その目的は一つであり、すべてが同じ方向を向いているのだ。一九四四から四五年にこのルートを通過した軍隊の移動は、けして楽しい旅などではなかった。彼らは長年にわたって、ヨーロッパの人々を恐怖に陥れていた獣の心臓部に向かって大陸を貫く槍の穂先を突き立てていたのだ。

二〇一九年六月、私はダニエル・リベスキンドに、ベクトルに込められた意味と、それらが何を表しているのかについてインタビューを行った。彼は、その刃物のような外観が、このデザインの重要な要素であることを私に話してくれた。「そうですね。確かに鋭さがあります。それもそのはず、それは何か良いものに向かって歴史のすべての悪を切り裂いているからです」と。しかし、それ以上に重要なのは、すべての標識が同じ方向を向いているという事実である。「大きさも違えば、役割も違う。しかし、それらはすべて、解放の方向を明らかにするという点で一致しているのです」と彼はいうのであった。

ある意味で、このコースの中で最も興味深いのは、ドイツを通過する行程である。これが民族主義的な記念碑であれば、私がこれまでに説明してきた他の数多くの記念碑と同様に、ドイツは怪物として、ドイツ人は敵として表象されるかもしれない。しかし、この記念碑は、ドイツを六〇〇キロ以上にわたって通過し、その解放の物語の中にドイツを抱え込む、国境を越えたモニュメントなのである。換言すれば、ドイツは戦争に巻き込まれた他のすべての国と共にナチズムから解放されなければならなかったのである。

このモニュメントの目的は、解放を二〇世紀の重要な瞬間として描き出すことにもある。それはテロと暴力に終止符を打ち、ドイツを含む西ヨーロッパ全体が平和と繁栄の新時代へと再生することを意味する一つの出来事であったのだ。

本書で紹介しているすべてのモニュメントと同様に、「解放の道・ヨーロッパ」は、歴史的な事象についてだけでなく、私たちが生きている、この現在の世界についても物語っている。歴史的なメッセージとは別に、このコースの背景には、政治的なメッセージが――あるいは少なくとも政治的な視点が――隠されている。

私が初めて「解放の道・ヨーロッパ」の企画団体と出会ったのでは二〇一四年のことで、彼らがブリュッセルの欧州議会で開催するイベントでスピーチをしてくれないかと頼まれたのがきっかけであった。彼らは新しいヨーロッパの多角的な展示会企画を立ち上げており、その目的の一つが、解放を特定の国の視点からだけではなく、多国間の視点から物語ることであった。この展示会でスピーチをしたうちの一人に、当時の欧州議会議長であったマーティン・シュルツがいた。彼は、今もなお、「解放の道・ヨーロッパ」の最も積極的な支持者の一人である。

二〇一四年以来、この組織は成長し、大きく発展してきた。欧州大陸に存在する数多くの博物館、記念館、観光地とのつながりを築き、それらの博物館や記念館が互いにコミュニケーションを取り、交流するのを助ける、一種の傘のような役目を果たす団体となっている。このハイキングコースはその集大成であり、様々な施設や記憶の場所をつなぐ実態のある道である。ロンドンからベルリンへのハイキングコースは、このプロジェクトのまだ第一段階に過ぎず、今後何年もの歳月をかけて、北欧、東欧、中央ヨーロッパで誕生する多くのハイキングコースをも巻き込んで、そしていつの日かベルリンで完結することになるだろう。

欧州議会がこのような団体を支持したいと考えているのも、そして議会の前議長がその最大の支持者の一人であるのも偶然ではない。二〇一九年四月、欧州理事会も、これを公式のヨーロッパ文化コースとして認定することで、「解放の道・ヨーロッパ」を正式に承認した。このコースは、これらの機関が神聖視する基本的な価値観の多くを共有している。それはまたヨーロッパの様々な国を物理的に結び付けてもいる。そして、自由、民主主義の勝利、そして何よりも団結の重要性を物語っている。まさにEUの縮図なのだ。

EUは常に、第二次世界大戦をEU設立のきっかけとなった炎として神話化してきた。EUの創設者たちは、戦争がもたらした悲惨と混乱を直接経験し、チャーチルが「一種のヨーロッパ合衆国」と呼んだものを創設することが、唯一の長期的な救済策であると考えていた。この解放の道には、この

解放の道・ヨーロッパ。
ハイキングコースの要所の一つであるノルマンディーの「ベクトル」の完成予想図。

ような精神が息づいている。このコースが記念している歴史は、まさに国際協力の歴史である。西側の連合国がノルマンディーの海岸に到着したのは、個々の国を解放するためではなく、大陸全体を解放するためであった。そしてこの解放は、単一の国家の軍隊によって行われたのではなく、アメリカ人、イギリス人、カナダ人、ポーランド人、チェコ人、自由フランスの勢力、そしてその他数十ヶ国の人々からなる同盟によって行われたことを思い出させてくれる。それはまさに国際協力のモデルであった。

ダニエル・リベスキンドによると、これこそが「解放の道」に込められた真のメッセージなのだそうだ。「解放の余波は、ヨーロッパの新しい自覚と、ヨーロッパにいるということが何を意味するのかについての新しい観念を生み出しました。……平和と過去に対する――そして未来に対しても希望を持っている――人類の展望の一致が、自由とは何かという新しい概念をもたらしたのです。それこそが、このルートが意味するところの核心といえるでしょう。何が起こったかを振り返るだけではなく、この戦争の結果、ヨーロッパが得たものとはいったい何だったのかを考えることなのです」。

記念碑の目的の一つは、過去の出来事を単に記念することではなく、それを神話に変換することである。レミ・プラウドとダニエル・リベスキンドの両氏との会話の中で、彼らはこのルートを「巡礼」と呼んでいた。リベスキンドは、このベクトルを、オデュッセウスが古代に道中で遭遇したであろう原始的な標識に例えていた。「解放の道」は、歴史と記憶の間に神話的な空間を作り出そうとする試みであり、そこを歩く人々は、自身が、身近な環境よりもはるかに大きな何かの一部であることを感じ始めることができる。このルートをすべて歩く必要はないが、ヨーロッパの解放という大事業に感情的なつながりを感じることができるのだ。

これは抵抗しがたい希望と贖罪のメッセージであり、それは、すべての苦しみと英雄主義を価値あるものにする、戦争のハッピーエンドなのである。この種の神話の唯一の問題は、共通の神話よりも、自分たち独自の神話を記念することに関心を持つ国や地域のグループが創った他の神話と競合しなければならないことである。かつてナチスに対する地元の勝利に関わったコミュニティは、その栄光をより広い連合国の世界と共有することを望まないかもしれない。また、大きく被害を受けたコミュニティは、贖罪と再生というより大きな物語のために、自らの苦難を脇に置くことはしたくないかもしれない。

二〇二〇年の「解放の道」の開通は、過去に関するこれら二つの競合するビジョンの間で前例のない緊張感漂う時期と重なっている。この記念碑的なハイキングコースが成功するかどうかは、欧州連合の成功とよく似ているが、一九四五年以降、この大陸を支えてきた国際主義的な価値観と、戦争の原因の一つでもあり、現在も私たちの運命を構成する重要な一部でもある愛国主義的な物語との間に横たわる荒波を乗り越えることができるかどうかにかかっている。

私がこのモニュメントの未来を楽観的に見ている理由は、その規模の大きさゆえに、双方の歴史観に同時に敬意を表する機会が与えられるのではないかと考えるからである。実際、それは私が本書の中で調査したすべての意図を組み入れるに十分な規模である。このルートは、英雄的な場所だけでなく、受難や許しがたい残虐行為の場所をも通過する。それは大陸解放という全体的な物語の中に、各地域の勝利や国家の栄光の物語を包含するということである。このモニュメントは本書で紹介されている他のどの記念碑よりも、ニュアンスと多様性に富む可能性を秘めている。

しかし、何よりも重要なのは、それが歴史的事実という確固たる基盤に自分自身を縛り付けていることにある。一年間の戦闘と二〇〇〇キロに及ぶ領土を巡る長い行軍の旅路は——神話的なものではあるが――このルート上のあらゆる地点で、それぞれの場所で起こった歴史的な出来事と結びついている。

解放の道の制作者は、これが今後、長期にわたって存続するためには、このような方法で制作する以外に選択肢はないと悟ったのである。金属や石に彫られた古い形式のモニュメントは、後世の人々との価値観の違いから、しばしば取り壊されることがある。常に歴史は変化していくものであり、モニュメントがその変化に対応できなければ、時には撤去されなければならないこともでてくるのだ。

おそらく、将来やってくるであろう記念碑撤去の波を回避するための最善の方法は、微妙な差異を受け入れることと、歴史的事実に可能な限りぴったりと寄り添うことである。なぜなら、モニュメントは、人々と同じように、常に歴史の囚人となるからである。

結論

私たちは、人々がますます頻繁に過去のシンボルに対して疑問を抱く時代に生きている。もはや私たちには受け入れられない思想や、現代の感覚からするとあまりにも時代遅れで突飛すぎると思われる思想を表象している記念碑は、しばしば取り壊されることになる。私は近年、アメリカ、南アフリカ、東ヨーロッパなどでこれらの記念碑が撤去されるのを目の当たりにしてきたが、正直にいうと、記念碑が時として引き起こす強烈な感情を理解し、私自身もその感情を共有している一方で、これらの記念碑がなくなってしまうと、その喪失感を嘆かずにはいられなかった。私たちの記念碑は貴重な歴史的文書であり、良くも悪くも私たちの先祖の価値観を雄弁に物語っているからである。それらは、私たちに刺激を与え、様々な議論を引き起こす力を持った好奇心である。また、それらはしばしば驚くべき職人技と想像力に満ちた素晴らしい作品でもある。それを現代の政治動向のために取り壊してしまうのは、非常に残念なことのように思えるのだ。

記念碑は確かに私たちの公共空間に、ある種の抑圧的な力を及ぼすが、私はこれらの碑を完全に取り壊すのではなく、別の方法でこの問題に対処できることを示したつもりでいる。ブダペストの人々が、政府が主導するハンガリーの犠牲者意識の象徴に抗議して行ったように、それに対抗する記念碑を作ることもできるのである。また、アムステルダムのように、問題のある記念碑の周りに、新たに記念碑を作ることで対応することも可能である。現在、この国立記念碑は、他の豊かでニュアンスのある様々な記念碑が作りだす風景の中の一つに過ぎない。また、最悪の場合、これら問題を孕む記念碑を博物館や彫刻公園に移設することもできよう。そうすれば将来の世代が、政治的立場としては反対であったとしても、少なくともそれらの芸術的価値には感嘆するだろう。そして、もし私たちが本当にその記念碑を嫌悪するようになった時は、いつでも嘲笑の対象へと変化させることもできる。ラマの群れと一緒に囲いの中に入れることほど、彫像の重厚感を損なうものはないのだ。

記念碑を取り壊すことは、私たちの歴史を解決することにはならず、それを歴史の地下に追いやってしまうだけである。記念碑がまだ残っている間は、常にそれと向き合い、議論する必要がでてくる。このようにして、記念碑は私たちに責任を負わせるものなのだ。それらは、私たちが歴史への恩義を、また、私たちが歴史に隷属していることをけして忘れないようにするためのものなのだ。

これまでのところ、第二次世界大戦の記憶のために掲げた記念碑のほとんどは、偶像破壊の近年の波に抵抗しているように見える。他の時代の特定の記念碑とは異なり、第二次世界大戦の記念碑の大部分は未だに崇拝されているようである。これは、この戦争がまだ比較的最近のことであることもその理由の一つである。記念碑に刻まれた人々がまだ存命であり、その記念碑を取り壊すことを正当化するのは困難なためでもある。

しかし全体として、戦争記念碑が存続しているのは、それらが、私たちが誰であるのか、あるいは少なくとも、私たち自身が何者であると信じたいと思っているのかについて、重要なことを語り続けているからである。それらは、過去の記憶と同様に、現代の私たちの切望に語りかけている。そして現代の世界では満たされていないニーズに応えてくれているのだ。

本書では、五つの異なるカテゴリーの戦争記念碑を紹介してきたが、それぞれが異なる方法で、私たちにとって重要な存在であり続けている。「英雄」は、私たちの日常生活において不足していると思われる忠誠心、勇敢さ、そして道徳的な強さといったビジョンを提示し、私たちにこうありたいと思わせてくれている。「犠牲者」は、私たちにそれと同じぐらい価値のあるものを与えてくれる。私たちに傷を負わせ、私たちを作り上げた過去の犠牲やトラウマを思い出させてくれるのである。「モンスター」は、私たちが社会の中で最も拒絶しているもの、そしてかつては死守しようとしていたものを思い出させてくれる。アルマゲドンのビジョンは、かつて私たちが受けた膨大な「破壊」を思い出させ、また、「再生」のビジョンは、戦後の混乱の中で、秩序を取り戻そうとする私たちの努力を称えるものである。

これらのカテゴリーはどれも単独では存在しえない。私たちの戦争記念碑が他の時代のものよりも堅牢であることが証明されるもう一つの大きな理由は、これら五つのカテゴリーの記憶が、お互いを支え合うだけでなく、互いに増幅し合っているところにある。アルマゲドンの思想は、この戦争が、人類の魂をかけた大戦争であったという民衆の記憶にぴったりの背景を提供している。私たちの英雄は、彼らが戦っていた相手の絶対的な悪のイメージによってより英雄的になり、私たちのモンスターはといえば、彼らが拷問した犠牲者の無垢さによって、よりモンスター的になるのだ。これらすべてのイメージを結びつけているのは、旧世界の灰の中から生まれた新世界を信じるという最終的な思想であり、これが英雄と犠牲者に与えられた賞品である。それは彼らの犠牲を高貴なものにし、彼らの苦しみを価値あるものにしてくれるのだ。この復活がなければ、すべての英雄主義はいったい何のためにあるというのか。

これら五つの考え方は、第二次世界大戦に関する私たちの集合的記憶を支える神話的な枠組みを形成している。地域的なレベルでは、過去のトラウマに圧倒されることなく追悼することが可能となった。なぜなら、かつて私たちを犠牲にした力は少なくとも敗北し、新しいものへと取って代わられたからである。

国家的なレベルでは、私たちを最終的に勝利に導いた共同体の価値観に誇りを持つことができる。また、国際的なレベルでは、これらは私たちに新しい国際的な制度への信頼を与え、戦争の惨禍のない未来への希望を鼓舞してくれた。これらの考え方は、私たちの国際システムを構築する基盤となっている。

しかし、この神話的な枠組みがこれまで強固なものであったからといって、今後もそうであるとは限らない。すでに亀裂が見え始めている。東欧では、戦争の英雄の記念碑がすでに取り壊され始めている。解放者としてだけでなく、征服者としてもやってきたソ連の兵士たちの、その英雄性を否定することは今や簡単である。一九四五年の他の偉大な連合国に対する態度も変化し始めている。イギリスやアメリカは、もはやかつてのように感謝や尊敬の念を集めることはなく、英米も自国の英雄の記念碑を建てることを好むようになった。ダグラス・マッカーサーのような、偉大な資質だけなく、大きな欠点を持っていたアメリカの英雄たちの記念碑も、やがては撤去を余儀なくされる日が来るかもしれないのだ。

第二次世界大戦の英雄たちの記念碑も、さまざまな政治的変化によって今や脅かされている。これらの記念碑の中には、特定の政治的見解を持つ人々によって建てられたものも存在する。例えば、ロンドンの爆撃機司令部記念碑は右派の圧倒的な支持を得て建設され、ボローニャのパルチザン犠牲者のための壁は左派の人々の支持を受けて設けられた。いずれの場所でも、政治的な雰囲気が大きく変われば、いつの日かこのような記念碑が問題視される時が来るかもしれない。また、爆撃機司令部記念碑のような記念碑は、過去の論争に十分に対処することなく設置されたものであるため、いつかまたその論争に巻き込まれる可能性も孕んでいる。

英雄と同様に、犠牲者やモンスターと呼ばれる存在もまた同じであろう。モンスターとみなされた人々の記念碑が、ほとんどすべて取り壊されてしまったことについて、私は長々と書いてきた。その結果、これらが私たちの公的な記憶に空洞を作りだし、そこには破壊するのが難しいもっと漠然としたものが詰め込まれたのである。とはいえ、私たちがファシズムやスターリン主義の記念碑を消し去りたいという気持ちは変わらない。そのような記念碑の背後にある精神を破壊することはできないかもしれないが、少なくとも、その精神が物理的な居場所を見つけられないようにすることはできるだろう。

一見すると、第二次世界大戦の犠牲者の記念碑の方がはるかに堅固に見える。国民の苦しみを表象した記念碑を、あえて取り壊すような政府や機関があるだろうか。しかし、これらの記念碑でさえ、変化し続ける世界の圧力から逃れることはできない。オラドゥール＝シュル＝グラヌの遺跡は、一九四五年の当時のまま永遠に保存することはできない。どこかの時点で崩れてしまうか、補強しなくてはならないか、もしくは再建しなければならないだろう。ジャージーシティのカチン記念碑は二〇一八年に最終的に移転を逃れたが、それを脅かす商業的圧力が、いつの日か抗い難いものならないと、いったい誰がいいきれるだろうか。

英雄の記念碑と同様に、犠牲者の記念碑も政治的な動向に左右されやすい。例えば、ソウルの「平和の像（慰安婦像）」は、反日感情の象徴として設置されたこともあり、それ以来、日本人は撤去を求め続けている。彼らの外交努力が実を結び、あるいは日韓友好の新時代が到来すれば、いつかこの像も撤去される日が来るかもしれない。ハンガリーがドイツ軍の犠牲者であるという立場を強く主張しているブダペストでは、民族の犠牲を称える記念碑に対して、常に声高に反対運動が繰り広げられている。

おそらく最も脆弱なのは、一九四五年の再生の記念碑であろう。ここでの最大の脅威は幻滅である。第二次世界大戦後、手の届くところにあると思われた素晴らしい新世界は、世界中の人々が期待していたような形では実現しなかった。ヤド・ヴァシェムが約束したユダヤ人のための安全と安心の楽園はどうなったのだろうか。そして、国連安全保障理事会の会議室に描かれたペール・クローグの絵画が約束した世界平和と調和のビジョンや、コベントリー大聖堂の「釘の十字架」が約束した和解のビジョンはどうなったのだろうか。なぜ私たちは、実際にはけして起こらなかった再生を記念しなければならないのだろうか。これらの記念碑のほとんどは、かなり無害なものであり、取り壊される可能性は低いと思われる。しかし、たとえ残ったとしても、人々がそれを見に来つづけるという保証はないのだ。

繰り返しになるが、一見何の問題もないように見える記念碑であったとしても、政治的な雰囲気の変化が脅威となることがある。その中には、国連や欧州連合などの国際機関によって提起されたものもあり、それがまた、これらの記念碑の撤去の原因になるかもしれない要素を孕んでいるのである。ナショナリストは、このような機関に対して常に疑念を抱いてきた。特にヨーロッパでは、ナショナリストの政治家たちが、EUを自分たちの主権を脅かすものとみなすようになっている。ヨーロッパ大陸初の国境を越えた戦争のモニュメントである「解放の道・ヨーロッパ」が、自分たちを最も支援してくれている機関（EU）とのあからさまなつながりを避けようとしているのにはそういった理由がある。その代わりに、民族主義的な物語を、協力と団結という幅広いメッセージの中に組み込もうれているのだ。

と努力しているのである。こういったことができない記念碑は、常にナショナリストの感情にさらされているのだ。

このような脅威にもかかわらず、第二次世界大戦に関係する記念碑は増え続けている。本書で紹介している記念碑のほぼ三分の一は二〇〇〇年以降に作られたものであり、毎年さらに多くの記念碑が誕生している。戦争に対する私たちの関心は、衰えるどころか、ますます高まっているようである。

この原稿を書いている間にも、イギリス国内だけでもいくつかの新しい記念碑が計画されている。二〇二一年にはロンドンの中心部、国会議事堂のすぐ隣には、大規模な新しいホロコースト記念館と博物館がオープンする予定である。また、リバプール（大西洋戦争で戦死した船員に）、スタッフォードシャー（戦争で戦ったカリブ海の軍人に）、ロンドン（戦争中にイギリスのために戦ったシーク教徒に）でも、さまざまな人を顕彰対象とした戦争記念碑を建てるキャンペーンが行われている。また、他の国においても記念碑の建設が進められている。例えば、クロアチアの首都ザグレブでは大規模なホロコースト記念碑の建設が予定されている。また、ドイツでは、ベルリンにポーランド人の戦争犠牲者のための新しい記念碑を建てるためのキャンペーンが進行中である。

歴史が私たちのアイデンティティの基礎であるならば、この歴史は他のどの歴史よりも私たちを定義しているように思える。第二次世界大戦は、私たちがあらゆる国民的感情を投影したいと思うスクリーンである。私たちの記念碑は、そのスクリーンに映し出されたイメージなのだ。

将来、これらの記念碑がどうなるかは誰にも分からない。私たちは、それが永遠に残ることを願って、花崗岩やブロンズでそれらを作っている。しかし実際には、時代に合わせて変化する能力を持った記念碑だけが生き残ることができるのだ。

謝辞

本書は、本文中で言及しているすべての機関と、そこで働く献身的で知識豊かなスタッフの協力と支援がなければ、けして実現できなかっただろう。

これらの機関では、献身的で知識豊かなスタッフが一様に助けになってくれた。そして何人かは特に私のためにわざわざ協力をしてくれた。彼らに深く謝意を示したい。エリンコ・カヴァリエーリ氏、パーリ研究所のルカ・パストーレ氏、リソルジメント博物館のオテロ・サンジョルジョ氏、ブダペストの国家追悼委員会のマーテ・アーロン氏、解放ヨーロッパのレミ・プラウド氏、そして建築家のダニエル・リベスキンド氏である。

中国と日本への旅において受けたもてなしは、本当に素晴らしいものだった。友人であり、翻訳者でもあるハンス・リュー氏、中国の出版社のドン・ファンユン氏には特に感謝をしている。また、尽きることのない忍耐力で南京を案内してくれゾウ・デーファイ氏、リュウ・シャオピン氏、ワン・ハオ氏、タン・カイ氏にも謝意を示したい。

南京の私設抗日戦争博物館の副館長であるシェー・ガン氏、南京大虐殺記念館の館長であるジャン・ジェンジュン氏にも大変お世話になった。また、ヤールとトモコ・シュミット・オルセン夫妻は、私が旅行中、大変寛大にも家に泊めてくれた。また日本のエージェントである堀篤志氏と八幡努氏から受けた東京での歓待にもとても感謝している。

常とおなじく、二〇年来の優秀なエージェントであるサイモン・トレウィン氏、アメリカのエージェントであるジェイ・マンデル氏、そしてこの本の体裁を整えてくれた編集者であるアラベラ・パイク氏とマイケル・フラミニ氏にも深く謝意を示したい。

しかし、最大の感謝は妻のライザに捧げなくてはならない。彼女は私の一番の友人であると同時に、最も厳しい批評家でもあり、また私が研究のために長期にわたり海外を旅する際は、その不在にも耐えてくれた。彼女がいなければ、本書も、そして他の多くのことも、早くに破綻していたにちがいない。

訳者あとがき

本書は Keith Lowe, *Prisoners of History: What Monuments to The Second World War Tell Us about Our History and Ourselves*（William Collins, 2020）（直訳すると『歴史の囚人たち：第二次世界大戦の記念碑が私たちの歴史と私たち自身に教えてくれるもの』）の全訳である。

著者であるキース・ロウ（一九七〇年―）はロンドン在住の叙述家である。マンチェスター大学で英文学を専攻後、歴史・軍事関連書籍の編集者を一二年間にわたり勤めた。現在は作家および歴史家として精力的に活動している。小説としては *Tunnel Vision*（2001）が『トンネル・ヴィジョン』（雨海弘美訳、ソニーマガジンズ、二〇〇二年）として邦訳されている。本書以前に史実を扱ったものとしては、連合国によるハンブルク爆撃によって生じた一九四三年の空襲大火（この空襲と慰霊碑に関しては本書20章でも扱われている）に関する著作、*Inferno: The Devastation of Hamburg, 1943*（2007）が知られている。また近著としては *The Fear and the Freedom: How the Second World War Changed Us*（2017）や二〇一八年に白水社から『蛮行のヨーロッパ：第二次世界大戦直後の暴力』（猪狩弘美、望龍彦訳）として邦訳も出版された *Savage Continent: Europe in the Aftermath of World War II*（2012）などがある。

本書はとりわけ二〇〇〇年代になってから世界各地で進む、記念碑の見直しから、私たちのアイデンティティ基盤としての「歴史の表象」とその変化を考察している。その分析対象として本書が取り上げているのが、第二次世界大戦に関する記念碑、墓、公園、壁画などの数々の記念物である。大戦に関係する集合的記憶は現在もゆるぎなく、確かに様々な議論が喚起させられてはいるものの、これらは撤去されるどころか、逆に増加する傾向にある。しかし、その記憶の対象や顕彰方法、そしてその後の変遷などの状況は世界各地で大きく異なり、それらを巡って呼び起こされる議論も多様であることを紹介する。そして、著者は、記念碑で表象される歴史を、一種の伝統として「私たちを縛り付ける存在」として捉え、そこからは逃れられない、その「力」を読み解こうとしている。本書の原題に即していうなれば、それは、どのような「力」が私たちを今も「歴史の囚人」にし続けているのか、ということであり、第二次世界大戦の記念碑が「私たちの歴史」と「私たち自身」に教えてくれるものは何なのかといった問いへの答えでもあるのだ。

本書の特色としてまずもって挙げるべきは、分析対象を第二次世界大戦の記憶に関係する記念碑にしぼった上で、戦勝国、敗戦国、そして旧東西陣営国家と隔たりなく二五ヶ所の記念碑を取り上げ、その設立の経緯とその後を二〇一〇年代後半にまで詳細に扱っているところである。そして同時に、さまざまな記憶のあり方、変遷の仕方を考察し、「モニュメント」とは何か、「歴史」とは何かについて追及している点である。著者は、記念碑を五つのカテゴリーに分けて説明しているが、それらはそれぞれ単独のカテゴリーで意味をなすものではなく、それぞれが互いの役割をサポートすることで、お互いの意味を増幅させているのだと指摘している。また、これらの記念碑は、地方レベルでは過去のトラウマを追悼し、国家レベルでは共同体の価値観に誇りを与え、国際的なレベルでは、戦争の悲劇から解放された未来への希望を鼓舞してくれる神話的枠組みを提供しているのだという。もちろんこの枠組みも価値観の変遷とともに、変化を遂げてはいるが、注目すべきは著者が取り上げる記念碑のうち、約三分の一にあたる九つが、二〇〇〇年代から新しく建設、もしくは大規模にリニューアルされたものであるということである。第二次世界大戦は今から七六年前に終結を見た出来事であるが、その記憶が現在に及ぼす影響の大きさとそこから逃れられない私たちの姿が強調されている。また、特に東欧において、第二次世界大戦の記憶が、一九九〇年前後の体制転換によってどのように再構築されたのか、されているのかについての記述も本書での見どころの一つとなっている。

「記念碑」をはじめとする様々な「記憶伝達媒体」、そしてその「概念」を扱う研究は一九八四年から九二年にかけて編纂されたピエール・ノラの『記憶の場：フランス国民意識の文化＝社会史』（谷川稔監訳、岩波書店、二〇〇二―二〇〇三年）によって脚光を浴び、世界的テーマとなった。絶えず変化し、想起と忘却を繰り返す「記憶」のあり方や概念の理解は、日本においても、一九九〇年代「戦争の記憶論」という形で取り上げられ、それはエリック・ホブズボームの『創られた伝統』（前川啓二他訳、紀伊國屋書店、一九九二年）やベネディクト・アンダーソンの『想像の共同体：ナショナリズムの起源と流行』（白石さや・白石隆訳、NTT出版、一九九七年）などの議論と結びついて、「国民意識」や「国民の物語」といった「近代国民国家の虚構性」を読み解き、現代史を理解する上で重要な位置を占めるようになった。

私自身、長年「ドイツにおける第二次世界大戦の記憶の変遷」を研究テーマとしているが、このような記憶や記念碑に関係する研究にはざっくりと大きく分けて三つの分類が存在する。

一つ目は、ある国家に焦点をあて、その国の多様な記念物を「タテ」の時間軸に沿ってみる方法である。例えば、ピエール・ノラの『記憶の場』はフランスという地域に焦点をあてて「集合的記憶を表象する場」を年代的にもテーマ的にも幅広く分析することで、フランス的国民意識のあり方を探っている。またケネス・E・フットは『記念碑の語るアメリカ：暴力と追悼の風景』（和田光弘他訳、名古屋大学出版、二〇〇二年）において、建国以来、建設されてきた数々の記念の場や碑を四つの性質（聖別、選別、復旧、抹消）に分けて分析し、現在のアメリカの諸相を理解しようと試みている。また、松本彰は『記念碑に刻まれたドイツ：戦争・革命・統一』（東京大学出版会、二〇一二年）において一八世紀から現代に至る、栄誉を讃える像や塔、そして戦争やナチズムの犠牲者の碑など、多様な「史料」を読み解き、ドイツ近現代史を描きだしている。

もう一つは、いくつかの国家の事例を通して「タテ」の時間軸に「ヨコ」の広がりを加えて記念碑を比較分析する方法である。例えば、若尾裕司（他著）『記録と記憶の比較文化史：史誌・記念碑・郷土』（名古屋大学出版会、二〇〇五年）や若尾、和田（他著）『歴史の場：史跡・記念碑・記憶』（ミネルヴァ書房、二〇一〇年）は近代から現代にかけての「歴史文化の生成」と、「ナショナリズムにつながる歴史意識」に関するいくつかの国の事例を取り上げて比較考察し、国民的な空間を越えて広がる、記憶の成層化プロセスを浮き彫りにしている。

そして、三つ目が「第二次世界大戦」やその後の「東欧における共産主義政権の記憶」にテーマを絞った上で「ヨコ」の広がりを重視して国際比較する方法である。橋本伸也（他著）『記憶の政治ヨーロッパの歴史認識紛争』（岩波書店、二〇一六年）は、ロシアとドイツに挟まれたバルト三国における歴史認識問題の起源や経過を分析すると同時に、欧州における歴史像を四つに整理し、その中に当てはめて考察することで、被害者と加害者の、時と場合によって逆転する複雑な歴史を読み解いている。また飯田芳弘の『忘却する戦後ヨーロッパ：内戦と独裁の過去を前に』（東京大学出版会、二〇一八年）は、記憶することよりも、何を忘却することによって、そのコミュニティーが成り立っていくのかを、第二次世界大戦後と、共産主義政権転覆後の欧州各国の事例を元に分析している。その他、近年、剣持久木（他著）『越境する歴史認識：ヨーロッパにおける「公共史」の試み』（岩波書店、二〇一八年）や橋本伸也（他著）『紛争化させられる過去：アジアとヨーロッパにおける歴史の政治化』（岩波書店、二〇一八年）など、戦時暴力、大量虐殺などの歴史の記憶、忘却そして再記憶といった現象が、どのような契機で起こり、現在の政治といかなる関係にあるのかについて出版されたものも数多い。

各分類とも、論文も含め、日本語で読めるものだけでも、事例は枚挙にいとまがないが、二〇一〇年代後半に出版されたものを見る限り、現在の主流は三つ目のものであり、ヨーロッパ、アジアを問わず、第二次世界大戦の記憶の変遷と、共産主義政権からの脱却後に再構築される新しい記憶、といったものに焦点があてられ、誰が被害者で、誰が加害者なのかなど、かつての歴史認識が問われていることは確かである。

この文脈に位置づけると、本書は、現在主流となっている第三のグループに属し、また二〇二〇年の春に出版されたことから分かるように、世界の記念碑に関する最新の動向を提示してくれるものであり、その上、その対象とする地域や考察の視野の広さと具体性は非常に大きな魅力となっている。そして本書で扱われる記念碑も、今まで日本ではあまり取り上げられる機会のなかったものも多く、それらが、著者の綿密な調査と現場を訪れた経験に基づいて紹介されることは意義深い。また、日本において、歴史認識問題の当事者として、さまざまな議論を目にする機会の多い、靖国神社や南京大虐殺記念館、そして慰安婦像などの問題も、第三者の立場である、イギリス人研究者の手で分析されることによって、より客観的に理解することが可能となっている。また、そのような本格的な研究書であるにもかかわらず、精彩に富む描写、論理的構成と詳細な背景説明、そして効果的な体験談の挿入によって、幅広い読者に「読み物」としても受容されるものとなっている（そのため、なるべく自然で分かりやすい日本語にするよう努めた）。そして、世界各地の第二次世界大戦とその後の社会のあり方を、記念碑を通して比較検討し、「記憶」を、そして「国」や「地域」といったものを考える絶好の機会を私たちに提供してくれている。

早稲田大学の小原淳先生から「田中さん、この本を訳してみてはどうでしょうか」とお声かけ頂いたのは、コロナの拡大が世界各地で深刻となりつつあった二〇二〇年の二月のことであった。それから約二年。ようやくここに翻訳の完成を見ることとなった。初めての出版翻訳に戸惑う私に、経験豊富な小原先生がいくつか助言してくださったのは本当に有難かった。ここに心からお礼を申し上げたい。また、編集を担当してくださった白水社の藤波健さんは、私の拙い訳に粘り強く目を通してくださり、スピーディーかつ丁寧に数多くの的確なご指摘をくださった。本当に感謝申し上げたい。

最後に、コロナ禍で毎日家にいる私を常に気にかけてくれ、リモートワークなどにも多方面にわたり協力してくれた祖母、田中尚子にも感謝を捧げたい。今も廊下を隔てて向こう側の部屋にいる一九三〇年（昭和五年）生まれの祖母は、第二次世界大戦以前からの世界（本書で扱われていた事象も含めて）を同時代で生きてきたのだなと思うと、何とも不思議な気がしてならない。

二〇二二年一月

田中直

参考文献

本書に掲載されている情報のほとんどは記念碑そのものや，記念碑に関係する博物館，または情報センターを訪れて得たものである．

これらの記念碑を巡る現在の論争については，ここでは紹介しきれないほど多くの新聞やウェブサイトを参照した．例えば，ジャージーシティのカチン記念碑に関する2018年の抗議活動はアメリカやポーランドの様々な新聞の紙上を飾り，『ジャージー・ジャーナル』やそのウェブサイト（www.nj.com）ではより詳しく取り上げられ，また，地域コミュニティのウェブサイト（http://jclist.com）では情熱とユーモアをもって紹介された．同様に，ワルシャワの「四人の眠っている人」記念碑の英雄談も，ポーランドとロシアの新聞，特にワルシャワの『ガセタ・ウルボルチャ』紙で紹介されている．ブダペストの「ナチス・ドイツ占領下の犠牲者のための記念碑」を巡る論争は，国際的な報道で大きく取り上げられたが，それに対抗する記念碑である「リビング・メモリアル」の発展の様子は，フェイスブックのページ（https://facebook.com/groups/elevenemlekmu）でリアルタイムに追跡することができる．

したがって，以下の参考文献は，本書で取り上げた記念碑に関する実質的な資料が載っているもの，あるいは，読者がさらに一般的な読み物として有用であると思われるもののみを掲載している．

雑誌論文・学位論文

Chin, Sharon; Franke, Fabian & Halpern, Sheri, 'A Self-Serving Admission of Guilt: An Examination of the Intentions and Effects of Germany's Memorial to the Murdered Jews of Europe', available online: https://www.humanityinaction.org/knowledgebase/225-a-self-serving-admission-of-guilt1an-examination-of-the-intentions-and-effects-of-germany-s-memorial-to-the-murdered-jews-of-europe

Clark, Benjamin, 'Memory in Ruins: Remembering War in the Ruins of Coventry Cathedral' M.A. dissertation（21 September 2015）, Bartlett School of Architecture, University College London

Ellick, Adam B., 'A Home for the Vilified', *World Sculpture News*（Autumn 2001）, pp. 24–9

Glambek, Ingeborg, 'The Council Chambers in the UN Building in New York', *Scandinavian Journal of Design History*, vol. 15 (2005), pp. 8–39

Kumagai, Naoko, 'The Background to the Japan–Republic of Korea Agreement: Compromises Concerning the Understanding of the Comfort Women Issue' in Asia–*Pacific Review*, vol.23, No.1 (2016), pp. 65–99

Kim, Mikyoung, 'Memorializing Comfort Women: Memory and Human Rights in Korea –Japan Relations', in *Asian Politics and Policy*, Vol.6, No.1 (2014)

Okuda, Hiroko 'Remembering the atomic bombing of Hiroshima and Nagasaki: Collective memory of post-war Japan', *Acta Orientalia Vilnensia* Vol.12, No.1 (2011), pp. 11–28

Petillo, Carol M., 'Douglas MacArthur and Manuel Quezon: A Note on an Imperial Bond', *Pacific Historical Review*, Vol. 48 No. 1, Feb., 1979

van Cant, Katrin, 'Historical Memory in Post-Communist Poland: Warsaw's Monuments after 1989', available on the University of Pittsburgh's Dept. of Slavic Languages website: https://www.pitt.edu/~slavic/sisc/SISC8/docs/vancant.pdf

Varga, Aniko, 'National Bodies: The "Comfort Women" Discourse and Its controversies in South Korea' in *Studies in Ethnicity and Nationalism* Vol.9 No.2 (2009)

Yoshinobu, Higurashi, 'Yasukuni and the Enshrinement of War Criminals', 11 August 2013; English translation 25 November 2013 available online: https://www.nippon.com/en/in-depth/a02404/

Yad Vashem quarterly, especially issues 31 (Fall 2003) and 37 (Spring 2005)

便利なサイト

https://www.4en5mei.nl

http://auschwitz.org/en

https://www.medprostor.si/en/projects/project-victims-of-all-wars-memorial https://www.topographie.de

https://www.oradour.info

www.stiftung-denkmal.de

https://www.gedenkstaetten-in-hamburg.de www.yadvashem.org

https://liberationroute.com

https://www.bibliotecasalaborsa.it

https://www.storiaememoriadibologna.it

http://parridigit.istitutoparri.eu

http://www.museodellaresistenzadibologna.it

http://www.straginazifasciste.it
http://www.comune.bologna.it
www.nj.com
https://facebook.com/groups/elevenemlekmu

集合的記憶に関する一般書籍

Bevernage, Berber & Wouters, Nico（eds.）, *Palgrave Handbook of State Sponsored History After 1945*（Palgrave Macmillan, 2018）

Halbwachs, Maurice, *On Collective Memory*（University of Chicago Press, 1992）

Halbwachs, Maurice, On Collective Memory（University of Chicago Press, 1992）
（モーリス・アルヴァックス『集合的記憶』小関藤一郎訳，行路社，1989年）

Mrozik, Agnieszka & Holubek, Stanislav（eds.）, *Historical Memory of Central and East European Communism*（Routledge, 2018）

Nora, Pierre（ed.）, *Realms of Memory: Rethinking the French Past*（Columbia University Press, 1996）

Nora, Pierre（ed.）, Realms of Memory: Rethinking the French Past（Columbia University Press, 1996）
（ピエール・ノラ編『記憶の場：フランス国民意識の文化＝社会史』全3巻，谷川稔監訳，岩波書店，2002年–2003年）

Winter, Jay, *War Beyond Words: Languages of Remembrance from the Great War to the Present*（Cambridge University Press, 2017）

Yang, Daqing & Mochizuki, Mike（eds）, *Memory, Identity, and Commemorations of World War II: Anniversary Politics in Asia Pacific*（Lexington Books, 2018

第二次世界大戦をテーマとした書籍

Beevor, Antony, *The Second Word War*（Weidenfeld & Nicolson, 2012）
（アントニー・ビーヴァー『第二次世界大戦　上・中・下』平賀秀明訳，白水社，2015年）

Buruma, Ian, *Wages of Guilt*（Farrar, Straus & Giroux, 1994）

・Buruma, Ian, Wages of Guilt（Farrar, Straus & Giroux, 1994）
（イアン・ブルマ『戦争の記憶：日本人とドイツ人』石井信平訳，ちくま学芸文庫，2003年）

Constantino, Renato & Constantino, Letizia R., *The Philippines: The Continuing Past*（Foundation for Nationalist Studies, 1978）

Dower, John W., *War Without Mercy: Race and Power in the Pacific War*（Pantheon, 1986）

（ジョン・W・ダワー『容赦なき戦争：太平洋戦争における人種差別』斎藤元一訳，平凡社ライブラリー，2001年）
—*Embracing Defeat: Japan in the Wake of World War II*（WW Norton, 2000）
（『敗北を抱きしめて：第二次大戦後の日本人 上・下』三浦陽一・高杉忠明訳，岩波書店，2004年）
Duggan, Christopher, *Fascist Voices*: An Intimate History of Mussolini's Italy（Bodley Head, 2012）
Farmer, Sarah, *Martyred Village*（University of California Press, 2000）
Friedländer, Saul, *The Years of Extermination: Nazi Germany and the Jews 1939–1945*（Weidenfeld & Nicolson, 2007）
Ham, Paul, *Hiroshima Nagasaki*（Doubleday, 2011）
Hastings, Max, *All Hell Let Loose*（HarperCollins, 2011）
Hibbert, Christopher, *Mussolini: The Rise and Fall of Il Duce*（Palgrave Macmillan, 2008）
Hondius, Dienke, *Return: Holocaust Survivors and Dutch Anti-Semitism*（Praeger, 2003）
Inman, Nick & Staines, Joe, *Travel the Liberation Route Europe*（Rough Guides, 2019）
Jager, Sheila Miyoshi, *Brothers at War: The Unending Conflict in Korea*（WW Norton, 2013）
Kennedy, Paul, *The Parliament of Man*（Allen Lane, 2006）
Kershaw, Ian, *Hitler 1936–1945: Nemesis*（Allen Lane, 2000）
（イアン・カーショー『ヒトラー 1936–1945 天罰 下』福永美和子訳，白水社，2016年）
Landstra, Menno & Spruijt, Desmond, *Het Nationaal Monument op de Dam*（Landstra & Spruijt, 1998）
Lowe, Keith, *Inferno: The Devastation of Hamburg, 1943*（Viking, 2006）
—*Savage Continent: Europe in the Aftermath of World War II*（Viking, 2012）
（キース・ロウ『蛮行のヨーロッパ：第二次世界大戦直後の暴力』猪狩弘美・望龍彦訳，白水社，2019年）
—*Savage Continent: Europe in the Aftermath of World War II*（Viking, 2012）
—*The Fear and the Freedom*（Viking, 2017）
MacArthur, Douglas, *A Soldier Speaks*（Praeger, 1965）
Manchester, William, *American Caesar: Douglas MacArthur 1880–1964*（Hutchinson, 1979）
Manchester, William, *American Caesar: Douglas MacArthur 1880–1964*（Hutchinson, 1979）
（ウイリアム・マンチェスター『ダグラス・マッカーサー 上・下』鈴木主税・

高山圭訳，河出書房新社，1985年）
Mazower, Mark, *The Balkans*（Weidenfeld & Nicolson, 2000）
（マーク・マゾワー『バルカン：「ヨーロッパの火薬庫」の歴史』井上廣美訳，中公新書，2017年）
McCallus, Joseph P., *The MacArthur Highway and Other Relics of American Empire in the Philippines*（Potomac Books, 2010）
Milza, Pierre, *Gli Ultimi Giorni di Mussolini*（Longanesi, 2011）
Morgan, Philip, *The Fall of Mussolini*（Oxford University Press, 2007）
Moseley, Ray, *Mussolini: The Last 600 Days*（Taylor Trade, 2004）
Pavlowitch, Stefan K., *Hitler's New Disorder: The Second World War in Yugoslavia*（Hurst & Co, 2008）
Reep, Edward, *A Combat Artist in World War II*（University Press of Kentucky, 1987）
Roberts, Andrew, *The Storm of War*（Allen Lane, 2009）
Taylor, Frederick, *Coventry*（Bloomsbury, 2015）
Tomasevich, Jozo, *War and Revolution in Yugoslavia*（Stanford University Press, 2001）
Vinogradov, V. K.; Pogonyi, J.F.; & Teptzov, N.V., *Hitler's Death: Russia's Last Great Secret from the Files of the KGB*（Chaucer Press, 2005）
Yoshiaki, Yoshimi, *Comfort Women*（Columbia University Press, 2002）
Yoshiaki, Yoshimi, Comfort Women（Columbia University Press, 2002）
（吉見義明『従軍慰安婦』岩波新書，1995年）
Xianwen, Zhang & Jianjun, Zhang（eds.）, *Human Memory: Solid Evidence of the Nanjing Massacre*（Nanjing, 2017）

写真への謝辞

この本に掲載されている写真の大半は，著者の個人的なコレクションからのものである．残りの写真は，以下の資料からの転載である．感謝を込めて．

Monument to Brotherhood in Arms, p. 32 — Cezary Piwowarski/ Wikimedia Commons CC BY-SA 4.0
Marine Corps Memorial, p. 42 — Idawriter/Wikimedia Commons CC BY-SA 3.0
Douglas MacArthur Landing Memorial, p. 51 — Jelpads/ Wikimedia Commons CC BY-SA 4.0
'I have returned' — Gaetano Faillace/US Army Signal Corps（NARA ID 531424）
The original shrine, 1945, p. 53 — Edo Ansaloni/Museo Memoriale della Libertà
National Monument in 1958, p. 97 — Harry Pot/Anefo/ Nationaal Archief, Amsterdam
Peace Statue, South Korea, p. 118 — Yun-Ho Lee/Wikimedia Commons CC0 1.0
Katyn Memorial, Jersey City, p. 128 — Colin Knowles/ Wikimedia Commons CC BY-SA 2.0
Monument for the Victims of the German Occupation, p. 139 — Abel Tumik/ Shutterstock
Counter-monument, 20 July 2014, p. 147 — Dina Balogh/ Eleven Emlékmű
Auschwitz-Birkenau, p. 151 — Logaritmo/Wikimedia Commons CC BY-SA 3.0
Mussolini's tomb, p. 194 — Sailko/Wikimedia Commons CC BY-SA 3.0
Oradour-sur-Glane, p. 232 — Alf van Beem/Wikimedia Commons CC0 1.0
Cross of Nails, p. 315 — Photograph permission of Coventry Cathedral
LRE hiking trail, p. 320 — Liberation Route Europe
Hypothetical 'Vector' design, p. 325 — Studio Libeskind

これらの写真を転載するにあたり，許可を得るようあらゆる方策が取られています．また，著者や出版社に寄せられた脱落や不正確な情報は次の版で修正されます．

訳者略歴

田中直（たなか・なお）

一九八三年、京都市生まれ。立命館大学国際関係研究科博士後期課程修了。博士（国際関係学）。専門は現代ドイツ史、「記憶の文化」についての研究。現在、立命館大学授業担当講師、龍谷大学ほか非常勤講師。

戦争記念碑は物語る
第二次世界大戦の記憶に囚われて

二〇二二年一月一五日 印刷
二〇二二年二月一〇日 発行

著者 キース・ロウ
訳者 © 田中直
装丁者 日下充典
発行者 及川直志
印刷所 株式会社理想社
発行所 株式会社白水社

東京都千代田区神田小川町三の二四
電話 営業部〇三（三二九一）七八一一
編集部〇三（三二九一）七八二一
振替 〇〇一九〇‐五‐三三二二八
郵便番号 一〇一‐〇〇五二
www.hakusuisha.co.jp

乱丁・落丁本は、送料小社負担にてお取り替えいたします。

加瀬製本

ISBN978-4-560-09881-3

Printed in Japan

蛮行のヨーロッパ

第二次世界大戦直後の暴力

キース・ロウ 著／猪狩弘美、望 龍彦 訳

1945年の終戦から40年代末まで、欧州各地で吹き荒れた夥しい残虐行為——復讐、民族浄化、内戦——などを詳細に論じ、「戦後の闇」に光を当てる歴史書。大戦直後の「暴力」の知られざる実態を、当事者の証言と最新の統計を駆使して、冷静に解明。英国で優れた歴史ノンフィクション作品に贈られるヘッセル=ティルトマン賞を受賞。口絵写真・地図多数収録。